U0134984

# 國際走私謀殺案大追擊

## ▲ 魔鬼的伎倆

鍾傑 著

# 目次

**目次**

**目次**

# 序

在一個偶然的機緣看到鍾先生的「人與神之間的世界」，說實話，很少書能讓我一口氣看完，而且能感動的。

多年前研讀了了凡四訓、推背圖、彩虹數字，又接觸了宋朝邵康節的鐵板神算，讓我頓悟了生命的意義。

原來每個人都有累世因果，為什麼有的人頭腦那麼好，為什麼別人生長在富豪之家，都是有原因的，因果讓每一個人生命中一半是註定的，例如父母親、兄弟姊妹、夫妻、子女，另一半讓你這一生去努力，也可以說修行。

在三度空間的世界，人類可以任意移動，但在第四度空間〈時間〉，人無法自由穿梭，不能回到過去，也不能預知未來。或許有人聽過、遇過算命老師預言神準，其實這些能力不是靠學習就能具備的，是「神」賦予他特殊的能力，目的在警世，告訴我們，要孝順、助人，不能做壞事，因為上天有一個超級電腦紀錄著我們的一言一行，不是不報，時候未到！

人與神的世界不是神怪小說，那位白髮老人真的存

在，作者把法律世界真實的案例，以故事的方式呈現，
其中男女感情真誠流露，引人入勝，同時具警世勸善的
目的，是我近年來看到最有意義，最好看的一本書。

林文淵

# 推薦序

　　「人與神之間的世界」這套書反映了現實社會的縮影，其中冷酷中的溫情、絕望中的堅持與絕處逢生的機緣，都一一躍然於紙上，生動而引人入勝，故事內容貼近生活而又言近旨遠。

　　其中最吸引我並令我感動的，就是故事中主角從心之勇的完美卻又不張揚呈現，這種最高層次的人性之善，或許在當今世上已屬難見，但卻並非蕩然無存，只是我們缺少了那一點發現、那一點關注，使得那最純粹的初衷在黑白雜處的紛擾中埋藏而不見光。

　　南懷瑾先生曾說：「人生遭遇有幸與不幸，雖曰人事，豈非天命哉？雖曰天命，豈非人事哉？」；人生中每一天的最大課題，無非就是一門選擇的科學，很多難以抉擇的決定，其實也都源自於一念之間的選擇。就像書中的白髮老人試圖告訴我們的：很多世事都是善有善報、惡有惡報。而總歸不過就八個字，就是「輪迴運轉，因果循環」。

# 自序

　　作者自 2019 年 5 月開始撰寫「人與神之間的世界」這篇系列小說,至 2021 年 6 月終於完成了第五本完結篇,從第一本到第四本的故事鋪陳,到第五本時揭曉所有的真相,希望能給讀者帶來完全不同的閱讀體驗。但小說終究是小說,還是要強調「如有雷同,純屬巧合」。

　　故事中的主角以法律專業幫助無辜被告平反,並在辦案過程中拼湊蛛絲馬跡追查殺害自己妻子的真凶,最後除了幫助檢方偵破官商勾結的弊案,還揭露了世界恐怖組織的陰謀,化解了一場危機與浩劫,繼承了他父親付出生命所守護的信念。

　　這本小說從 16 世紀的假彌撒亞運動為引,說明有人利用宗教假借神意而敗壞人類道德,妄圖統一世界逞其私慾的荒唐,並就歷史說明恐怖主義或組織的思想根源,更揭露人造病菌及生化武器的陰謀與影響,所有的一切均非出於作者的虛構,而是都有歷史事件作為依據。

　　作者只是一個名不見經傳的小人物,在完成這篇小說第一冊時,大膽的將拙著寄給數家電視台的董事長,沒想到東森電視事業股份有限公司林文淵董事長竟毫不嫌棄的予以接見,並且為這篇系列小說寫序,這份鼓勵與恩情讓作者永銘於心。在此我要特別感謝林文淵董事

長之賞識，也希望透過不斷的努力與進步，以答謝身邊所有支持和鼓勵我的人。

## 【第一冊至第四冊重要人物介紹】
**人與神之間的世界 N05**
# 國際走私謀殺案大追擊：魔鬼的伎倆

### 鍾文昱

　　男性，35 歲，德國路德維西—馬克西米利安—慕尼黑大學（Ludwig-Maximilians-Universität Munchen；簡稱 LMU）法理學博士，曾任臺灣臺北地方檢察署檢察官，於妻子陳詩芸遭不明車輛撞死後，辭職轉任律師。

### 白髮老人

　　男性，姓名年齡均不詳，不肯說明來歷，自稱是天上之神明，來去無蹤，常在關鍵時刻幫助鍾文昱，並常留下警世古文，為本書之靈魂人物。

### 陳詩芸

　　女性，26 歲，鍾文昱已逝妻子，在鍾文昱擔任地檢署檢察官期間，遭人以自小客車撞擊致死，因肇事者逃逸無蹤，始終未能找到真凶。

### 陳詩語

　　女性，26 歲，臺灣大學法律系畢業，為陳詩芸之學

生妹妹，通過律師高考及律師實習後，仍執意於律師事務所擔任鍾文昱之法務助理，對於鍾文昱用情至深。

### 周雅琪

女性，28 歲，精神科醫師及臨床諮詢心理師（臺灣現行制度下無心理醫師），與鍾文昱住在同一社區。因長期相處而愛上鍾文昱，但卻因為與陳詩語為好友而左右為難，後來發現鍾文昱竟是與他一起長大而無血緣關係的堂哥。

### 陳漢光

男性，陳詩芸及陳詩語之父，漢光集團董事長，因為他認為是鍾文昱害死了自己的女兒陳詩芸，所以對鍾文昱一直不太友善。後來他發現陳詩芸是被自己間接害死，終於悔悟而決定自首。

### 方若芷

女性，陳詩芸及陳詩語之母，漢光集團總經理，因為心疼女兒陳詩語深愛著鍾文昱，所以希望陳詩語和鍾文昱能修成正果。

## 田偉志

　　男性，36歲，台北市政府警察局刑事警察大隊某偵查隊隊長，為周雅琪之追求者，並多次幫助鍾文昱平反冤案。

## 羅章柏

　　男性，55歲，畢業於東吳大學法律研究所，執業已超過三十年。最大的特徵就是一頭白髮，而且身材較為瘦小，看起來好像很弱不經風的樣子。不過他在律師這行裡算是一個蠻成功的佼佼者，而且在三十歲左右就創立了這本小說中所描述的律師事務所。

## 方盛華

　　男性，40歲，與鍾文昱為同一律師事務所之同事，外型斯文俊俏。因為他是台灣大學法律研究所畢業的高材生，所以總喜歡高談闊論的批評時事。

## 廖千慧

　　女性，40歲，畢業於政治大學法律研究所，與鍾文昱為同一律師事務所之同事，是一個說話非常犀利的女律師。由於她非常注重形象，所以在穿著與打扮上都很用心，無論何時看起來都是一副專業時尚的樣子。

## 宋逸成

男性，42 歲，法醫，是著名法醫楊日松的徒弟，為人剛正不阿，天生具有陰陽眼。因為出生於基隆，所以特別愛吃基隆的營養三明治。

## 周清合

男性，鍾文昱的乾爺爺，美籍華裔科學家，並在美國商界及政界擁有崇高之地位，不但財富驚人，在臺灣也有很大的影響力。

## 李陽貴

男性，年輕時曾是臺灣警界的傳奇人物，後來因報恩而成為周清合的管家，鍾文昱的搏擊技巧與戰技能力，都是出於他的教導。

## 吳鴻東

男性，四十多歲，是台北市政府警察局刑事警察大隊偵二隊的隊長，在鍾文昱擔任檢察官時有多次合作，非常敬佩鍾文昱的人品，後來在一次行動中英勇殉職。

## 周亞明

男性，周清合的兒子，美國情報人員，三十五年前

被派至臺灣調查某個案件，遭許丞光派楊滄堯殺死。

## 鍾崇德

男性，鍾文昱之生父，三十五年前因調查許丞光犯罪證據，遭許丞光教唆齊正祥殺害，一家三口慘死在醫院，僅鍾文昱被周清合救走。

## 張豪華

男性，十四年前為鍾文昱在軍中之部下，退伍後從事餐飲業，因幫助鍾文昱調查案件，而遭僱傭兵亂刀刺死。

## 于景立

男性，十四年前為鍾文昱在軍中之部下，奉命潛伏在許丞光與楊滄堯身邊，一直幫助鍾文昱調查真相。

## 李雲強（強哥）

男性，第一冊至第四冊故事中某個神秘集團的老大，手下有許多從越南偷渡過來的退伍特種軍人，手段殘忍，行蹤隱密，最終遭到軍方抓捕。

### 賽吉‧金恩（黑閻羅）

男性，美國國籍，曾為傑出的外科醫生，卻因親眼目睹妻子被殺而怒殺凶手，成為殺人通緝犯，為了生存而成為國際金牌殺手，因十四年前鍾文昱饒他一命而前來臺灣報恩，最後為保全證據而犧牲。

### 齊正祥

男性，臺灣北區走私集團老大，三十五年前聽從許丞光的命令殺害鍾文昱一家三口，在白髮老人的引導下悔悟，幫助國家阻止國際恐怖集團的陰謀，在最後壯烈犧牲。

### 許丞光

男性，國家安全局第二處處長，三十五年前指使他人殺害周亞明與鍾文昱一家三口，為恐事跡敗露而影響其退休，一直想要殺鍾文昱滅口，最後卻遭其部下毒害身亡。

### 楊滄堯

男性，許丞光之部下，國家安全局上校軍官，多年來一直跟隨許丞光作惡，但卻始終存有異心，後來為了能爬上許丞光的處長之位，甚至不惜下毒殺害許丞光，

最後遭到逮捕。

### 湯全臨

男性，地檢署檢察官，負責偵辦土地徵收弊案，在第三冊第四章的故事中，曾負責偵訊王東燁。為了維護自己的親哥哥而觸犯法律，最後悔悟自首，並提供方若堂的犯罪證據。

### 楊賢博

男性，立法委員，曾在某地區段徵收案件中，扮演官商勾結之橋樑，為人小心謹慎，但最後被炸死。

### 楊慶章

男性，臺北市市議員，是立法委員楊賢博之子，在第三冊第四章的故事最後，遭到他人綁架而失蹤，最後被發現時已成為海上浮屍。

### 謝向輝

男性，承豐印刷廠老闆，立法委員楊賢博之女婿，利用楊賢博交付賄款之機會錄音存證，進而向受賄者進行勒索，在第三冊故事中離奇中毒身亡。

## 方若堂

男性，律師，方若芷的親弟弟，某地區段徵收案件中，與楊賢博合作扮演官商勾結之橋樑，為隱藏罪刑而教唆殺人，並侵吞陳漢光在瑞士之錢財，最終遭到逮捕。

## 楊瑩欣

女性，謝向輝之妻，楊賢博之養女，與方若堂生有一子，甚至幫助方若堂殺害其丈夫、兄長與父親，為人自私泯滅人性。

## 陳漢成

男性，陳漢光之弟，與謝向輝合作向受賄官員及參與弊案之富商勒索，在高速公路上遭狙擊手擊斃。

## 鄧廷忠

男性，國際僱傭兵集團成員，殺死陳詩芸的凶手，但最後卻死在自己人的手裡。

第六章 守護的信念

## 人與神之間的世界 **No.5**
### 國際走私謀殺案大追擊
# 魔鬼的伎倆

## 第一節　墜樓女性

　　台北東區，高樓林立，即便是在夜裡，依然車水馬龍，而且燈光璀璨。

　　一名年約四十多歲，衣著貴氣且外型亮眼的女性，蹲坐在一棟大樓樓頂的女兒牆 (註193) 內，眼神渙散的自言自語著，看起來她的思緒十分混亂，而且顯得非常的焦慮。

　　這個女性的身邊並沒有任何人陪伴，而且這個時間也幾乎不會有人來到一片漆黑的樓頂，再加上她並沒有大聲喧嘩，所以也不會有人注意到她。

　　沒過多久，她搖搖晃晃的站了起來，趴在女兒牆上看著大樓下來來往往的車輛與行人，從二十幾樓的高度往下俯視，車輛與行人都變得如此渺小。

　　她原本憂鬱的臉上，露出了詭異的微笑，雙手突然扶著女兒牆，用力將自己的身體撐了起來，然後頭部突然向下傾倒，直接向樓下墜去。

　　路上的行人被突然墜落的物體嚇得驚慌失措，大家

仔細一看才知道從樓上墜落下來的是一個女人，嚇得紛紛散了開來。大樓的警衛聽到聲響之後趕緊出來查看，嚇得踉蹌的跑回了值班室，拿起電話趕緊報警。

## 【本節註釋】

註 193：「女兒牆」指建築物屋頂四周的矮牆，主要作用除維護安全外，亦會在底處施作防水壓磚收頭，以避免防水層滲水，或是屋頂雨水漫流。

於東漢劉熙所撰寫的「釋名」中第五卷第十六篇記載：「城上垣曰睥睨，言於其孔中睥睨非常也。亦曰陴，陴，裨也，言裨助城之高也。亦曰女牆，言其卑小，比之於城若女子之於丈夫也」。大意是說古代的女子是卑小的，沒有地位的，所以就用來形容城牆上面呈現凹凸形狀的小牆，這就是女兒牆這個名字的由來。

## 第二節　命案現場

　　警方接獲報案通知後，火速趕到了現場，以最快的速度拉起封鎖線，並且勸導圍觀的群眾趕緊離去。這樣恐怖且血腥的場面，有些人早已被嚇得倉皇離去，但還是有些好奇的民眾，滯留在原地竊竊私語著。

　　到場警員在隊長的安排下，分別在樓下與樓頂進行蒐證工作，迅速將噴濺的血跡與散落的物品一一放上號碼牌，並且拍照存證。

　　大樓警衛認出這個自殺的女性，就是住在十六樓Ａ座的施瑞芳，所以主動的向警方提供訊息，並帶著警員到施瑞芳的住處門口。

　　警方從大樓警衛口中得知施瑞芳的老公在數月前已經出國，夫妻二人膝下並無任何子嗣，也沒有其他同住的親友，所以警方在按了幾次門鈴都沒人回應後，便使用破壞工具撬開了門鎖，戴上手套、頭套與鞋套進屋搜查，並以無線電向樓下的隊長匯報情形。

　　另一組警員帶著大樓警衛回到值班室，稍微檢視了一下監控錄像，發現是死者自己坐電梯上去，再走樓梯到達頂樓，除此之外並沒有看到其他可疑人物。但為求慎重，警員還是要求大樓警衛將這幾天的所有監控錄影全部拷貝一份，以便帶回警局仔細查閱。

　　過了一段時間之後，檢察官與宋逸成法醫也行色匆匆的趕到了現場，宋逸成在封鎖線外先穿戴上法醫工作時的裝備，提著工具箱來到死者的身邊，默默的蹲下來檢視著現場的一切。

　　檢察官走到田偉志的身邊，問說：「田警官，查到些什麼了嗎？」

　　「死者叫施瑞芳，今年四十五歲，與丈夫杜楚明一起住在這棟大樓的十六樓Ａ座，兩人已經結婚多年但並無子嗣，也沒有跟其他親友同住。她的丈夫杜楚明在大陸經營建築業，常年都不在家，很久才會回來一次。根據大樓警衛的證詞，杜楚明在數月前曾回來過幾天，不過很快就飛回了大陸，所以這幾個月死者應該都是一個人住在這裡。」田偉志向檢察官報告說：「我們也大致查閱了大樓的監控錄像，死者今天晚上九點獨自回家，大約在晚上十點的時候坐電梯到最高層，然後再走樓梯上了頂樓，沒有人在她身邊，也沒有查到任何的可疑人物，她大約在頂樓待了十五分鐘，然後就從頂樓墜落地面，大樓警衛聽到聲響之後，就馬上出來查看，然後就打了電話報警，目前能查到的大致情形就是如此。至於死者的通聯紀錄，以及今天她去了哪裡，或是跟什麼人有過接觸，就要等到明天才能詳細調查了。」

　　檢察官聽完田偉志的報告後，低頭問宋逸成說：「宋

法醫，你初步檢查的情況怎麼樣？」

「顱骨破裂、頸骨骨折，四肢也有多處粉碎及穿刺骨折，墜樓的力量很強，而且是頭部先落地撞擊，應該是當場死亡。」宋逸成邊看邊說：「死者身上沒有酒味，至於有沒有服用藥物，就必須帶回去檢驗。」

「這種自殺的案子，還是等聯絡到家屬，再讓家屬決定要不要解剖吧！」檢察官叫旁邊的書記官做了紀錄，然後對田偉志說：「麻煩你們趕快聯絡她的丈夫，讓她丈夫趕快回來。」

「檢座放心，我們會盡快聯絡的。」田偉志恭敬的說：「後面的事情交給我們處理就可以了，我先送檢座離開這裡。」

檢察官點點頭，在田偉志的陪同下離開了封鎖圈，坐上地檢署的勤務車離開了現場。

田偉志走回來之後，有一名警員拿著一個裝有手機的透明封口袋走了過來，對田偉志說：「隊長，這是在十六樓 A 座客廳裡找到的手機，應該是死者的，她在晚上十點多的時候有打過電話給她丈夫，通話時間大約十五分鐘，下午三點之後的來電都顯示未接聽，另外在下午兩點與兩點半的時候，有用 Line 撥過電話給方若堂律師，但通話時間都很短。」

「方若堂律師？」田偉志聽到方若堂的名字，好像

想到了什麼，隨即交代說：「把今天和死者聯絡過的人都記錄起來，明天去調一下這個門號本月內的所有通話紀錄，順便根據死者外出及回家的時間，調閱她今日所有行蹤的沿途監控錄像。」

「啊？這不就是個跳樓自殺的案子嗎？」那個警員不解的問說：「是不是要等到她丈夫回來之後，等家屬的決定再看看？」

「先查吧！」田偉志說：「我似乎有不好的預感。」

「好吧！」那名警員點點頭，離開了田偉志身邊。

原本蹲在地上的宋逸成，突然站了起來，問田偉志說：「你為什麼會有不好的預感？」

「之前我有聽老吳說過，在楊慶章議員失蹤之前，先去了一家汽車旅館，而根據那家汽車旅館提供的資料，開房登記者就是一名叫施瑞芳的中年女子。」田偉志向著地上的屍體使了一個眼色，接著說：「才沒經過多久的時間，這個女的就跳樓自殺，你不覺得似乎有點不太對勁嗎？」

「你問我啊？」宋逸成苦笑著說：「我只是法醫，又不是刑警或檢察官，這我哪裡會知道啊？」

田偉志聽了宋逸成的話之後，搖搖頭拍了拍宋逸成的肩膀，然後走到一旁安排將死者裝入屍袋的事情。

## 第三節　平息爭鬥

　　深夜，基隆外木山漁港與阿根納造船廠遺址附近，一條小路裡鐵皮工廠的圍牆內，停放了非常多輛的黑色轎車。

　　按理來說，既然停放了這麼多的車輛，應該是來了很多人，但是這個鐵皮工廠內卻只看得到幾盞小燈，也沒有人聲嘈雜的情形。從這個鐵皮工廠的占地範圍來看，應該是故意設計成這個樣子，雖然外圍看起來破舊與空曠，但裡面卻可能另有玄機。

　　在這個鐵皮工廠的內部，有一處重新裝潢過的地方，只不過四面牆壁都故意用鐵皮和木材圍了起來，從外面根本看不出來裡面的情形。

　　這個裝潢非常氣派的內屋裡，有四個較為年長的人坐在沙發區，其他的人則分別站在這四個人的身邊。那四個較為年長的人似乎在爭論著什麼，而且互不相讓，場面看起來似乎一觸即發。

　　就在這四個人爭論不休的時候，齊正祥帶著幾個人從外面走了進來，其中還有一個身高約 180 公分的黑人。除了齊老大之外，他身邊這些人的腰間都插著手鎗，看起來應該是來談一件很嚴重的事情。

　　「齊老大，你可終於露面了啊！」其中一個頭髮花

白的中年男子先開了口，對著齊正祥說：「你要是再不出來，這裡可就要亂套了啊！」

齊正祥不慌不忙的走到沙發旁坐了下來，對著剛才說話的中年男子說：「小呂啊！我只不過休息了一陣子，你們怎麼都鬧到這裡來了呢？」

「你這一休息，兄弟們的損失可都不小啊！」那個叫小呂的中年男子說：「而且外面到處傳得沸沸揚揚的，我們還以為……」

「以為什麼？以為我死了啊？」齊正祥沒等小呂把話說完，霸氣的說：「你們以為我這麼容易死嗎？」

「我就說齊老大一定沒事，大家只要安心的等幾天就可以了。」小呂一副巴結的嘴臉說：「可是老謝、黑豹和老毛硬要大家出來講清楚，還要大家趕快找一個人出來作主，搞得大家都亂成一盤散沙了。」

「小呂啊！你說話可得憑良心啊！」黑豹氣呼呼的叫囂說：「齊老大不在，你就叫你的手下提高運費，讓大家都活不下去，甚至還把我們的生意都搶過去做，還敢說是我們在亂……」

「大家都認識這麼多年了，誰是什麼樣的我還不清楚嗎？」齊正祥喝止了大家的爭吵，瞪著小呂說：「你膽子挺大的嘛！我都還沒死呢！你就敢在我的地盤上搞鬼，是嫌自己命太長了嗎？」

　　「齊老大，你可別聽黑豹胡說。」小呂露出害怕的神色說：「自從上次的事情之後，條子把我們盯得愈來愈緊，運送成本自然就會增加，我這麼做也只是為了給兄弟們一個交代而已。」

　　「老齊啊！大家在一起打拼這麼多年，為的就是有利可圖。」滿頭白髮的老謝說：「你這次的事情，確實對兄弟們的影響很大，大家也不知道你是什麼狀況，約出來講講清楚也無可厚非吧？」

　　「好啊！那就來講講。」齊正祥臉色一沉，聲音渾厚的說：「大家出來混，確實為的就是利益，但大家捫心自問，這些年我齊某人有哪點虧待過你們？江湖上打打殺殺、爭權奪利確實在所難免，要是哪個人對我不服氣，大可以站出來講清楚，或者說……有誰覺得自己比我更有資格坐在這個位置上，也可以直接一點，沒有必要在私底下搞一些小動作。」

　　「你身邊站著的那個黑人，就是大名鼎鼎的黑閻羅賽吉·金恩吧？」老毛開口問說：「難怪你說話這麼有底氣，原來是找到這樣的幫手啊？」

　　「沒想到我消失了這麼多年，竟然還有這麼多人記得我。」賽吉·金恩露出一抹淡淡的微笑說：「我並不是齊老大找來的幫手，我也只不過是看不慣某些人的偷襲手段，出手幫了一下齊老大而已。不過我跟齊老大可

以說是一見如故，要是誰想找齊老大的麻煩，那恐怕得先問問我答不答應了。」

黑豹不動聲色的將手垂了下來，用手指示意背後的手下出手，那兩名手下速度很快的將手伸向腰際，似乎想要拔鎗挑釁，誰知道賽吉‧金恩的動作更快，突然掏出兩把手鎗，對準了那兩名手下的頭部。

賽吉‧金恩冷笑著說：「你們可以試試，看看誰的動作比較快？誰會先躺下？」

那兩名手下看見賽吉‧金恩的動作如此之快，被嚇得不敢亂動，原本握著鎗柄的手，也緊張的顫抖著。

黑豹見狀故意站了起來，各打了兩名手下一記耳光，裝模作樣的說：「是誰給你們的膽子，竟然敢向黑閻羅挑釁？」

「大家都是兄弟，有話就好好說，幹嘛一見面就動刀動鎗的？你們還把我這個老大放在眼裡嗎？」齊正祥喝斥著說：「都給我把鎗放下。」

賽吉‧金恩聽到齊正祥這麼說，雙手一收就將兩把手鎗插回了腰際，那兩名手下也如釋重負的放開了握住鎗柄的手。

「既然我坐了這個位子，確實也應該承擔些責任。」齊正祥語氣放軟的說：「你們按照實際情況，把這陣子的損失提出來，我至少會補貼一半給你們，這樣大家對

兄弟也夠交代了吧？」

　「爽快。」老謝拍了一下大腿說：「既然齊老大這麼夠意思，我們就沒什麼好說的了，大家一切照舊。」

　「行！」老毛附和著說：「那我們大家就都回去吧！」

　「等一下。」齊正祥對著小呂和黑豹說：「損失我可以負責，但你們多拿的錢也該吐出來吧？你們說對不對啊？」

　「當然、當然……」黑豹全身發抖著說：「我回去叫手下算清楚，該怎麼處理就怎麼處理。」

　「齊老大說了算，我哪敢有什麼意見。」小呂諂媚的說：「我回去就算清楚，只要是該退的，我一分也不會少給大家。」

　齊正祥沒有再說什麼，只是笑笑的揮了揮手，大家就靜靜的退出了這間屋子。

## 第四節　失敗的暗殺

黑豹在手下的簇擁下，坐上了一輛黑色的賓士轎車，一名手下為他點了煙，並將後座車窗打開，前面的駕駛發動引擎，緩緩的將車子駛離了鐵皮工廠。

坐在黑豹旁邊的小弟問說：「大哥，我們不會真的要把錢拿出來還給他們吧？」

「拿出來？」黑豹一臉不屑的笑說：「那也要他有命來向我要啊！」

「他現在身邊跟著那個黑鬼，根本沒有人敢動他啊！」那個小弟繼續說：「難道……有人會出面幫我們除掉他嗎？」

「今天這個鴻門宴，就是我給他設的局。」黑豹奸笑著說：「我還怕他不敢出來咧！既然他出面了，就活不過今晚了。」

黑豹將煙頭丟向窗外，冷冷的笑著，似乎一切都在他的算計之中。

齊正祥的座車此時也奔馳於沿海公路之上，為了保護齊正祥的安全，前後都有保護的車輛隨行，但沒想到的是，當三輛車行經至一個彎道時，突然有兩個原本像是在路邊休息聊天的人，從重型機車旁的布套裡拿出兩把長鎗，對準齊正祥的座車進行掃射，駕駛頭部中彈立

即死亡，齊正祥的座車隨即失控翻覆，而且連後面跟著的那輛車也追撞在一起。雖然追撞沒有造成起火爆炸，但在金屬碰撞及摩擦的瞬間，還是噴濺出大量的火花。

　　前面的車輛看見這個情形，緊急的停了下來，加足馬力的向後倒車，路邊開鎗的兩人趁著慌亂之際，以極快的速度衝過來繼續射擊，將所有從車上下來的人全數擊斃，並且來到齊正祥的座車旁邊，檢視著車內的情況。

　　那兩個人本來目光凶狠的看著車內的屍體，但卻突然露出了驚訝的眼神，因為車上根本沒有齊正祥的蹤跡。他們本能的迅速環顧著四周，發現遠處有一輛重型機車停了下來，那名戴著安全帽的重機騎士迅速朝著他們開鎗，其中一人頸部中彈噴出大量鮮血，虛弱的倒在地上抽搐，另一個人只能趕快跳到車體後面躲了起來。

　　那個人看見與自己一同前來的同伴斷了氣，當然得想辦法逃離現場，所以他持著長鎗對那名騎士進行掃射，在對方閃躲之際，趁機跑向藏在路邊的重型機車。那個人騎上車後猛擢油門向前逃竄，但後方的重型機車馬上緊追在後，並且開鎗打破了前方機車的輪胎，造成前方的機車失控滑倒。

　　拿著長鎗的那個人在地上滑行並翻滾了多圈，正準備穩下身體加以反擊時，後方的重型機車突然從那個人身邊呼嘯而過，只聽到一聲清脆響亮的鎗聲，那個人就

躺在地上沒有了動靜。

　　雖然警方在接獲民眾報案之後，很快就趕到了現場，但另外一輛重型機車早已失去了蹤影。這種街頭開鎗狙殺搏火的場面，在治安良好的台灣非常少見，所以引起了警方的高度重視。

　　齊正祥早就知道自己一出現就會招來暗殺，所以他並沒有坐上自己的座車離開那裡，而是等到大家都離開之後，再由另一批手下用一輛很不顯眼的廂型車護送他離開。此時的他正坐在一個涼亭內抽著煙，馬路旁停著一輛破舊的中古車，他的身邊也只有三名手下。在齊正祥抽了幾口煙之後，旁邊的手下恭敬的走了過來，遞了一個手持衛星電話給他。

　　「你沒事就好。」齊正祥問說：「你甩掉尾巴了嗎？」

　　「甩掉了。」電話那頭傳來賽吉‧金恩的聲音說：「不過我們損失了九個兄弟。」

　　「我知道了。」齊正祥面色沉重的說：「這些兄弟的身後事我會處理，你事情辦完就盡快回來。」

　　「OK！」賽吉‧金恩說完便掛斷了電話。

　　齊正祥將手持衛星電話交還給手下，並將手中的煙頭丟在地上，用腳踩熄了煙頭，低著頭不發一語。

　　「老大，我們先送您回去吧！」那名手下恭敬的對齊老大說。

　　「阿標啊！這九個兄弟的家裡，幫我多給一點錢。」齊正祥感傷的說：「還有你們……要是現在可以走，就趕快走吧！」

　　「我的命都是老大您救的，我怎麼可以這樣做。」阿標站在一旁說：「我知道老大是為我好，但不管您怎麼決定，我阿標一定會挺您到底。」

　　「我知道你們都是很夠義氣的好兄弟。」齊正祥嘆著氣說：「但我這次回來，是來償債的，而且這是一條死路，你們都跟了我這麼久，我不能這麼自私。」

　　「就是因為知道這是一條死路，所以我們更要跟在老大身邊。」阿標義憤填膺的說：「如果我們丟下您走了，誰來幫您完成最後的心願？該走的兄弟我會打發走，但我們這些人是不會走的。」

　　齊正祥搖搖頭，沒有再說什麼，在手下的攙扶下上了車，離開了這個涼亭。

　　發生了這麼重大的事件，多家媒體記者也紛紛趕到現場，由於警方已經在兩處鎗擊現場都拉起了封鎖線，所以媒體記者只能站在外圍做即時報導。

　　雖然警方對於記者的提問三緘其口，但遭到擊斃的重機騎士，從外型上看起來很明顯並不是本地人，讓人很快就將前一陣子在附近海邊的鎗殺案件聯想在一起。

　　黑豹和小呂坐在一個辦公室裡看著新聞，臉上的神

情甚是得意，還舉起酒杯吆喝慶祝著。不過他很快就會笑不出來，因為他作夢都沒有想到，齊正祥早就看穿了他的陰謀，而且齊正祥也並沒有死。

## 第五節　事務所的早晨

### 翌日早晨

　　羅章柏、方盛華、廖千慧與提早來到事務所的助理，一起坐在會議室裡吃著早餐，此時電視上正播報著昨天晚上施瑞芳跳樓的新聞。由於他們並不知道施瑞芳是誰，所以對於這則新聞並沒有什麼反應，還是吃著東西繼續閒聊著。

　　「昨日晚間在接近基隆港西聯絡道前的道路上，發生駭人聽聞的鎗擊事件，目前已知共有十一人死亡，其中九人是基隆當地人士，另外兩名死者身分不詳，目前只知道這兩人並非臺灣籍，詳細的事件發生原因，警方還在持續調查中。據現場目擊者描述，他在駕車行經該路段時突然聽到密集的鎗聲，隨後看到前方有車輛翻覆與發生追撞，在兩名持長鎗的匪徒靠近事故車輛時，又聽到一聲鎗響，其中一名歹徒應聲倒地，另一名匪徒立刻騎著重機逃走。後來警方在距離第一現場約 1.5 公里的地方，發現另一名匪徒的屍體，而且是被一鎗擊中頭部而死……」

　　方盛華看到這則新聞報導，轉頭對羅章柏說：「這也太誇張了吧？臺灣的治安不是很好嗎？」

　　「這擺明就是專業殺手做的。」羅章柏一臉嚴肅的

說：「看來最近還會發生不少事情。」

「所長，你是不是知道些什麼啊？」廖千慧問說：「我怎麼覺得你最近怪怪的啊？」

「我哪裡有怪怪的？」羅章柏裝傻說：「是妳想太多了吧？」

電視機裡又開始播報另一則新聞，方盛華揮了揮手指著電視機，大家立刻停止了談話，聚精會神的看著。

「……該家醫院是由美籍華裔富商周清合所投資成立的，昨日晚間本台記者在該醫院夜間門診時，意外發現美籍華裔富商周清合出現在院內，經本台記者向熟識的護理人員詢問，才知道鍾文昱律師上個月底在金山海邊遭鎗擊落海後，隔日就被送到這裡救治，只是警方基於安全保護的理由，始終對於搜救結果及相關消息相當保密。據了解鍾文昱律師的傷勢已無大礙，將會在近期內出院……」

「這也太巧了吧？」方盛華笑著說：「我看這根本是故意讓那個記者放消息出來的吧！」

「你這個人哪！」廖千慧數落著方盛華說：「這種事大家心知肚明就好了，幹嘛說出來啊！」

其中一名女助理聽到他們之間的談話，開口問說：「我們是不是應該也去醫院看看鍾律師啊？詩語應該也在那裡吧？好久都沒有看到她了。」

「對、對……該去、該去……」羅章柏尷尬的說：「我代表大家去看他就可以了，你們不用擔心啊！」

「是啊！所長代表去一趟最合適了。」方盛華偷笑著說：「我們也很想去啊！不過自從少了鍾律師之後，事情可真的變得很多啊！」

「這倒是真的。」廖千慧接話說：「所長可要叫鍾律師和詩語趕快回來上班喔！」

「人家傷都還沒有完全好，哪有可能這麼快回來上班啊！」羅章柏笑著說：「事務所不是還有你們兩個大律師嗎？應該沒問題的啦！」

「不過這麼一來，我倒是真的有點擔心了。」方盛華莫名其妙的說了這一句話。

「你擔心什麼？」廖千慧問說：「鍾律師不是好好的沒事了嗎？」

「妳想想嘛！」方盛華一副認真的表情說：「妳要是有周清合這個乾爺爺，還用得著這麼辛苦的出來做律師嗎？我擔心他以後會跑去做生意，不會再回來事務所裡上班了。」

「這倒是喔！」廖千慧點頭說：「你說他這麼一個有錢人家的大少爺，幹嘛來做這麼辛苦的工作啊？」

「你們以為他像你們啊？」羅章柏不以為然的說：「他可是連一點有錢人家的架子都沒有耶！」

「鍾律師可真是藏得夠深的啊！」廖千慧說：「我聽詩語說，她姊姊以前要跟鍾律師結婚，還一直被她爸爸反對，嫌棄鍾律師是一個窮小子，沒想到鍾律師竟然是周清合的孫子，這還真是太不可思議了，鍾律師的岳父可真是看走眼了。」

　　「那有什麼關係。」方盛華笑著說：「反正這個女婿又跑不掉，對吧？」

　　「應該說詩語這個傻姑娘有福氣才對。」廖千慧感嘆的說：「要不是詩語一直不離不棄的守在鍾律師身邊，鍾律師可能到現在都還無法從喪妻之痛中走出來，所以古話說傻人有傻福，可真是一點都沒錯呢！」

　　「只可惜我不是女的。」方盛華逗趣的說：「要不然我也可以跟詩語競爭一下。」

　　「就憑你啊？」廖千慧翻白眼說：「你這副尊容就算是女的，跟詩語能比嗎？人家詩語那可是花容月貌啊！你這個叫沉魚落雁，不過是沉掉的魚，落下的雁。」

　　「沉魚落雁哪是這樣解釋的啊？」方盛華不服氣的扳著臉說。

　　「你不知道啊？」廖千慧憋著笑意說：「魚跟雁是被你嚇成那樣的。」

　　「妳……」方盛華假裝氣呼呼的說：「算了，好男不跟女鬥，反正我也不是沒人要的。」

　　「你們兩個還是這麼愛鬥嘴啊！」羅章柏搖著頭笑說：「你們注意一點形象啊！不要把這些助理們都給帶壞了，到時候別人還以為我們所裡的律師腦袋都有問題。」

　　「才不會咧！」方盛華強詞奪理的說：「人家會說我們所裡的律師都很有親和力，工作環境非常的融洽。」

　　「好啦！」羅章柏說：「你們該去工作了，我也該去出庭了。」

　　既然所長都已經這麼說了，大家只好趕快收拾桌上的東西，回到自己的崗位上去開始工作。

## 第六節　屍檢的疑點

施瑞芳的丈夫杜楚明接到臺灣警方通知之後，馬上買了飛機票從上海飛回臺灣，並且按照通知來到了臺北市相驗暨解剖中心。

原本檢察官還擔心家屬會不同意對施瑞芳的遺體進行解剖，所以特別拜託田偉志到場對家屬進行說明，但沒想到杜楚明到場之後，立即表示希望對施瑞芳的遺體進行解剖，以查明詳細的死因，這倒是讓檢警省去了不少的麻煩。

解剖完畢之後，宋逸成親自來到家屬休息室，對杜楚明說明整個解剖的經過以及初步的檢查結果，雖然大致上與宋逸成在現場所做的判斷並無不同，但由於血液及尿液的檢查還要一點時間，所以在徵得杜楚明的同意下，暫時還是將施瑞芳的屍體，保存在這裡的冰櫃裡。

其實根據現場的勘查、目擊證人的證述以及法醫初步的認定，檢察官本可以在相驗證明書上勾選自殺的選項，註明死亡原因、方式及無他殺嫌疑等記載後，交付相驗證明書給死者家屬，不經解剖即將死者遺體交由家屬領回，以便辦理後事。但由於我國司法實務上，經常遇到因為沒有解剖而引發爭議的個案，有時法官與檢察官的認定不同，有時甚至出現從現場跡證看起來是自殺，

但家屬卻認定是意外的案例，常常因為遺體已經領回火化，而無法在事後透過解剖來釐清。故在死者家屬要求進行解剖以瞭解詳細的死亡原因時，檢察官多半會予以尊重，也可藉此避免事後的爭議。

對於身為法醫的宋逸成來說，既然已經對死者的遺體進行解剖，則相關必要的檢驗當然是做得愈詳細愈好。沒想到在幾個工作天之後，宋逸成還真的收到了一份令他訝異的檢驗報告，所以他也立即做了詳細的屍檢報告，並隨即呈送給承辦檢察官。

因為宋逸成早上有看到關於鍾文昱的新聞報導，所以他到地檢署送完報告之後，特別前往醫院探視鍾文昱，沒想到田偉志、周雅琪、陳詩語及羅章柏也都同時出現在這裡。

「糟糕了。」田偉志看到宋逸成走進病房，逗趣的說：「宋法醫，你該不會是來給鍾律師做檢查的吧？」

「胡說八道什麼啊！」宋法醫沒好氣的說：「他還會動，不是我檢查的對象。」

「你剛才是不是先去了哪裡啊？」鍾文昱坐在病房的沙發上說：「一看就知道你不是專程來看我的。」

「怎麼看出來的？」宋逸成不解的問說：「你現在還多了可以看到過去和未來的超能力喔？」

「拜託！」鍾文昱微笑著說：「哪有人到醫院裡來

探望病人，會兩手空空的來啊？你這樣也太容易被人看出來了吧！」

「你又沒傷沒病的，我當然是兩手空空的來啊！」宋逸成笑著搖頭說：「沒事吃這麼多營養品幹嘛？不怕營養過剩啊？」

「你這個人還真是的，配合演個戲都不會。」田偉志唸了宋逸成幾句，又問說：「你剛才不會是去地檢署送施瑞芳的屍檢報告了吧？是不是有什麼新發現啊？」

「還真被你說中了。」宋逸成接著說：「我在施瑞芳的健保就醫紀錄裡，發現她有多年的焦慮症病史，並且有嚴重的自殺傾向，幾乎每個月都會到周醫師那裡就診，周醫師也經常開立煩寧 (註194) 給她服用，我在尿液篩檢裡也驗出有煩寧殘留的反應。不過令我最訝異的是，我還在她體內驗出唑吡坦 (註195) 的殘留，根據用藥警告，這種藥是不可以開立給具有自殺傾向或精神憂鬱的患者，否則會提高自殺的風險，為此我還詳細的查看了施瑞芳的所有就診紀錄，也確定並沒有醫生開立唑吡坦給她。」

「我接手施瑞芳的案子大約有三年多，因為她的焦慮症非常嚴重，而且也有自殺的傾向，所以我確實有開立煩寧這種藥物給她，不過我並沒有給她開立唑吡坦這種藥物。」周雅琪聽了宋逸成所說的話，想了一下說：「不過唑吡坦是管制藥品，施瑞芳應該沒這麼容易

買到才對，而且這種藥也不是自殺時的好選擇，因為即使大量服用，絕大多數情形都是要服用超過三十分鐘以後，才會對人體造成嚴重傷害。」

「什麼？」田偉志驚訝的問周雅琪說：「施瑞芳是妳的病人？」

「重點不是這個啦！」宋逸成接著說：「重點是如果她有在短時間之內大量服用唑吡坦，是可以很容易檢驗出來的，但是並沒有。」

「難道是有人故意拿這種藥給她吃，然後想用這樣造成她去自殺？」陳詩語提出疑問說：「可是……這樣的機率會有多高呢？而且這個人還必須要很懂這些藥理吧？最關鍵的是，那個人應該還要知道施瑞芳有焦慮症及自殺傾向吧？」

「妳說的對。」宋逸成點頭說：「如果要詳細追究的話，就必須調查她身邊的所有人，看看有沒有人懂這些藥理，而且又有取得唑吡坦的管道，還得要是非常清楚施瑞芳有焦慮症及自殺傾向的人。」

「也就是說……」田偉志自言自語的說：「這個案子必須朝可能是他殺的方向來偵辦了。」

「田警官，我記得你和吳隊長一起來我家的那天說過，楊慶章議員失蹤當天，曾與這個施瑞芳去了汽車旅館，還是使用施瑞芳的名義登記開房。他們後來退房之

後，楊慶章坐著施瑞芳所駕駛的轎車一起離開，楊慶章在一個路口下車後坐上另一輛車，然後就音訊全無了。」鍾文昱提醒著說：「他們在汽車旅館裡待了好幾個小時，關係自然是非比尋常，可是我們當初所想到的僅止於此，卻沒有進一步去想在楊慶章那個案件裡，到底與施瑞芳有沒有關連？或是施瑞芳在那個案件裡，到底扮演了什麼樣的角色？或許現在可以從調查施瑞芳跳樓的這件事，再回頭去查清楚楊慶章那個案子的關鍵。」

「喂！你的老毛病又犯啦？」陳詩語瞪著鍾文昱說：「調查案子是警察跟檢察官的事情，你現在把你病號的角色扮演好就可以了。」

「詩語說得太對了。」宋逸成裝模作樣的說：「既然要演，乾脆我來幫他做幾個真的傷口，以免不小心被揭穿了。」

「老宋，你這樣會不會太過分啦？」鍾文昱癟著嘴說：「還做幾個真的傷口咧！痛的不是你喔！你到底是不是我朋友啊？」

「開玩笑的啦！」宋逸成笑著說：「我還沒在你身上劃出幾道真的傷口，詩語可能就已經先給我兩刀了。」

陳詩語被宋逸成說得羞紅了臉，拿起床上的枕頭向宋逸成丟了過去，宋逸成一時之間來不及反應被砸個正著，只能一臉無辜的苦笑著，逗得大家都哈哈大笑了起來。

## 【本節註釋】

註194：煩寧（Valium），其學名為地西泮（Diazepam），型態為藥片或注射劑，略溶於水。通常作為抗焦慮藥物，也用於治療酒精戒斷，是一種肌肉鬆弛劑、鎮靜劑和抗驚厥劑。長期或過量服用會出現嗜睡、運動神經失調、肌肉無力、耳鳴、興奮、狂怒、口瘡、皮膚和眼睛變黃、昏迷、心搏停止等症狀，此藥並會促使其他抗憂鬱劑的藥效增強。

註195：唑吡坦（Ambien or Ambien CR），其學名為（Zolpidem tartrate），型態為藥錠，影響及症狀包括極度疲勞、視覺模糊、頭暈。不良反應包括頭痛、宿醉感、思慮混亂、癲癇發作、記憶出錯、腸胃不適、憂鬱、焦慮、噩夢、快速動眼期睡眠抑制、幻覺以及昏迷等。這是醫生最常開立的安眠藥之一，多用於治療短期失眠，長期服用會輕微成癮，因此必須逐漸減少劑量，報告指出，有些驟然戒斷的人出現攻擊性。醫生根據用藥警告，不可開立給具有自殺傾向或精神憂鬱的患者，以避免提高自殺風險。有新聞報導指出，使用者會出現夢遊以及在睡夢中開車的行為，或使用者睡前服用此藥物後，醒來發現自己坐在車裡，仍穿著睡衣，完全不清楚身在何方，或為何在這裡。

## 第七節　楊滄堯與黑閻羅見面

**臺2線** (註196) **北部濱海公路某觀景台前的停車場**

如果是在假日，這條公路是不少人沿途欣賞海景的選擇，但今天不是假日，所以往來的車輛非常稀疏。一輛黑色的轎車停在這裡已經有一段時間，但車裡的人並沒有下來欣賞風景，只是打開了駕駛座的車窗，坐在位置上抽著煙。

沒過多久，有一輛銀色的轎車也駛入了停車場，而且直接停靠在那輛黑色轎車的旁邊。黑色轎車駕駛將沒抽完的香煙丟在地上，關上了駕駛座的車窗，打開車門走了出來，又直接伸手打開銀色轎車副駕駛座的車門坐了進去，顯然這兩個人是約好在這裡見面的。

「你最近所做的事情，還真是讓我看不懂啊！」楊滄堯一坐進車內，便以抱怨的口吻說：「我還以為你已經認齊正祥做老大了呢！」

「你是說我救齊正祥的事嗎？」賽吉・金恩面無表情的說：「你們以為殺了齊正祥，就可以把受你們控制的黑豹扶上那個位置嗎？這種想法也太天真了吧？即便先不說黑豹有沒有本事坐上那個位置的問題，一個連自己老大都可以背叛的人，你認為能靠得住嗎？」

「這倒是新鮮了。」楊滄堯冷笑著說：「你不是一

向獨來獨往的嗎？你收了定金，卻遲遲沒有把鍾文昱給解決掉，現在竟然還有空去管別人閒事？」

「這次沒能把鍾文昱解決掉，確實是我的失誤，但如果鍾文昱是這麼好對付的人，你們也不用花這麼多錢把我從美國請過來了。」賽吉‧金恩表情嚴肅的說：「而且當初你們也沒有告訴我，鍾文昱背後還有周清合這樣的後台，現在你們竟然還來怪我遲遲沒有把鍾文昱給解決掉？」

「周清合突然冒出來說他是鍾文昱的乾爺爺，我們也是最近才知道的。」楊滄堯似笑非笑的說：「你可是大名鼎鼎的黑閻羅耶！不會收了定金還想取消交易吧？」

「你不用給我戴高帽子。」賽吉‧金恩冷冷的哼了一聲，接著說：「既然我收了定金，我就一定會完成該做的事，只不過現在這種情況下，你們和我都還用得上齊正祥。」

「喔？」楊滄堯一臉懷疑的問說：「你今天來跟我見面，究竟是要表達你自己的意思？還是來替齊正祥傳話的呢？」

「我是來跟你們說清楚我的立場，順便也來讓你們認清事實。我的立場很簡單，第一點是因為鍾文昱現在有周清合保護著，只靠我一個人根本拿他沒辦法，所以誰能幫我做到這件事，誰就是我的朋友。第二點是我們

當初早就約定好的，在我完成我做的事情之後，你們必須負責讓我安全的回到美國，如果有誰的行為，讓這個承諾無法被履行，那就別怪我不客氣了。」賽吉・金恩表情嚴肅的說：「許丞光之所以要叫你派人刺殺齊正祥，應該是認為只有死人才不會說出當年的秘密，但是你們別忘了，你們與齊正祥都是殺害鍾文昱一家三口的凶手，只要鍾文昱還活著一天，他是不可能放過你們與齊正祥的。你們現在應該要做的，應該是聯合你們所有的力量去對付鍾文昱與周清合，不應該在這個時候就自己鬥個你死我活，這是我要你們認清的事實。」

「其實你說的也不是沒有道理。」楊滄堯嘆了一口氣說：「不過現在事情已經是這樣了，齊正祥應該也知道暗殺他的人，是我們派過去的，他不可能當作沒有這回事，再跟我們一起合作了吧？」

「因為你們有共同的敵人，所以你們就還有一起合作的必要。」賽吉・金恩分析說：「至於你剛才所說的問題，我倒是有辦法可以幫你們解決。」

「喔？」楊滄堯感興趣的問說：「你說說看，我洗耳恭聽。」

「其實齊正祥自己心裡也知道，在這個時候跟你們翻臉，對他並沒有任何好處。」賽吉・金恩冷笑著說：「其實只要你們先表現出願意繼續合作的誠意，齊正祥就算

心裡有疙瘩，還是不得不與你們繼續合作。」

「誠意？」楊滄堯問說：「你所謂的誠意是……？」

「齊正祥幹了這麼多傷天害理的事，才好不容易爬到現在的位置，你認為他能容許那些想把他從那個位置上拉下來的人，還在他眼皮子底下繼續作亂嗎？」賽吉·金恩提醒著說：「我說了這麼多，你知道該怎麼做了吧？」

「你的意思是……」楊滄堯問說：「由我們自己動手去把黑豹和小呂做掉？」

「不然……」賽吉·金恩反問說：「你還有比這個更好的方法嗎？」

「沒有，這確實是目前最好的辦法。」楊滄堯認同的說：「只不過你應該知道，這種事情不是我一個人就能作主的，我必須回去向許處長報告一下。」

「既然你要回去向許丞光報告，那就順便幫我帶幾句話給許丞光。」賽吉·金恩冷冷的說：「你回去告訴許丞光，畢竟你們是軍方的人，要是你們到時翻臉不認人，就算我把你們都殺了也於事無補，在現在這個狀況下，我只能先選擇保護齊正祥，因為如果齊正祥死了，我不知道還有誰可以用同樣的方法，把我安全的送回美國。不是我擺明著要跟他作對，而是若他不想腹背受敵的話，最好把我的建議聽進去。」

「我知道了，我會把你的話原封不動告訴許處長。」楊滄堯說：「其實我也覺得許處長這次的作法，實在是

不夠明智，至於齊正祥那裡，還要請你多幫忙說說話，他的命是你救的，你說的話他應該會聽吧？」

「這個老狐狸聰明得很，不可能不知道我救他多半是為了我自己。」賽吉‧金恩笑著說：「不過他心裡也非常清楚，要是你們給了他台階，他還不肯順著台階下，往後我也不見得會再保護他。」

楊滄堯笑著點點頭，沒有再說什麼，伸手打開車門走了下去，回到自己的車上發動了引擎，然後將車駛離了停車場。

## 【本節註釋】

註 196：臺 2 線是臺灣省道中濱海公路系統之一環，為沿基隆北海岸地區所興建的道路，西起新北市淡水區關渡大橋（亦為臺 15 線起點），東迄宜蘭縣蘇澳鎮（銜接臺 9 線蘇花改起點），總長 167.674 公里。其中淡水至金山路段為淡金公路，金山至基隆路段為基金公路，兩者歷史悠久，為北海岸各區之重要聯絡道路，也是北海岸觀光發展之命脈。基隆至蘇澳路段為北部濱海公路，為臺北及宜蘭間的第三條交通走廊，也是國道五號全線通車之前北宜間僅有的兩處公路孔道之一，交通地位重要，北部濱海公路通車帶動了東北角海岸的觀光市場。臺 2 線共有七條支線，是臺灣公路中支線最多者。

## 第八節　故意激怒方若堂

　　田偉志離開醫院之後，接到檢察官打來的電話，檢察官大致對田偉志說明了一下屍檢報告的內容，徵詢了一下田偉志的意見，然後請田偉志就相關疑點進行調查，以免讓家屬認為檢警太過草率。

　　其實田偉志今天出來之前，就已經看過施瑞芳的手機通聯紀錄以及當日行蹤的監控錄像，本來就有打算要去拜訪一下方若堂律師，現在既然連檢察官也同意要深入的調查一下，他便直接打了電話到方若堂律師所經營的事務所，約好了過去拜訪的時間。

　　事務所的助理在田偉志到達之後，先安排田偉志到會客室等待，大約等了五分鐘的時間，方若堂就滿臉笑容的走進了會客室。

　　「田警官，你來這裡是為了調查施瑞芳跳樓自殺的案子嗎？」方若堂似乎早就知道田偉志過來這裡的目的，所以直接了當的問著。

　　「是的。」田偉志回答說：「我們調查了一下施瑞芳當日的手機通聯紀錄，以及所在基地台的位置，然後又調閱了她當天經過地點的監控錄像，發現她當日下午兩點與兩點半的時候，都有用 Line 與你做短暫的通話，而且她在下午兩點半多的時候，跟你一起進入了汽車旅

館，你們在汽車旅館裡停留了三個小時，退房之後又一起去吃了晚餐，然後施瑞芳一個人攔了計程車回家⋯⋯」

「確實如此。」方若堂沒等田偉志把話說完，直接回答說：「如你所見，我跟她確實有去過汽車旅館休息，也跟她一起吃了晚餐，然後她就自己搭計程車回家了，我只知道當天她說過心情很不好，怎麼知道她會這麼想不開呢？」

田偉志見方若堂毫不避諱跟施瑞芳有去過汽車旅館的事，便直接問說：「看來方律師跟她的關係應該不錯，那我就直接了當的問了啊！那天施瑞芳有沒有提到什麼特別的事？或是有沒有說為什麼心情不好呢？」

「你應該也知道，她的丈夫長年在大陸經商，她的各方面條件都不錯，跟她有那種關係的男人也不在少數，我只不過是其中的一個而已。」方若堂回答說：「她一直都有憂鬱症的困擾，常常都會有情緒低潮的情形，我跟她見面不過就是聊聊天，說一點安慰的話，其他好像也沒什麼特別的。」

「前一陣子我們在調查楊慶章議員失蹤被殺的案件時，發現楊慶章議員失蹤當天也到汽車旅館跟施瑞芳獨處了三個小時，退房後楊慶章議員乘坐施瑞芳所開的車，到了一個路口就下車去乘坐另一輛車，然後楊慶章議員就失蹤了。」田偉志追問著說：「施瑞芳有沒有跟你提過，

楊慶章議員那天跟她談了些什麼？不知道方律師這裡有沒有什麼線索可以提供給我們？」

「她總不可能跟我在一起的時候，去說她跟其他男人在一起的事吧？」方若堂笑著說：「我確實是有聽說她跟楊慶章也走得很近，不過她跟楊慶章之間的事，我確實是不清楚。」

「這倒是……我這個問題確實是唐突了。」田偉志假裝不好意思的傻笑著。

「沒關係、沒關係。」方若堂陪著笑臉說：「對於警方來說，當然希望能夠多查到一些線索和資料，不過我也只能就我所知的告訴你。」

「你們做律師的確實是不容易，每天有這麼多的事要處理，壓力應該也很大吧？」田偉志突然話鋒一轉，問說：「不知道方律師有沒有失眠的困擾？有沒有服用助眠藥物的習慣呢？」

「你說的是安眠藥嗎？」方若堂神態自若的說：「在壓力很大的時候，確實也有到醫院請醫生給我開點一般的安眠藥，不過我也沒有常常吃，只有在有需要的時候才會去吃，田警官怎麼會突然問這個問題呢？」

「喔……沒什麼！」田偉志解釋著說：「我最近也是因為案件壓力太大，所以才順口問問。」

「現代人工作壓力都不小，很多人都會有失眠的毛病。」方若堂不經意的說：「不過安眠藥吃多了會有成

癮性，最好還是不要太依賴藥物。」

「那是當然。」田偉志接著說：「不過這種管制藥品，除非真的有需要，否則醫生也不太願意開給病患，不知道方律師方不方便介紹你看的醫生給我呢？」

「我也是去大醫院隨便掛的號，沒有特別去記醫生的名字。」方若堂的眼睛突然轉向旁邊，對田偉志說：「你也可以去大醫院掛個號看一下。」

「不好意思，聊著聊著就離題了。」田偉志站起來說：「打擾方律師這麼久，我也該走了。」

「沒事。」方若堂也站了起來，微笑著說：「我還有其他的事要處理，那我就不送田警官囉！」

「方律師太客氣了。」田偉志陪著笑臉說：「一般人都不喜歡被我們警察打擾，方律師不嫌棄我們就已經很感激了，我自己走就可以了。」

方若堂跟著田偉志一起走出會客室，看著田偉志離開了事務所的大門，他的臉色突然沉了下來，低著頭走回自己的辦公室。

田偉志走出大樓門口之後停下了腳步，站在馬路旁邊點了一根煙，吸了幾口之後仰望著天空。

其實他今天會在方若堂面前故意說出那些，並不是在賣弄聰明的試探，而是希望讓方若堂覺得他礙事，進而有所行動。因為只有這樣，才能化被動為主動，才有機會將方若堂這個老狐狸繩之以法。

## 第九節　意外的發現

　　周清合在傍晚的時候來到醫院，並且以保護鍾文昱的安全為理由，替鍾文昱辦理了出院手續。雖然院長及主治醫師都知道鍾文昱其實並沒有受傷，而且住院也都是自費，但為了掩人耳目，還是按照規定讓鍾文昱簽署了自動出院同意書(註197)。

　　辦理完出院手續之後，鍾文昱、陳詩語及周雅琪跟著周清合上車，在離開醫院不遠之後，周雅琪似乎突然想起了什麼，說要回她上班的醫院一趟，周清合只好命令司機先改變路徑，並叫司機用無線電聯絡隨護的車輛一同前往。

　　到達周雅琪上班的醫院後，周清合派了四個人陪著周雅琪一起上樓，周雅琪直接來到她平日看診的診間，在自己座位上的抽屜裡翻找了一下，從抽屜裡拿出了幾個隨身碟之後，就跟著那四個人離開了診間。

　　在周雅琪回到車上之後，周清合一邊命令司機開車，一邊問說：「丫頭，妳回來拿什麼東西啊？」

　　「我突然想起來一件事情。」周雅琪回答說：「這東西放在我這裡有一段時間了，等我回去確認清楚之後再告訴您。」

　　「這麼神秘啊？」周清合開玩笑說：「是不是哪個

小子寫給妳的情書啊？」

「二伯公……您別亂說。」周雅琪撒嬌著說：「誰
會給我寫情書嘛！」

「妳繼續裝啊！」周清合笑著說：「我們家的丫頭
長得這麼漂亮，收過的情書還會少啊？」

「就跟您說不是了嘛！」周雅琪假裝生氣的嘟著嘴，
逗得大家哈哈大笑。

吃完晚餐之後，周雅琪就回到自己的房間裡，一直
坐在電腦桌前面，不知道在忙些什麼。大約經過了一個
多小時，周雅琪急匆匆的從房間裡跑出來，手上還拿著
一個隨身碟，帶著神秘的笑容來到鍾文昱與陳詩語面前。

「雅琪姐，怎麼了？」陳詩語問說：「妳的表情怎
麼那麼奇怪啊？」

「我只是高興嘛！」周雅琪高興的說：「因為我突
然發現了一個非常重要的東西喔！」

「非常重要的東西？」陳詩語好奇的問周雅琪說：
「是什麼啊？」

「今天宋法醫不是有提到那個跳樓自殺的施瑞芳
嗎？前一陣子她有來找我看診，當時她的手裡拿著一個
隨身碟，一直說她這陣子精神壓力很大，我開完藥給她
的時候，她接到了一個電話，急匆匆的拿了藥單就離開
了。我發現她把那個隨身碟放在桌上忘記拿走，就叫護

理師拿著出去追她，護理師回來時說找了很久都沒有看到她，所以我就先放在抽屜裡，想等下次約診的時間再還給她。」周雅琪回答說：「今天宋法醫在病房說起施瑞芳自殺的事，我在幫小立哥哥辦理出院的時候，突然想起了這件事，就跑回醫院的診間去找找看，因為我抽屜裡有好幾個隨身碟，我一時之間無法確定到底是哪一個，所以我就全部都拿了回來。吃完晚飯之後，我把每一個隨身碟都用筆記型電腦看了一下，我確認這個白色的隨身碟，就是施瑞芳當時忘記拿走的。」

「喔？」鍾文昱把周雅琪手中的隨身碟拿了過來，問說：「這個隨身碟裡有很重要的資料嗎？」

「這個隨身碟裡面有一個 PDF 檔，我剛才打開看了一下，是臺北市政府建管處的一份卷宗掃描文件。」周雅琪對鍾文昱說：「好像是有關一個加油站申請建築執照與使用執照的卷宗資料，那個加油站叫……好像叫同什麼加油站吧！負責人叫……韓振樑，應該就是你前一陣子所接的那件國家賠償訴訟案件，對吧？雖然我有聽詩語提起過，但我那時沒有特別注意，所以記得並不是很清楚。」

「沒錯。」陳詩語搶著回答，但隨即又問說：「可是這個案子怎麼會跟施瑞芳扯在一起？她手上又怎麼會有臺北市政府公文卷宗的掃描檔案呢？」

鍾文昱將桌上的電腦開機，查看了一下隨身碟裡的檔案，邊看邊對周雅琪說：「韓振樑在台北市政府強制拆除同和加油站之前，聲請過證據保全（註198），當時他就有請楊慶章議員幫忙向臺北市政府索資，這份是同和加油站申請建築執照及使用執照的卷宗資料，在國賠案件的一審卷宗裡也有這份資料，不過這裡臺北市政府發函給楊慶章議員的時間，卻與國賠案一審卷宗裡的時間更早，也就是說楊慶章議員在韓振樑拜託他向臺北市政府索資之前，楊慶章議員就已經先一步向臺北市政府要了這份資料，這點就有點奇怪了。」

　　「時間不一樣？」陳詩語問說：「但資料內容應該會不一樣吧？」

　　「按理來說應該是一樣的。」鍾文昱雖然這樣回答，但他好像突然想起了什麼，轉頭對陳詩語說：「詩語，妳把國賠案的第一審卷宗拿給我看一下。」

　　陳詩語走到書櫃旁邊，從書櫃的架子上拿了一疊很厚的卷宗，放到了鍾文昱的書桌上。鍾文昱看著自己在卷宗上所做的標籤，迅速翻到他想找的頁面，並仔細與電腦上的畫面進行比對。

　　「難怪我總覺得這一頁上面的痕跡怪怪的……」鍾文昱喃喃自語的說：「原來這一頁的旁邊貼了一個紙條做補充說明，後來卻被偷偷的撕掉了。」

　　周雅琪與陳詩語聽到鍾文昱這樣說，趕緊湊過去看了一下，陳詩語看完之後訝異的說：「這樣做是觸犯刑法毀損公務上執掌之文書物品罪的耶！他們難道不怕事後被發現嗎？」

　　「他們當然不怕，因為他們可以把責任推到承辦人員的身上。」鍾文昱繼續說：「妳看看那個承辦人員的名字就知道了。」

　　「曾晴穎？」陳詩語驚訝的問說：「她不就是那個跳樓自殺的女公務員嗎？」

　　「對啊！」鍾文昱點頭說：「承辦人員跳樓死了，不就死無對證了嗎？」

　　「你的意思是說……」陳詩語問說：「曾晴穎有可能是被人滅口，而不是自殺的囉？」

　　「因為我手上沒有那個案子的資料，所以她到底是自殺或是被殺，我目前沒有辦法確定。」鍾文昱回答說：「但我可以肯定一點，那就是楊慶章的死一定跟這份資料有關係。」

　　「有了這份資料，那件國家賠償案件的勝算應該就比較大了吧？」周雅琪問鍾文昱說。

　　「話雖如此，但是……」鍾文昱對周雅琪說：「如果我就這樣直接在法庭上提出來，對方律師一定會質疑我取得這份證據的合法性，所以這個隨身碟還是要由妳

去交給警方，我再向法院聲請調查證據，這樣比較妥當。我看這樣好了，明天早上我打個電話給田警官，跟他商量一下看要怎麼做比較好。」

周雅琪看到鍾文昱皺著眉頭陷入沉思，不用猜也知道鍾文昱應該是想起了什麼，所以她沒有再說什麼，安靜的走出了房間。

## 【本節註釋】

註197：醫療法第75條第2項規定，醫院對於尚未治癒而要求出院之病人，得要求病人或其法定代理人、配偶、親屬或關係人，簽具自動出院書。

註198：行政程序法第175條第1項規定，保全證據之聲請，在起訴後，向受素行政法院為之；在起訴前，向受訊問人住居地或證物所在地之地方法院行政訴訟庭為之。

行政程序法第176條規定，民事訴訟法第215條、第217條至219條、第278條、第281條、第282條、第282條之1、第284條至286條、第291條至第293條、第295條、第296條、第296條之1、第298條至第301條、第304條、第305條、第309條、第310條、第313條、第313條之1、第316條至第319條、第321條、第322條、第325條至第327條、第331條至第337條、第339條、第341條至第343條、

第 352 條至第 358 條、第 361 條、第 364 條至第 366 條、
第 368 條、第 370 條至第 376 條之 2 之規定，於本節
準用之。

民事訴訟法第 368 條第 1 項規定，證據有滅失或礙難
使用之虞，或經他造同意者，得向法院聲請保全；就
確定事、物之現狀有法律上利益並有必要時，亦得聲
請為鑑定、勘驗或保全書證。

## 第十節　將隨身碟交給警方

　　鍾文昱一大早就打了電話給田偉志，將施瑞芳看診時忘記把隨身碟拿走的事告訴了他，田偉志認為這是有關刑案的重要證物，還是應該由周雅琪直接交給警方比較好，鍾文昱當然知道這樣是比較符合法律規定的作法，只好同意帶著周雅琪去市刑大。

　　田偉志掛斷電話之後，走向大隊長的辦公室，沒想到在門外就看見警政署陳署長也在辦公室裡，田偉志站在門口猶豫了一下，心想他們可能有重要的事情要談，正準備轉身離開。

　　「小田！」大隊長看見田偉志要走，開口說：「有事就進來說，杵在門口做什麼？」

　　「署長好，大隊長好！」田偉志走進辦公室，舉手向兩人敬禮，然後對大隊長說：「我看您可能跟署長有重要的事要談，所以想等一下再過來。」

　　「我跟署長在等的人還沒到。」大隊長對田偉志說：「你有事就先說吧！」

　　「剛才鍾律師打電話告訴我，施瑞芳前一陣子有到醫院找周雅琪醫師看診，她走的時候一直在講電話，把一個隨身碟放在周醫師的桌上忘記拿走。周醫師昨天才想起了這件事，到診間將這個隨身碟拿回去看，結果發

現那個隨身碟裡，有一份臺北市政府公文卷宗的掃描檔。」田偉志報告著說：「我已經請周醫師把那個隨身碟拿過來，並且當面詢問一下當時的情形，或許還能找出楊慶章議員被殺的線索。」

「那個施瑞芳不是跳樓自殺的嗎？」陳署長問說：「她跟楊慶章議員被殺的案子有關係嗎？」

「根據吳鴻東隊長生前所調查的結果，在楊慶章議員失蹤當天，最後一個見到楊慶章議員的人，就是施瑞芳。」田偉志回答說：「那天他們兩個一起在汽車旅館待了將近三個小時，退房之後施瑞芳開車將楊慶章議員送到一個路口，楊慶章議員就坐上另一輛車離開了，然後楊慶章議員就不知所蹤，被發現時已經成為一具浮屍。如今周醫師在施瑞芳忘記拿走的隨身碟裡，發現臺北市政府公文卷宗的掃描檔案，我覺得這應該沒有表面上看起來的這麼簡單。」

「這一陣子出現了太多奇怪的案子，再加上又有身分不明的僱傭兵、國際殺手之類的人出來作案，你查案子一定要注意安全。」大隊長提醒說：「我們隊裡已經失去一個吳鴻東隊長了，我不允許你們任何人再因為辦案而受傷或殉職，知道嗎？」

「是！」田偉志說：「署長、大隊長，那我就先去做準備了。」

田偉志再次舉手行禮，然後就離開了大隊長的辦公室，他緩緩的走出刑事警察大隊的門口，站在大門口前的馬路旁邊等待著。

　　大約經過了半個小時，有三輛黑色的賓士轎車停在大門口前，鍾文昱、周雅琪及李陽貴在六名安全人員的保護下，從其中一輛加長型的轎車上走了下來，田偉志看見他們下車之後立即上前相迎，帶著他們一起走進了大門。

　　李陽貴一進入刑事警察大隊之後，就請田偉志派人帶他去大隊長的辦公室，雖然田偉志不知道李陽貴為什麼會這樣要求，但還是派了一個警員帶著李陽貴去大隊長的辦公室。

　　雖然刑事訴訟法上並未規定警察在詢問證人時必須全程連續錄音、錄影 (註199)，但由於周雅琪今天所提出之物證及陳述，有可能會被他案法官來函調閱，為避免日後之爭議，田偉志還是安排了兩名警員在詢問周雅琪時，予以全程錄音及錄影。

　　在周雅琪開始接受詢問的時候，田偉志把鍾文昱拉到自己的辦公室，關上門後問說：「你在電話裡說，這個隨身碟裡的資料跟國賠案件卷宗裡的資料有出入，這是怎麼回事？」

　　「雖然同樣都是有關同和加油站當初申請建造執照

與使用執照的公文資料，但在建管處當初會簽的資料裡，承辦公務員有貼了一個小紙條，說明將華成公司同意書之內容增列在建築執照與使用執照的附註事項中，僅為註記之性質，並非附款（註200），不過這個小紙條，後來被人故意撕掉了。」鍾文昱解釋著說：「在同和加油站遭到台北市政府強制拆除時，華成公司的韓董事長曾經拜託楊慶章議員向臺北市政府索資，可是在楊慶章議員交給韓董事長的那份卷宗掃描檔案裡，那一頁已經是被處理過的。而施瑞芳放在小琪桌上的隨身碟裡，卻是最原始的公文卷宗，可見楊慶章議員是在拿到原始卷宗的掃描檔之後，又讓人把那張紙條撕掉再進行掃描，然後才交給了華成公司的韓董事長。」

「不會吧？」田偉志難以置信的說：「可是……這麼重要的東西，怎麼會在施瑞芳的手上呢？而且施瑞芳現在已經死了，想問也問不到了啊！」

「施瑞芳這個隨身碟裡的檔案，應該只有楊慶章議員才會有，也就是說這份掃描檔案的來源，一定是施瑞芳從楊慶章議員那裡拿到的。」鍾文昱分析著說：「在楊慶章失蹤的那天，施瑞芳是最後一個與他在一起的人，而且他們兩個還在汽車旅館裡待了三個小時，有可能是楊慶章自己交給施瑞芳的，也有可能是施瑞芳趁楊慶章議員不注意而偷偷拷貝下來的，但我可以肯定的是，楊

慶章之所以被殺，一定跟這個東西有關。」

「我懂了，有人不希望這個原始的公文卷宗檔案被人發現，所以殺了楊慶章滅口。」田偉志接著又問說：「難道……楊慶章早就知道有人要殺他，所以才故意把這個檔案交給施瑞芳的嗎？」

「這是其中的一種可能。」鍾文昱回答說：「也有可能是楊慶章想利用手中的這份資料，去向某人勒索，所以才會招來殺身之禍。」

「你說的那個人就是方若堂吧？」田偉志氣憤的說：「他還教唆那些僱傭兵殺了老吳，說什麼我也不會放過他的。」

「這些事情確實跟方若堂有關。」鍾文昱表情嚴肅的問說：「你有沒有想過，方若堂不過就是一個律師，就算他可以用錢買通殺手，但僅憑他這樣的背景，怎麼有可能讓李雲強那夥人替他賣命呢？而且……他又是怎麼認識李雲強那夥人的呢？」

「你的意思是說，背地裡還有人在替方若堂穿針引線囉？」田偉志疑惑的說：「會是誰呢？」

「我有拜託景立在調查。」鍾文昱說：「只不過到現在都還沒有眉目。」

在他們兩個還在談話的時候，陳署長與大隊長恭敬的陪著李陽貴從樓梯上走下來，而且他們看起來似乎還

非常熟絡的樣子，讓田偉志與鍾文昱感到非常吃驚。

鍾文昱好奇的問李陽貴說：「貴伯，您跟陳署長與大隊長認識啊？我怎麼都沒聽您說過呢？」

「何止認識而已，我可是李教官的學生啊！」陳署長笑著回答鍾文昱說：「而且在你還沒有出生的時候，李教官就已經是我們警界的傳奇人物了。」

「哇！」田偉志驚訝又佩服的說：「貴伯，您可真是深藏不漏啊！」

「那都是很久以前的事情了。」李陽貴謙虛的說：「現在我已經是沒用的糟老頭了。」

「教官客氣了。」陳署長緊緊握著李陽貴的手說：「您看起來還是這麼硬朗，我小您這麼多歲數，身體狀況都還不如您呢！」

「小田，周醫師的筆錄做好了沒有？」大隊長對田偉志說：「去催一下，可別讓教官等太久了。」

「是！」田偉志點頭說：「我過去看一下。」

田偉志匆匆忙忙的走進辦公室裡，沒過多久就帶著周雅琪走了出來，李陽貴笑著跟陳署長與大隊長道別之後，便帶著鍾文昱與周雅琪離開了。

## 【本節註釋】

註199：刑事訴訟法第 100 條之 1 第 1 項規定，訊問被告應全程連續錄音；必要時，並應全程連續錄影。但有急迫情況且經記明筆錄者，不在此限。同法第 100 條之 2 規定，司法警察詢問犯罪嫌疑人時亦準用同法第 100 條之 1 規定。此係刑事立法者針對法官、檢察官於訊問被告，司法警察官或司法警察於詢問犯罪嫌疑人時，為建立訊（詢）問筆錄之公信力，並擔保訊（詢）問之合法正當，及筆錄所載內容與其陳述相符之目的性考量，課以國家偵、審或調查機關附加錄音、錄影義務負擔之規定。是否錄影，得就其有無必要性做考量；然全程同步錄音，則無裁量餘地。且同法第 100 之 1 第 2 項規定，筆錄所載之被告陳述與錄音或錄影之內容不符者，就該不符部分之筆錄，賦予證據使用禁止之法律效果，排除其證據能力。又同法第 44 條之 1 第 1 項規定，審判期日應全程錄音，必要時，得全程錄影。由此可知證人於審判中為陳述，應予錄音或錄影。然余司法警察詢問證人時，則無必須錄音或錄影之明文。原則上尚不得以司法警察詢問證人時未全程錄音或錄影，即謂其所取得之陳述筆錄為違背法定程序，或得逕認其為無證據能力。然若司法警察所詢問之證人兼具被告地位，則不得免除上開程序之義務，倘司法警察未遵守上開全程錄音之規定，於被告爭執證據能力時，因無從證明該筆錄之記載與陳述相

符，自不得遽謂司法警察詢問證人無必須錄音或錄影
之明文，而認定為有證據能力（最高法院 107 年度台
上字第 2690 號判決意旨參照）。

註 200：行政處分之附款，係指行政機關以期限、條件、負擔、
　　　　廢止保留、負擔保留之事後附加或變更等方式附加於
　　　　行政處分之主要內容的意思表示，對於行政處分的主
　　　　要規制內容加以限制或補充。行政程序法第 92 條第
　　　　1 項規定，行政機關作成行政處分有裁量權時，得為
　　　　附款。無裁量權者，以法律有明文規定或為確保行政
　　　　處分法定要件之履行而以該要件為附款內容，始得為
　　　　之。

## 第十一節　海邊別墅

　　一棟座落於海邊的別墅，在蔚藍海景與午後陽光的映照下，顯得格外的美侖美奐。從別墅內部的裝潢與擺設來看，這棟別墅的主人可能擁有不錯的財力，而且還具有相當不凡的品味，應該是一個對生活很有要求與想法的人。

　　如果再仔細的加以觀察，可以看出這棟別墅的主人相當自戀，因為在別墅的牆壁上，掛著不少他身穿西裝與律師袍的相片，相框所選用的材料也非常精緻典雅。雖然相片中也有一些他與別人的合照，但與他合照的人非富即貴，顯然就是在彰顯著他自己的成就與地位。

　　這個別墅的主人，正坐在二樓的露台上喝著咖啡，在這麼舒適的環境下喝著咖啡，應該是非常愉悅和享受的。但是他臉上的表情卻十分陰沉，而且似乎還顯得有點焦慮，似乎遇到了不愉快的事情。

　　一輛黑色轎車來到這棟別墅的門口，輕輕的按了兩聲喇叭，這棟別墅的主人走到露台的最前端按下遙控器，一樓停車場入口的鐵捲門立刻打開，顯然這輛黑色轎車的駕駛，是與他約好在這裡見面的人。

　　沒過多久，那輛黑色轎車的駕駛坐著電梯來到二樓，直接推開門走到露台的座椅旁坐了下來，以這個人對環

境如此熟悉的程度來看，這個人應該不是第一次來到這裡，而且應該與這別墅的主人是熟識。

「楊上校，你事情這麼忙啊？」別墅的主人開口說：「我都等了你快兩個小時了。」

「方律師，什麼事讓你這麼急躁啊？」楊滄堯回答說：「我早上去跟賽吉‧金恩見了面，還要回局裡跟許處長報告，再加上這裡的路程也不近，現在能趕到已經算很快的了。」

「喔？那個黑鬼還敢出現？」方若堂眼睛一亮，問說：「他連僱主這邊的人都殺，這種人還能信任嗎？」

「他突然偏向齊正祥那邊，我當初確實也非常訝異與不諒解。」楊滄堯拿起保溫瓶，給自己倒了一杯咖啡，接著說：「甚至我今天把他所說的話轉告給許處長，我剛開始還以為許處長不會接受他的說法，但是結果正好相反，許處長竟然認同了他說的話，叫我想辦法跟齊正祥修復合作的關係。」

「喔？這就有點奇怪了。我們這些人在許處長眼裡，不都是隨時可以拋棄的棋子嗎？他怎麼可能在決定了卸磨殺驢之後，又轉回來遷就那隻他已經決定要殺掉的驢子呢？」方若堂喝了一口咖啡，不解的說：「而且這個黑鬼上次在海邊對鍾文昱下手，這麼多鎗打在鍾文昱身上，鍾文昱竟然一點事都沒有，我看這其中也有很大的

問題吧？」

　「這個問題，于景立已經調查過了。」楊滄堯放下咖啡杯說：「賽吉‧金恩之所以會在那天去金山海邊伏擊鍾文昱，還是于景立提供的消息，因為于景立之所以會知道鍾文昱那天會去那個海邊，是從市刑大田偉志那裡聽來的，田偉志說鍾文昱想要到附近海域去觀察一下，看看能不能找楊慶章那個案子的蛛絲馬跡，跟田偉志約了在那裡見面，所以那天賽吉‧金恩才會趕去那裡埋伏。」

　「如果真的是這樣，那鍾文昱怎麼會一點事都沒有呢？」方若堂不認同的說：「就算那小子命大，中了這麼多鎗還掉進海裡，後來竟然一點消息也沒有，而且才沒經過多少時間，那小子竟然就可以出院了？你們不覺得很奇怪嗎？」

　「鍾文昱那小子當然不會有事，因為那天去金山海邊的人，根本就不是鍾文昱。」楊滄堯冷笑說：「于景立事後去調查了一下，才知道那天周清合派了李陽貴去把鍾文昱接走了，還安排了另一個與鍾文昱身材一模一樣的人，穿上鍾文昱的衣服，估計那天在海邊被賽吉‧金恩開鎗的人，就是這個替換者。」

　「替換者？」方若堂仍不相信的說：「就算如此，那個中鎗的人也不可能沒事啊？」

　　「周清合既然早有準備，怎麼可能不會讓那個人穿上防彈衣呢？」楊滄堯解釋說：「就算穿了防彈衣還是受了傷，以周清合的本事，自然有辦法在不讓任何人發現的情況下，把那個人救走去治療。更何況大家在找的人是鍾文昱，誰會猜到他們早就把人給換了呢？」

　　「周清合這個老狐狸……」方若堂悻悻然的說：「看來現在如果不除掉周清合，我們就拿鍾文昱一點辦法也沒有了。」

　　「除掉周清合？」楊滄堯笑著說：「我也想啊！但是哪有這麼容易，光他手底下那些保鑣，都是全世界頂尖特種部隊退役的高手，再加上他和政府高層的關係這麼好，別說要殺他了，恐怕我們連惹都惹不起他。」

　　「要是讓鍾文昱一直這樣查下去，那件土地徵收的弊案很快就會被揭露了啊！」方若堂顯得非常焦慮，呼吸急促的說：「而且我用你教我的方法，讓施瑞芳自己跳了樓，誰知道竟然還是被宋逸成法醫給驗了出來，市刑大那個田偉志還直接到我辦公室來挑釁，一副咬定凶手就是我的樣子……」

　　「原來你這麼急著找我，就是為了這件事情啊？」楊滄堯沒有等方若堂把話說完，搖頭說：「你這個大律師，怎麼也這麼沉不住氣啊？就算田偉志查到你常常跟施瑞芳在一起，那又怎樣？叫她老公告你通姦啊？通姦除罪

化已經是法學界的共識了，很快司法院大法官就會做出新的解釋（註201），就算你第一審被判成立通姦罪，到第二審大法官會議解釋也出來了，到時候還不是一樣無罪？再說了，就算他們查到唑吡坦是你拿給施瑞芳吃的又怎樣？你因為壓力過大失眠去大醫院看診，那個安眠藥是主治醫師開給你的處方藥，施瑞芳因為自己失眠拿去吃，你犯了什麼法？更何況你又不是醫生，根本不具備辨識藥品的專業能力，你怎麼會知道施瑞芳在服用什麼藥物？又怎麼會知道這個安眠藥會與她服用的藥物相衝突？」

「這個我當然知道。」方若堂回話說：「可是就因為周清合插手管了這些事，現在陳漢光也把矛頭對著我，如果他自己去向司法機關說出那個土地徵收弊案的內幕，不但我這麼久的努力都白費了，到最後還要落得去坐牢的下場，大家可都是同一船上的人，你們總得想想辦法吧？」

「你不用擔心。」楊滄堯露出奸笑的表情說：「就算周清合再怎麼老謀深算，卻未必能夠一直保護著鍾文昱，這個小子太重感情，也太有正義感，這都會是他致命的弱點，我自有辦法對付他。」

「你說得對啊！」方若堂似乎想起了什麼，奸笑著說：「我也想到了一個好辦法，那就一起努力吧！」

「做事小心點！」楊滄堯站起來說：「那我就先走了，

我還有很重要的事情要去辦。」

　　說完這句話之後，楊滄堯便從露台走進屋內，搭乘電梯去停車場開車。方若堂走到露台的前端，用遙控器打開了停車場的鐵捲門，看著楊滄堯的車離去，臉上還不時露出詭異的笑容。

## 【本節註釋】

註201：司法院大法官會議釋字第791號（109年5月29日）

　　　　解釋文：「刑法第239條規定：『有配偶而與人通姦者，處一年以下有期徒刑。其相姦者亦同。』對憲法第22條所保障性自主權之限制，與憲法第23條比例原則不符，應自本解釋公布之日起失其效力；於此範圍內，本院釋字第554號解釋應予變更。刑事訴訟法第239條但書規定：『但刑法第239條之罪，對於配偶撤回告訴者，其效力不及於相姦人。』與憲法第7條保障平等權之意旨有違，且因刑法第239條規定業經本解釋宣告違憲失效而失所依附，顧亦英字本解釋公布之日起失其效力。」

## 第十二節　許丞光與楊滄堯的對話

「記者現在所在的位置，就是今天晚間七點基隆市區自小客車爆炸案的現場，由於爆炸的威力很大，波及到停放在旁邊的車輛，還造成許多經過的行人受傷，警方獲報除立即展開救援之外，並隨即將現場進行封鎖。在爆炸的自小客車裡面，有四具已經燒成焦黑的屍體，消防人員撲滅火勢之後，在車內找到沙漠之鷹 (註202) 及貝瑞塔 M9 (註203) 等數把制式手鎗，顯然案情並不單純，警方現在正調閱附近所有的監視器，以進一步瞭解這起案件發生的原因……」

許丞光坐在辦公室的沙發上，看到這則新聞時露出滿意的微笑，對楊滄堯說：「李雲強他們可終於幹了一件漂亮的事情了，不然我還真開始懷疑他們這夥人存在的價值了。」

「我特別交代李雲強親自去做，還叫于景立給他支援。」楊滄堯坐在另一邊的沙發上，答話說：「要是連對付這種道上的小角色都做不好，那可真就太沒用了。」

「現在我們幫齊正祥除去了後患，他應該不會再有什麼話說了吧！」許丞光表情冷酷的說：「不管他有什麼盤算，現在這個情況下他還是只能跟我們一起合作，才能除掉鍾文昱這個後患。」

　　「齊正祥是個老狐狸，當然明白這一點。」楊滄堯笑著說：「這次算他命大，要是沒有賽吉・金恩的幫忙，他早就該去見閻王了。」

　　「其實賽吉・金恩說得也有道理，就算讓黑豹和小呂取代了齊正祥，但這種連老大都可以出賣的人，確實是無法信任的。」許丞光喝了一口茶，繼續說：「鍾文昱一家三口是齊正祥殺死的，他應該比我們更想殺了鍾文昱，在這件事情上，我們的目的是一致的。」

　　「有一點我到現在還是很納悶。」楊滄堯問說：「鍾崇德跟周清合到底是什麼關係？周清合為什麼要收養鍾文昱做他的孫子呢？」

　　「這個事情，我已經派人去周清合的朋友圈調查過了。」許丞光一臉不屑的說：「周清合的獨子周亞明不肯繼承父業，考進了 CIA（註204）從事情報工作，當時他曾有一陣子被派來臺灣，跟鍾崇德有過一陣子的合作……」

　　「周亞明？」楊滄堯露出驚訝的表情說：「他不就是當年您派我去暗殺的那個美國情報人員嗎？他竟然是周清合的兒子？不會這麼巧吧？」

　　「這世上的事就這麼巧。」許丞光繼續說：「周清合在兒子死後，多次回來臺灣拜託鍾崇德幫忙追查真相，日子久了也把鍾崇德當作是自己的孩子一樣，鍾崇德預感到自己有危險，拜託周清合想辦法把他的孩子帶走，

結果周清合先把鍾文昱帶走，等到派人回來營救鍾崇德的時候，才知道已經來不及了。後來周清合把鍾文昱交給李陽貴，讓鍾文昱在他的保護下長大，所以我們才一直沒發現這個漏網之魚。」

　　「既然鍾文昱能在這麼好的環境下成長，當兵的時候幹嘛還簽自願役軍官，跑去涼山特勤隊受那麼苦的訓練呢？更何況周清合家大業大，鍾文昱只要安心做他的大少爺不就好了，幹嘛跑出來作一個窮律師，還惹出這麼多麻煩呢？」楊滄堯不解的問說：「周清合既然要保護鍾崇德留下的唯一血脈，應該不會不知道還是有人想要殺鍾文昱以絕後患吧？」

　　「周清合這麼聰明的人，又怎麼會不知道這點呢？」許丞光冷笑著說：「雖然鍾文昱是周清合養大的，但畢竟他是鍾崇德的血脈，心性和脾氣跟鍾崇德幾乎是一模一樣，周清合就是擔心這小子長大之後會知道真相，想要為家人報仇，才會從小就讓李陽貴教他武術，再加上涼山特勤隊的訓練與戰場上的經歷，這小子才會變得這麼難對付。因為周清合非常清楚，再嚴密的保護總還是會有疏漏，只有讓他自己變得強大，才能讓他有保護自己的能力。李陽貴有什麼樣的能力，你應該也很清楚吧？李陽貴花了快二十年教出來的人，跟他相比可差不到哪裡去。」

　　「李陽貴這種傳奇人物，我當然不會不知道。」楊滄堯接著說：「他從警界退休之後，就再也沒有人聽過他的消息了，沒想到他竟然去做了周清合的管家，真是太大材小用了吧？」

　　「大材小用？我倒不這麼認為。」許丞光分析著說：「李陽貴一輩子沒結婚，退休金他一個人也花不完，至少可以肯定他不是為了錢才去做周清合的管家。」

　　「說得也是。」楊滄堯好奇的問說「那他到底是為了什麼呢？」

　　「周清合身邊的朋友似乎也沒有人知道這點，只知道李陽貴幫周清合所招募的隨扈人員，每一個都不是簡單的人物。」許丞光嘆了一口氣說：「還好周亞明已經死了這麼多年，周清合就算想查也無從查起，要是他知道自己兒子被殺的真相，必定會動用他所有的資源來找我們算這筆舊帳，那可就比鍾文昱還麻煩多了。」

　　「那件事是我親自做的，周清合就算有通天的本事，也絕對查不到什麼的。」楊滄堯一臉擔心的說：「但我們現在要殺的人，可是周清合的乾孫子，賽吉・金恩這次的失手，也勢必會讓周清合更加小心，看來我們還得再想個更好的辦法才行。」

　　「鍾文昱要是一直躲在周清合的保護之下，就算連賽吉・金恩那樣的高手也無從下手。」許丞光奸笑著說：

「最好的辦法，就是搞出一些事情，讓鍾文昱自己來找我們，這樣不就變得簡單多了嗎？」

「我明白了。」楊滄堯點頭說：「那我去找李雲強研究一下。」

楊滄堯從沙發上站起來，舉手向許丞光敬了個禮，然後就離開了辦公室。

## 【本節註釋】

註202：沙漠之鷹手鎗（IMI Desert Eagle）是一種可發射點357麥格農、點41麥格農、點429沙漠之鷹、點44麥格農、點440Cor-bon、點50AE等彈藥的導氣式半自動手鎗。該鎗由麥格農（Magnum Research Inc.；MRI）研究、設計和開發，並由以色列軍事工業再加以改進後負責製造。MRI逾1995年將製造合約移交給位於緬因州索科市的索科防衛，於1998年MRI將製造合約交還給IMI，IMI隨後將其輕武器部門以P「以色列武器工業」的名稱商業化。從2009年開始，沙漠之鷹在MRI位於明尼蘇達州Pillager的工廠生產，2010年Kahr Arms收購了MRI。沙漠之鷹是一把又大又笨重手鎗，氣動式的機械結構使得這把鎗的體積與重量都超出一般手鎗，全鎗加上空彈匣就已經有1.9公斤。巨大的握把使其難以單手握持，不過氣動式機械結構使其後座力有所緩衝，女性也能使用，但持槍

姿勢必須正確，否則射手可能會被鎗身打中頭部，而且也會導致拋殼失敗或卡彈故障。該鎗雖有火力及制止力強大、精度高及射程較一般手鎗遠等優點，不過因為價格比一般手鎗昂貴、射擊時會產生巨大噪音、鎗口火焰會對射手造成較大的心理壓力及容易暴露位置，以及對射擊姿勢要求較高等因素，導致大部分軍隊及執法機關都認為沙漠之鷹不是實用的武器而拒絕採用。不過沙漠之鷹本身也不是針對軍警市場所推出，該鎗的主要買家都是普通平民，被用於收藏、競技、休閒射擊、狩獵及自衛等用途。沙漠之鷹手鎗之所以如此聞名，很大一部份是歸功於各種影視或電子遊戲作品，目前已有超過 500 部電影、電視劇和電子遊戲出現過這把鎗，但大部分有沙漠之鷹出現的作品，都對該鎗在戰鬥上的實用性有所誇大，例如在那些作品中登場的角色都能輕鬆的以單手使用沙漠之鷹開火，甚至在單手開火下準確的命中目標，不過在現實中，這是不太可能的事。

註 203：貝瑞塔 M9 手鎗是美國軍方在 1990 年起裝備的制式手鎗，由義大利貝瑞塔 92F（早期型 M9）及 92FS 衍生而成。M9 手鎗沿用 92F 的設計，採用短行程後座作用原理、單／雙動扳機設計，以 15 發可拆式彈匣供彈。保險制及彈匣釋放鈕左右兩面皆可操作。美國軍方在 2003 年推出的 M9 改進型名為 M9A1，主要加入了皮卡汀尼導軌（Picatinny rail）以對應戰術燈、雷射指

示器及其他附件，又配發物理氣相沉澱（PVD）膠面彈匣來提供更高可靠性，以便在阿富汗和伊拉克等沙漠地區順利運作。在 2003 年至 2004 年間，一些報告指出軍方購買的 M9 彈匣在伊拉克使用時出現問題，實際測試後發現問題主要來自經磷酸鹽處理的彈匣，政府問責辦公室（Government Accountability Office，GAO）的報告指海軍特種部隊操作 92SB 時滑套斷裂彈出並擊傷一名射手，其後又再有兩次滑套斷裂令射手受傷意外，後來以 M9 及民用型貝瑞塔 92SB 做測試仍然出現，陸軍再決定以北約標準的 9 公釐彈藥做測試，結果仍然相同，最後貝瑞塔把 92SB 加上滑套阻擋裝置改進成 92FS。貝瑞塔於 2014 年 12 月公開最新改進的 M9A3，希望向美軍提供一個節省成本的方案以取代舊版 M9 手鎗，其改進之處包括改用較薄的手鎗握把、新增一個可拆卸的環繞式模組化握把、皮卡汀尼導軌、可拆卸式氚光前後照準器、一根延長並刻有螺紋的鎗管以方便裝上消音器、彈匣容量增至 17 發，以及全鎗改為泥色塗裝等，然而美國陸軍最早於 2015 年 1 月正式拒絕採用 M9A3。

註 204：美國中央情報局（Central Intelligence Agency，簡稱 CIA）是美國主要的情報機構之一，主要任務是公開和秘密收集和分類關於政府、公司和個人有關於政治、文化、科技等方面的情報，協調其他國內情報機構的活動，並把這些情報報告分享到美國政府各個部

門。該局持有大量特殊用途的軍事武器及設備，這些設備在美蘇冷戰時期用於干擾共產國家政府，此外也會針對推翻共產國家政府的組織進行資助，或刺殺對美國海外利益構成威脅之反對者（例如瓜地馬拉的阿本斯、智利的阿連德）。中央情報局總部設在維吉尼亞州的蘭利，是美國情報體系中唯一一個獨立的情報部門，其地位和功能與英國秘密情報局（俗稱軍情六處，MI6）和以色列情報特務局（俗稱摩薩德）等情報組織並稱。

## 第十三節 白髮老人的提醒

吃完晚餐之後，鍾文昱一個人回到自己的房間，翻閱著桌上堆得滿滿的卷宗，並且拿著螢光筆劃著重點。由於平常的訓練，讓他看資料的速度非常快，要是不瞭解他的人，還以為他只是隨便翻閱一下而已，但瞭解他的人都知道，他確實具有過目不忘的本事。

就在鍾文昱看著資料的時候，白髮老人突然出現在房間裡的沙發上，笑嘻嘻的問說：「傻小子，看什麼這麼認真啊？」

鍾文昱聽見白髮老人的聲音，馬上轉頭看了一下，回答說：「阿伯，好久都沒有看到您了，您最近到底忙什麼去了啊？」

「這天下間有這麼多事要管，我能不忙嗎？」白髮老人一臉無奈的說：「我知道你最近有人保護，所以才沒有過來找你。」

「那您今天過來找我，應該不會純粹只是過來看看我的吧？」鍾文昱這樣問著。

「當然不是。」白髮老人收起了笑容，問說：「你在看的卷宗，是那個加油站被強制拆除聲請國家賠償的資料嗎？」

「是啊！」鍾文昱點頭說：「這個案子再過不久就

要開庭了，我想把卷宗裡的資料多看幾遍，看看能不能多找到一點有用的證據。」

「其實你心裡應該很清楚，這個官司是根本不可能會贏的。」白髮老人提醒說：「這個土地徵收弊案，裡面牽扯了太多人的利益，他們必定會用盡各種方法來擺平這個官司，你自己也應該很清楚，這跟一般的刑民事官司可不一樣啊！」

「我從第一審的判決裡就可以看出來了。」鍾文昱笑著說：「但我既然接了這個官司，就應該盡全力去做，我們做律師的，雖然不能保證官司的輸贏，但至少應該盡力為當事人爭取獲得公平正義的機會，不是嗎？」

「你這個傻小子在想什麼，我當然清楚，可是……」白髮老人擔心的說：「雖然這個案子表面上看起來，只是行政主管機關在核發建照時要求人民簽具無償自拆的切結書，究竟合不合法的問題，但背後卻是需地機關總在某個地區還只有都市計畫草案時，就不當限制人民使用自己所有的土地，甚至牽涉財團與某些公務員利益勾結的問題，那些既得利益者不可能會容許你一再往下追查真相，所以當然就會想盡各種方法要將你除掉，這也是你之所以會一再遇到危險的原因，這點你應該也很清楚吧？」

「我當然清楚。」鍾文昱眼神堅定的說：「但如果

連我們這些讀法律的人，都只願意依附權勢或趨吉避凶，那這個社會還會有公平正義可言嗎？或許在很多人的眼裡，去打這種注定要輸的官司根本沒有意義，但有時候所謂權利不是單由法律的抽象保護，而是由於具體的堅決主張權利，甚至有時堅決主張權利，不是由於利益，而是出於權利感情的作用（註205）……」

「停……」白髮老人搖頭說：「你還真不愧是鍾崇德的親生兒子，你們兩父子的個性真是完全一模一樣。」

「我父親……」鍾文昱問說：「他活著的時候應該也跟我一樣，可以看得到您，對吧？」

「看我這個糟老頭，又說漏嘴了。」白髮老人乾咳了兩聲，接著說：「你是不是接著要問我，當年為什麼不救你的父親和家人啊？」

「我不敢這麼說。」鍾文昱回答說：「您告訴過我，很多事都是老天爺安排好的，就算是神也不能直接去插手或改變。雖然我不明白老天爺為什麼要這樣安排，但既然已經是這樣了，我也只能接受。更何況要是沒有您的幫助，我可能根本活不到現在，我知道您已經為我做了很多了。」

「我本來還一直擔心你知道以後，會怪我太冷血咧！沒想到你這傻小子倒是挺宅心仁厚的啊！」白髮老人一臉無奈的說：「一個那麼好的人，最後落得家破人亡的

下場，而我卻只能在一旁眼睜睜的看著，怎麼可能會無動於衷？其實鍾崇德這個小兒子，本來也注定活不過三歲，所以我……」

「我原本注定活不過三歲？」鍾文昱追問說：「所以……您做了什麼？」

「啊？我沒……沒做什麼啊！」白髮老人連忙否認說：「那不是重點啦！反正你現在不是好好的嗎？」

「奇怪了。」鍾文昱用調侃的語氣說：「現在的人不老實也就算了，怎麼當神的也可以這麼不老實啊？」

「我哪有？」白髮老人裝傻說：「看來我今天狀態不太好，應該回去好好休息一下，不然……我改天再過來找你好了。」

「等一下。」鍾文昱怕白髮老人又突然消失，著急的說：「您每次來找我，都是有重要的事要告訴我，今天您不可能只是來跟我閒聊的吧？」

「對、對……瞧我這記性，被你給瞎胡鬧了一下，差點忘了說最重要的事情。」白髮老人問說：「明天早上你是不是會去警察公墓(註206)參加吳鴻東警官的葬禮？」

「是啊！」鍾文昱問說：「警察公墓那裡四周都很空曠，而且貴伯已經預先派人去現場勘查過了，在方圓四、五公里範圍內都沒有可以藏身進行狙擊的地方，而

且明天早上在場的人，除了一名家屬之外，其他的都是警察，應該不至於會出什麼問題吧？」

「你分析的是沒錯，警察公墓的周圍這麼空曠，就算是世界上射程最遠的狙擊鎗，也打不了這麼遠的距離。」白髮老人提醒說：「但明天參加葬禮的警察，基本上都不會帶鎗，如果真有人要在外面的路上，持鎗抓走某個特定的人，應該不會太難吧？」

「您是說……會有人在外面的路上埋伏，持鎗抓走某個特定的人？」鍾文昱面色凝重的問說：「他們想抓走的人是我嗎？」

「你的拳腳功夫這麼好，又有人貼身保護著你，要把你抓走哪有這麼容易啊？」白髮老人接著又說：「但如果要抓走一個身上沒帶鎗，又沒有人保護的刑警，應該就比較容易了吧？」

「敢在太歲頭上動土的必然不是普通人，可是他們這麼大費周章的抓走一個刑警，到底是為了什麼呢？」鍾文昱想了一下，問說：「不對，您剛才說他們要抓的是一個刑警……那個刑警該不會是田偉志吧？」

「我什麼都沒說喔！」白髮老人似笑非笑的說：「我只是稍微提醒了你一點點而已，其他都是你自己猜出來的喔！」

「難怪……」鍾文昱恍然大悟的說：「這些日子貴

伯特別派了兩個人，日夜輪流跟著田偉志，原來他早就有預感了。」

「喔？這小子倒是有點長進。」白髮老人滿意的點頭說：「年紀大了果然是有差，他年輕的時候可是跟你一樣傻。」

「原來在貴伯年輕的時候，您就已經認識他了呀？」鍾文昱追問說：「您到底還有多少事情沒告訴我啊？」

「真是的……」白髮老人拍了拍自己的額頭，尷尬的說：「我今天怎麼老是說錯話啊！」

「放心啦！您不肯說，我也不會多問。」鍾文昱嘆了一口氣說：「只是我真的不明白，那些人為了自己的利益做了這麼多壞事，又為了隱藏自己所做的壞事，把人命視為草芥，他們難道都不會良心不安嗎？」

「初為惡者，尚懼天譴，良心鏡映，並非難改。然為藏惡，避逃罵名，為遂私慾而錯再錯，將過推人而自欺，甚或偽善掩惡，已墮執念 (註 207) 。」白髮老人唸叨著說：「尤其你遇到的這些人，都已經壞到骨子裡去了，對這種人可不能心軟啊！否則只是縱容他一再為惡而已。」

「我知道了。」鍾文昱無奈的說：「那我去跟貴伯商量一下明天的事情囉！」

白髮老人慈祥的點點頭，立刻就在鍾文昱的眼前消失了。

## 【本節註釋】

註205：此文原出於三民書局股份有限公司出版的「孟武自選
文集」（第101至113頁），作者薩孟武教授是我國
著名之政治學者，其相關著作影響深遠，貢獻甚鉅。
後「法律的鬥爭」一文轉載於王澤鑑著，民法總則，
作者自版，2009年9月3刷，頁1至11。

註206：警察公墓位於臺北市內湖路區金龍路47巷底（內湖
路三段28巷底），民國44年臺灣省警務處前處長樂
書田先生有鑑於警察人員終生為國辛勞，卻於因公殉
職或亡故後無一適當處所足以安置及撫慰忠魂，乃指
示相關單位及人員覓地籌建，使亡故警察獲得應有之
照顧。後經相關人員積極籌覓，恰購得內湖現址總計
約五甲之山坡地。於整建規劃初期，經陸軍工兵學校
大力支持與協助，除新建忠靈祠一座於民國48年完
工啟用外，並將周遭山坡地逐一整理供作使用。民國
60年新建納骨塔及荷花池，民國65年開闢環山道路
五百餘公尺，民國66年改善排水設施及洽請臺北市
政府鋪設柏油路面，民國68年整建山坡地坡崁、大
門及圍牆，69年展築新墓地，至民國70年完工。民
國78年間由臺灣省政府警務處編列540萬預算，結
合中央專案補助1,200萬元，重建忠靈祠，至民國80
年完工，民國84年經李前總統登輝先生賜匾題字。
民國84年因署處分立，續由臺灣省政府警政廳經管，
民國88年七月起因精省政策，合併由內政部警政署

接管。

註207：「初為惡者，尚懼天譴，良心鏡映，並非難改。然為藏惡，避逃罵名，為遂私慾而錯再錯，將過推人而自欺，甚或偽善掩惡，已墮執念。」

白話翻譯為：剛開始作惡的人，還會害怕遭到上天的譴責，在良知鏡的作用之下，並不會難以認錯改過。但是有些人為了隱藏罪惡，逃避他人的唾罵，為了順遂自己的私慾而一錯再錯，將自己的過錯推給他人以求欺騙自己，甚至假裝好人來掩飾自己的罪惡，這就是已經掉落在執念裡了。

摘錄自「釋惑：千金難買早知道」，鍾傑著，玄古學庫發展有限公司，中華民國108年8月初版，頁34至37。

## 第十四節　愛子心切的鍾崇德

　　白髮老人從鍾文昱的房間離開之後，隨即又出現在附近的一個公園裡，而且在白髮老人的背後，還突然憑空出現了一個半透明狀的人影。

　　「老人家，您為什麼一定要讓我兒子去承擔這樣的責任呢？」這個人用抱怨的口吻說：「其實那些事情跟他都沒有關係啊！」

　　「怎麼會沒有關係？」白髮老人回答說：「他是你鍾崇德的兒子，光憑這一點，就已經注定了要去承擔你未完成的事。而且……如果不是為了承擔這樣的責任，他也不必經歷這麼多的磨難了。」

　　「那還不都是上天和您安排的啊？」鍾崇德不能認同的說：「我真的不懂，為什麼您偏偏要挑我的兒子做天選者呢？」

　　「拜託，天選者怎麼會是我挑的呢？」白髮老人一臉無辜的表情說：「在他三歲被天雷擊中的時候，我跟你是一起去救他的，我那時才知道是昊天 (註208) 直接改了他的命數，並且直接挑選他為天選者，不然我又何必讓李陽貴盡心盡力的保護他啊！」

　　「您應該知道一個做父親的人，其實只是希望看到自己的孩子一生平安，而不是非要看到自己的孩子出類

拔萃，或擁有什麼樣的榮華富貴。」鍾崇德繼續抱怨著說：「我很感謝您對小昱的照顧，但為什麼就不能讓他做一個平凡的人就好，卻非得要讓他承受這麼多的折磨，去負擔那個所謂天選者的使命呢？您這麼疼他，難道都不會心疼嗎？」

「我不心疼？我要是不心疼的話，幹嘛親自下來淌這個渾水？」白髮老人嘮叨的說：「而且我為了這個傻小子……都不知道破壞了多少規矩，到時候這些帳還不是都要算在我的頭上。」

「雖然小昱現在有周清合的保護，但他現在畢竟只是一個普通人，甚至連使用武器自保的權利都沒有。他總不能一輩子都躲在周清合的庇護下吧？這種提心吊膽的日子，到底要過到什麼時候啊？」鍾崇德著急的說：「而且小昱這個孩子這麼重感情，光是詩芸的死就讓他內疚痛苦了這麼久，要是再有他身邊的人出事，我怕他會……」

「我知道……」白髮老人嘆了一口氣說：「我這不是盡力在幫他，而且也在想辦法解決了嗎？」

「您確實很疼他，這些年我也都看在眼裡。」鍾崇德接著說：「但如果您只能用這種方式幫助他，很多事根本阻止不了，也無法改變一定會發生的事啊！」

「不然你要我怎麼樣嘛！你以為做神的就可以為所

欲為了嗎？」白髮老人搖頭說：「就是因為我們不能插手人間的事，所以才會有天選者的存在啊？而且他所經歷的那些事情，也是昊天給他安排的磨練，不然他憑什麼去完成天選者的使命啊？」

「使命？」鍾崇德難過的說：「現在這個世界邪惡當道，連為正義發聲的人都寥寥無幾，昊天卻讓一個無權無勢的孩子，去扛起伸張正義的使命，這會不會有點太不負責任了？」

「如果邪惡不興風作浪，正邪的較量就難以觸及每一個人的心靈，正義的價值就不會顯得彌足珍貴。雖然你們總看到邪惡當道，但並不是神在容忍或退卻，而是神在選擇，善惡分明後的拯救與喜悅，將會給歷史帶來永久的見證。」白髮老人語氣堅定的說：「就像當年的你一樣，本來可以選擇視而不見，為什麼卻選擇了守護正義呢？」

「因為我那時是個軍人，保衛國家和人民是我的天職啊！」鍾崇德感傷的說：「可是……我畢竟只是個凡人，沒有這麼偉大與堅強，我遺憾的是我連自己的家人都保護不了，讓他們都死於非命，就算小昱最後活了下來，但我這個做父親的，卻只能眼睜睜的看著他受苦，您知道我的心裡有多痛嗎？雖然我沒有您這麼強大的能力，但我至少也要為這個孩子做些什麼，我才不管什麼規矩，

就算要讓我魂飛魄散，我也心甘情願。」

　　「你可別給我添亂啊！」白髮老人搖頭說：「我知道你愛子心切，可是……」

　　天上突然間出現幾道巨大的閃電，將原本漆黑一片的天空，照得如白晝一樣的明亮，隨之而來的雷聲巨響，不但讓人震耳欲聾，甚至還可以感受到音波帶來的震動。

　　「昊天，我知道您都聽得見，但我就是不服氣啊！」鍾崇德一臉憤怒的看著天空說：「人家都說為善之人可以庇蔭子孫，但您為什麼對我的孩子這麼殘忍？」

　　「一個父親心疼自己的孩子，不也是人之常情嗎？跟他計較做什麼？」白髮老人似乎也動了怒，一臉不高興的仰著頭說：「既然交給我處理，那就等我全部處理完了，再來算帳也不遲啊？」

　　在白髮老人說完這句話之後，天上的閃電驟然停止，回復了原本的寧靜。

　　「老人家，對不起。」鍾崇德一臉歉疚的說：「我知道是我太自私了，可是我……」

　　「算了，我又沒怪你。」白髮老人一臉慈祥的說：「我知道很多事情你還無法理解，但大惡者應劫而生，大仁者應運而生，運生世治，劫生世危。天地之邪氣，惡者之所秉也，故擾亂天下，天地之正氣，仁者之所秉也，故修治天下（註209）。你的兒子跟我有緣，無論如何我都會

好好保護他的，你就放心吧！」

「我聽不懂這些大道理。」鍾崇德嘆氣說：「我只希望這一切趕快結束。

白髮老人點點頭，沒有再說什麼。

## 【本節註釋】

註208：昊天一詞，源自於華夏文化對於天空及北極星之崇拜，以上天元氣廣大，稱之為昊天；又因天遠視蒼然，亦稱之為蒼天。

註209：出處為曹雪芹著《紅樓夢》第二回，原文為：「天地生人，除大仁大惡兩種，餘者皆無大異。若大仁者，則應運而生，大惡者，則應劫而生。運生世治，劫生世危。堯、舜、禹、湯、文、武、周、召、孔、孟、董、韓、周、程、張、朱，皆應運而生者。蚩尤、共工、桀、紂、始皇、王莽、曹操、桓溫、安祿山、秦檜等，皆應劫而生。大仁者，修治天下；大惡者，擾亂天下。清明靈秀，天地之正氣，仁者之所秉也，殘忍乖僻，天地之邪氣，惡者之所秉也」。

## 第十五節　葬禮

### 臺北市內湖區　警察公墓

這個墓園三側環山，成 U 字型，中央正面依序闢建有荷花池（停車場）、忠靈祠及納骨塔，佔地約五甲，以忠靈祠為中心，概分為左、右與後山共三區。

警察公墓是警察忠魂之最後歸宿，免費提供亡故警察人員靈骨寄（埋）存之用，但為因應大自然環境保護之趨勢，土葬墓基部分將不再開發、整建。按照《警察公墓管理要點》第二點之規定，現有土葬墓基部分空位僅供「因公殉職」同仁埋存之用，其餘均以骨灰寄存納骨塔為原則。

當時與吳鴻東一起殉職的幾名警察，在前幾天已經將骨灰存放入納骨塔，而今天早上，在這裡舉行了一場隆重的立碑葬禮，這個被立碑埋葬的已故警察人員，就是前一陣子因公殉職的臺北市政府警察局刑事警察大隊偵二隊隊長吳鴻東警官。

吳鴻東的遺孀被女警攙扶著，站在隊伍裡的第一排，田偉志則站在旁邊不斷安撫著她的情緒，而鍾文昱、陳詩語及宋逸成則在幾名護衛人員的保護下，站在人群中間的位置。在儀式進行的過程中，她雖然哀傷的不發一語，但始終沒有落下一滴眼淚，直到幾個警員用鏟子為

棺材覆蓋上泥土，她才全身顫抖並不斷流下眼淚，看到
她用手搗著自己的嘴巴啜泣，所有人都感到十分的心疼
與不捨。

「大嫂，妳不要這樣。」田偉志輕輕拍著吳鴻東妻
子的肩膀說：「想哭就哭出來吧！」

「我們家老吳啊！他最不喜歡看到我哭了。」吳鴻
東的妻子啜泣著說：「每次他只要一看到我掉眼淚，就
慌得不知道該怎麼辦才好，今天是他的大日子，要讓他
安安心心的……這樣才能好好的走。」

「都怪我……」田偉志難過的說：「那幾天我要是
多留意一下，他也不會……」

「這種事情誰也無法先預料到，而且他一直把你當
做最好的兄弟，又怎麼會怪你呢？」吳鴻東的妻子流著
眼淚說：「他以前告訴我，說他小的時候不太愛讀書，
但他從小的志願……就是做人民保姆，雖然當警察又累
又危險，但他還是很慶幸自己能當上警察，更對自己能
被選進刑事警察大隊而感到驕傲……這是他的命，不能
怪任何人。現在他躺在這裡，也算是死得其所了……」

「大嫂，妳放心，我不會讓老吳白死的。」田偉志
哽咽著說：「我一定會把殺害老吳的人繩之以法，我一
定會……」

「壞人是抓不完的。」吳鴻東的妻子嘆氣說：「老

吳生前常跟我提到你，他總說你都老大不小了，到現在連一個對象也沒有，雖然你們不是親兄弟，可是他真的把你當成親弟弟一樣……你要懂得保護自己，多為自己想一想，不要像我們家老吳一樣傻……為了辦案，連自己的命都賠上去了……」

「我……」田偉志聽到這些話，再也壓抑不住心中悲傷的情緒，掩面痛哭了起來。

警政署長走到吳鴻東妻子的面前，眼光泛淚的說：「妳要保重自己的身體，千萬不要太傷心啊！關於撫卹 (註210) 的事情，大隊裡面會有專人幫忙辦理。」

「謝謝署長。」吳鴻東的妻子面容哀戚的說：「我在小學當教師，雖然薪水不高，但軍公教的福利也還不錯，維持我一個人的生活算是綽綽有餘了。老吳這筆撫卹金，我打算全部捐出來，作為添購第一線警察人員安全裝備之用……」

「那可不行。」刑事警察大隊的大隊長說：「這些錢是小吳用命換來的，我代表第一線同仁心領了，這些錢妳還是自己留著吧！」

「大嫂，你就聽大隊長的吧！」鍾文昱也走過來說：「至於妳要捐的那筆錢，我會讓貴伯處理的。」

「這怎麼可以。」吳鴻東的妻子推辭說：「那是我和老吳對第一線警察人員的心意，這錢怎麼可讓你來出

呢？」

　　「沒關係的，大嫂。」陳詩語走到吳鴻東妻子的身邊，挽著她的手臂說：「這是文昱他爺爺特別交代的，他老人家知道吳警官生前很照顧文昱，所以他想當面向妳致謝，等一下葬禮結束之後，我帶妳一起去見他。」

　　「我在電視新聞上有看到過，鍾律師的乾爺爺好像是……很有名的美籍華裔富商周清合董事長……沒錯吧？」吳鴻東的妻子婉拒著說：「今天是我丈夫的喪禮，而且我又穿成這樣……不太好吧？」

　　「沒關係的。」鍾文昱說：「我當檢察官的時候，老吳確實幫了我很多忙，我乾爺爺回國之後聽說了吳警官殉職的事，他老人家的心裡也十分難受，所以在我們出門之前他還特別交代，叫詩語今天一定要帶大嫂去跟他老人家見個面。」

　　「可是……」吳鴻東的妻子猶豫說：「這樣我真的很不好意思……」

　　陳詩語輕聲細語的安撫著她，並帶著她往停車場的方向走去，鍾文昱對護衛人員使了個眼色，其中三名護衛人員立即小心翼翼的跟在她們身邊，帶著她們往停車場的方向走去。

　　鍾文昱走到田偉志的身邊，低聲說：「別哭了，等一下還有重要的事情要做。」

　　「有重要的事情要做？」田偉志一臉疑惑的問鍾文昱說：「什麼事啊？」

　　「你不是想替老吳報仇嗎？」鍾文昱拍著田偉志的肩膀說：「今天我就讓你完成這個心願。」

　　田偉志聽到鍾文昱這樣說，一臉茫然的瞪大了眼睛，本來他還想再追問，不過看到鍾文昱一臉認真的表情，就可以感覺到鍾文昱並沒有在開玩笑。

　　但……報仇？鍾文昱到底想做什麼呢？

## 【本節註釋】

註 210：警察人員人事條例第 36 條

　　「警察人員之撫卹，除依左列規定外，適用公務人員撫卹法之規定：

　　一、在執行勤務中殉職者，其撫卹金基數內涵依其所在職務最高等階年功俸最高俸級計算，並比照戰地殉職人員加發撫卹金。

　　二、領有勳章、獎章者，得加發撫卹金。

　　警察人員在本條例中華民國九十三年八月十九日修正支條文施行前，有前項第一款情形，其遺族現仍支領年撫卹金者，其年撫卹之給與，自修正條文施行之日起準用本條例規定。

　　第一項第二款加發撫卹金標準，在不重領原則下，比照退休金加發標準發給。

第一項第一款及第二項依所任職務最高等階年功俸最
高俸級計算之撫卹金高於銓敘審定合格等級計算之撫
卹金者，其差額由主管機關編列預算支給。」

## 第十六節　反狙殺

　　在一切準備就緒之後，警政署長用手勢指揮著在場的所有警察人員，往停車場的方向移動，鍾文昱也帶著田偉志跟著大家一起走。

　　警政署長走到鍾文昱的身邊，問說：「鍾律師，你安排的那個電腦高手，確定了那些人的位置了嗎？」

　　「署長放心。」鍾文昱點頭說：「你們都先到車上，等到我說可以出去的時候，大家再一起出去。」

　　「鍾律師，我們就只安排了兩個狙擊手，而且你交代其中一個狙擊手只負責開第一鎗，然後就馬上躲在掩體後面，只靠在另外一個位置的狙擊手負責狙殺，真的可行嗎？」刑事警察大隊的大隊長憂慮問說：「這裡可是在人來人往的街道上，萬一出了什麼差錯，恐怕會造成民眾的傷亡，到時候可真的不好交代啊！」

　　「鍾律師不但是李陽貴教官的高徒，還有豐富的實戰經驗，不會有問題的。」警政署長神情篤定的說：「我相信鍾律師和他那些同袍的能力，放手去做，一切責任我扛。」

　　「那……」田偉志問鍾文昱說：「我要做什麼啊？」

　　「你跟著我走。」鍾文昱拉著田偉志的手臂說：「緊緊跟著我就好，其他你就不用管了。」

等所有人都坐上車之後，鍾文昱迅速把田偉志拉進忠靈祠，叫田偉志找一個地方坐著，而鍾文昱則拿出衛星電話聯絡。

　　「石頭，你找到他們的位置沒有？」電話一接通後，鍾文昱問著電話那頭的人。

　　「老大啊！這個區域到處都是死角。」石頭嘮叨的抱怨著說：「你每次都找這種高難度的任務給我，而且還沒得收錢……」

　　「別抱怨了。」鍾文昱嚴肅的說：「我都把我爺爺公司的衛星攝影系統開放給你用了，你要是再找不到他們，那也太遜了吧？」

　　「你以為衛星攝影有這麼好控制喔？這個系統複雜得要命……」石頭邊抱怨邊操作著電腦，突然大喊說：「找到了，我馬上告訴他們。」

　　「第一狙擊手，一點半方向，俯角十五度。」石頭以警用無線電發出通知。

　　「一點半方向，俯角十五度，西風，風速4.2。」張豪華在第二個狙擊點拿著小型測風儀，一邊指導著第二狙擊手調整狙擊鎗及射擊角度，預先準備著第二次射擊，一邊用無線電通知第一狙擊手進行第一次射擊。

　　他們的話音剛落，第一狙擊手馬上射出了第一鎗，子彈飛向1500公尺外的大樓樓頂，但卻沒能命中目標。

其實在兩方都是狙擊手的對決中，要能以一鎗就狙殺對方的狙擊手，本來就不是一件容易的事，不然鍾文昱也不用特別安排具有聽聲辨位能力的張豪華過來了。

對方顯然也是一個經驗老道的狙擊手，在受到攻擊之後，馬上朝著第一狙擊手的方向開了一鎗還擊，這一鎗非常精準的射向第一狙擊手，要不是鍾文昱特別交代第一狙擊手在射擊後立即臥倒掩蔽，恐怕就會被擊中斃命。

不過在第二聲鎗響之後，緊接著又聽到第三聲鎗聲，子彈不偏不倚命中那個狙擊手的額頭，而且直接貫穿了他的頭顱。

「Clear！」石頭告知了結果，但隨即又大叫說：「另外兩個上車跑了，要不要在路口攔截？」

「不要攔，讓他們走。」鍾文昱對著衛星電話喊著。

「老大，你沒搞錯吧？」石頭疑惑的問說：「他們用的是套牌車，跑了可就追不到了啊！」

「我自有辦法找到他們。」鍾文昱回答說：「雖然另外兩個人身上應該只帶著手鎗，但誰知道他們車上有什麼？在市區發生鎗戰會傷及民眾，讓他們走。」

「喔！這就結束啦？」石頭伸了一下懶腰說：「那我收拾東西回去上班囉！」

「石頭，謝了。」鍾文昱微笑著說：「過兩天我會請貴伯付顧問費給你，記得要開發票喔！」

「少來了，還顧問費咧！」石頭開玩笑的說：「你不要每次叫我做這麼高難度的事，我就阿彌陀佛囉！」

掛上電話之後，鍾文昱對遠處的警政署長比了一個手勢，警政署長拿起無線電對講機命令附近潛伏的便衣警察去清理現場，並且通知大家可以開車離開這裡。

田偉志坐在一旁看見這些情形，驚訝的問鍾文昱說：「這是怎麼回事啊？你把張豪華給叫來當狙擊手，是署長同意的嗎？還有……那個石頭是誰啊？」

「是貴伯拜託你們署長同意的，而且張豪華只是擔任觀測員（註211），並不是實際開鎗的狙擊手，所以並沒有違法的問題。」鍾文昱回答說：「至於那個石頭啊！是以前我在國安局擔任中隊長的時候，在局裡負責電腦與網路科技的特編人員，在這件事裡他負責從衛星攝影找到對方的位置。」

「今天來參加葬禮的警察都沒有領鎗，還好你們預先做了安排，要不然可就……」田偉志想了一下，又問說：「可是……你們怎麼會預先知道這件事的呢？」

「是阿伯昨天晚上來告訴我的。」鍾文昱說：「阿伯說那些人想趁這個機會把你抓走，用你來威脅我自己去找他們。」

「抓我？他們怎麼會挑我作為目標啊？」田偉志訝異的說：「他們要是抓走了我，不就等於是擺明跟警察

公然作對了嗎？他們會這麼傻喔？」

「你以為他們抓走你，真的會把你放著等人去救啊？」鍾文昱搖頭說：「那些人還有什麼幹不出來啊？」

「你的意思是說……他們會直接殺了我？」田偉志回想了一下說：「這件事肯定是方若堂唆使的，因為我前一陣子才故意去激怒他。」

「你跑去激怒方若堂？」鍾文昱用力拍了一下田偉志的肩膀，問說：「你認為老吳的死跟方若堂有關？」

「你想啊！老吳平常又沒什麼跟你在接觸，許丞光和楊滄堯那夥人不可能會去殺他啊！」田偉志分析著說：「老吳那時候不是在調查楊慶章議員被殺的案子嗎？楊慶章跟陳漢成的死，一定是跟方若堂有關，所以一定是他叫人傳假消息，然後派人在那個工廠伏擊老吳和一起去的隊員。如果我猜得沒錯的話，施瑞芳跳樓的那個案子，也一定是方若堂搞的鬼，所以我前幾天故意去激怒他，果然他馬上就有了動作。唉……雖然還沒能把方若堂那個傢伙繩之以法，但今天總算是先替老吳報仇了。」

「原來是這樣啊！」鍾文昱嘆了一口氣說：「你下次做事別這麼衝動，這次要不是阿伯先跑來告訴我，恐怕不但沒能替老吳報仇，就連你的命也要賠進去了。」

「我的心裡就是不服氣嘛！」田偉志憤恨不平的說：「我明明知道這些事情都是方若堂搞的鬼，而且所有的

跡象也都指向他，可我卻還是拿他一點辦法也沒有，你
說這是個什麼世道啊？」

　　「有些作惡的人是一時走偏，這種很容易分辨清楚，
但方若堂這樣的人不同，因為他們已經把靈魂出賣給了
魔鬼。而魔鬼的最大伎倆，就是說服你，它不存在（註
212）。對付這樣的人，急不來的。」鍾文昱對田偉志說：「走
吧！我跟你一起上車去局裡，貴伯應該已經派人在那裡
等著接我回去了。」

　　「問你一件事喔！」田偉志靦腆的說：「周醫生最
近還好吧？」

　　「想知道啊？」鍾文昱笑著說：「不然我帶你一起
回家好了。」

　　「她喜歡的是你。」田偉志搖頭說：「我根本一點
機會都沒有。」

　　「她是我堂妹，我們倆根本沒戲好不好！」鍾文昱
認真的說：「而且你又不是不知道，我跟詩語已經……」

　　「我知道，可是周醫生跟你又沒有血緣關係，而且
她還是對你一片痴心啊！」田偉志心疼的說：「她這麼
善良，又跟詩語是這麼好的朋友，我想她的心裡一定很
難受。」

　　「所以啊！」鍾文昱對田偉志說：「為了我堂妹的
幸福，你給我積極一點的去追求她，不然我這個做哥哥

的，可是會揍你一頓喔！」

「打警察是犯法的，你是律師耶！怎麼可以知法犯法呢？」田偉志退後兩步說：「而且你這個大舅子怎麼可以這麼暴力啊？」

他們兩個相視而笑，伸手搭著對方的肩膀，一起走向了停車場。

## 【本節註釋】

註 211：美國與英國狙擊手編制原則上為三人的狙擊小組，一人為狙擊手，一人為觀察員，另一人則是作為狙擊手擊殺紀錄的見證人兼狙擊陣地警戒人員，不過往往因受限於地形限制與人力需求，三人小組的編制甚難成形，常改為觀測員與狙擊手的兩人小組。兩人的狙擊小組將職責改為狙擊手負責擊殺，而觀察員負責對環境觀察與警衛，並為狙擊手擊殺紀錄的見證人。並且出於避免視覺疲勞的考慮，狙擊小組中的兩人往往必須相互轉換角色，所以觀察員也是狙擊手出身。

註 212：此處係引用法國詩人夏爾‧皮耶‧波特萊爾（Charles Pierre Baudelaire，1821 年 4 月 9 日 -1867 年 8 月 31 日）於 1864 年所寫的詩文。其是象徵派詩歌之先驅、現代派之基奠者、散文詩之鼻組。代表作包括詩集《惡之花》（Les fleurs du mal）及散文詩集《巴黎的憂鬱》（Le Spleen de Paris）。

## 第十七節　尚未查明的疑點

### 臺北市政府警察局刑事警察大隊

　　警政署長、刑事警察大隊的大隊長及李陽貴三個人，一起坐在大隊長的辦公室裡談話，他們不但早已熟識，而且警政署長與大隊長對李陽貴還非常恭敬。

　　「您的意思是說……」警政署長訝異的看著李陽貴說：「鍾律師跟教官一樣，都看得到那個白髮老人？」

　　「嗯！」李陽貴坐在警政署長和刑事警察大隊的大隊長對面，喝了一口茶說：「孫少爺確實看得到，要不是老神仙事先來告訴孫少爺，今天可就要出大事了。」

　　「不會吧？」刑事警察大隊的大隊長一臉難以置信，問說：「之前我聽田偉志告訴我，我還以為他是跟我開玩笑的，原來是真的喔？這真是太不可思議了。」

　　「這有什麼好大驚小怪的，警界和法界本來就有不少人天生具有這樣的能力，像楊日松法醫、高大成法醫就是啊！就連宋逸成法醫也有這樣的能力。」警政署長解釋著說：「雖然我們警察辦案要講究科學，但我們警界也流傳著許多神明指示破案的例子，不是嗎？」

　　「這倒也是。」刑事警察大隊的大隊長點頭說：「我當然相信這個世界有神鬼的存在，只不過是我個人沒有機緣看見罷了。」

「看不見才好啊！」李陽貴有感而發的這樣說。

刑事警察大隊的大隊長問李陽貴說：「這位老神仙到底是哪一尊神明啊？」

李陽貴聳聳肩，回答說：「我都認識這位老神仙大半輩子了，但祂從來都不肯說明來歷，老神仙常說，祂是誰其實根本不重要，重要的是我們到底該相信什麼？該做的是什麼？該堅守的是什麼？」

「看來這位老神仙之所以來到人間，應該是有很重要的事要做。」警政署長問李陽貴說：「我聽說在教官年輕的時候，這位老神仙還救過您的命，對吧？」

「對，那個時候我仗著自己有點身手，做事常常不考慮後果，要不是老神仙事先跑來提醒我，讓我預先做了安排，我恐怕在那個時候就已經死了。」李陽貴接著說：「不過說來慚愧啊！當時我只有聽過祂的聲音，還是在孫少爺三歲時，我才第一次看見祂，祂還常嫌我笨手笨腳的。」

「開玩笑。」刑事警察大隊的大隊長笑說：「您在我們這些後輩的心裡，那可是像傳奇一樣的英雄人物啊！如果您這樣的人，都算是笨頭笨腦，那我們這些人該怎麼辦啊？」

「唉！」李陽貴嘆了一口氣說：「我要是夠聰明的話，就不會讓我們家孫少爺受這麼多苦了。」

「教官，說到這個，我一直想鄭重向您和周老爺子道個歉。」警政署長一臉歉疚的說：「我們警方明明知道鍾律師的妻子是被人殺死的，可是我們卻什麼也查不出來，我這心裡實在是……」

「這怎麼能怪你們？我知道你們都已經盡力了。」李陽貴低著頭說：「這孩子從小就命苦，我跟老爺又一直隱瞞著他的身世，以為這樣就是保護他，但到了最後……他還是要去面對這些本來不該他去承受的事。」

「不就是許丞光想要斬草除根嘛！」警政署長建議說：「你跟周老爺子乾脆叫他律師也別做了，把他帶回美國去，這樣不就沒事了嗎？」

「如果這麼簡單，我跟老爺也不用特別跑回來臺灣了。」李陽貴回答說：「我本來以為那些國際僱傭兵集團的人，是被許丞光花錢請來對付孫少爺的，但最近我根據鍾崇德當年留下的線索去進行調查，發現許丞光就是個販賣情報並且藉機上位的小角色，而且那些國際僱傭兵集團的人，也只不過就是接頭交易和幫助許丞光消除障礙的，在他們背後還有一股美國的神秘勢力，這個幕後的勢力，也想殺了老爺和孫少爺。」

「什麼？」警政署長驚訝的說：「怎麼會這麼複雜？這個神秘勢力到底是什麼？他們的目的又是什麼？」

「我還沒有查清楚。」李陽貴搖搖頭，接著又說：「只

不過我可以肯定的是，這些事情絕對不像表面上看起來的那麼簡單。而且根據齊正祥所提供的消息，這個國際僱傭兵集團除了收錢殺人之外，還從事著毒品走私的交易，他們不但利用齊正祥在公海上搶奪要運來臺灣的毒品，在臺灣也有一些不明的毒品來源運到海外。」

「這些人簡直就是無法無天了嘛！」警政署長震怒的說：「既然現在齊正祥願意幫忙，那我們現在應該可以對這些人進行抓捕了吧？」

「先別急。」李陽貴說：「根據齊正祥給的情報，這陣子會有一條大魚來到臺灣，等到那個時候再動手也不遲。」

辦公室門外傳來兩個人的腳步聲，警政署長聽到之後，以眼神示意停止談話。

「報告大隊長，我是田偉志，我帶著鍾律師回來了。」田偉志敲了兩下門，在門外喊著。

「進來吧！」刑事警察大隊的大隊長回應著說。

田偉志得到回應將門打開後，舉手向警政署長與大隊長行了禮，然後恭敬的站在一旁。警政署長親切的對鍾文昱招手，示意要鍾文昱坐在他的身邊，鍾文昱微笑著點點頭走了過去。

「今天多虧了你和李教官的提醒與幫忙，不然可就要出大事了。」在鍾文昱坐下之後，警政署長致謝說：「今

天來幫忙的張先生與石先生，他們事情一結束就走了，我想跟他們當面致謝都沒機會，你一定要幫我轉達一下感謝之意喔！」

「署長客氣了。」鍾文昱回答說：「要不是署長肯破例給這個機會，我們根本什麼也做不了。」

「要訓練出你們這麼有本事的人可不容易啊！」警政署長感慨的說：「國家沒能把你們這些人才給留住，實在是太可惜了。」

「行行出狀元啦！」刑事警察大隊的大隊長說：「這些年輕人在社會上都各有自己的一片天，不也是挺好的嗎？」

「那倒是。」警政署長笑著說。

「陳署長，如果沒其他事情的話，那我就帶孫少爺回去了。」李陽貴說：「我們要是再不回去，該有人要擔心著急了。」

「哈……」警政署長大笑說：「那就快回去吧！」

警政署長與大隊長恭敬的將李陽貴送到門口，在李陽貴與鍾文昱上車之後，司機緩緩的將車開走，警政署長與大隊長才又走進刑事警察大隊的門口。

# 第十八節　各有盤算

## 台北市北投區　某別墅庭院

　　庭院裡的涼亭、座椅、燈飾、植物及草皮，都充滿著南洋的 Villa 風格，在臺北市這種寸土寸金的地方，能擁有一棟透天的別墅已屬不易，若還要有這麼大面積的庭院，那可真的是要價不斐了。

　　一個滿頭白髮的老年男人，坐在涼亭區的沙發上，在他對面坐著一個穿著樸素的中年男子。中年男子看起來滿臉愁容，講起話來也唯唯諾諾，就好像受了很大的委屈。

　　在他們談話的過程中，方若堂也在一個女助理的帶領下，朝著涼亭走了過來。

　　「楊立委，你這個地方還弄得真不錯啊！」方若堂坐下之後，對著那名白髮老者說：「你這麼急著叫我過來，是為了什麼事啊？」

　　方若堂口中的這位楊委員，正是知名的立法委員楊賢博，而坐在楊賢博對面的那個中年男子，則是臺北市政府建管處的一名資深公務員湯道豐。

　　「方律師，你不是說一切都在你的掌控之中嗎？」湯道豐質問方若堂說：「那警方手上怎麼會有最原始的那份卷宗掃描資料？」

　　「這是不可能的事。」方若堂一臉不屑的說：「又是誰在對你胡說八道啊？」

　　「是我在市刑大的朋友告訴我的。」湯道豐用肯定的語氣說：「而且他還偷偷告訴我，市刑大應該最近就會通知我去做說明了。」

　　「當初要不是你的疏忽，被你的下屬曾晴穎偷偷在建管處簽呈上貼了一張紙，說建築執照上備註欄所寫業主出具配合區段徵收無償自拆同意書並不是行政處分之附款，而僅只是註記，怎麼會惹出這麼多的事情？」方若堂扳著臉孔的說：「還好那個加油站業主當初提出訴願時，是找楊委員的兒子幫忙向臺北市政府索資（註213），而且要不是他兒子發現曾晴穎送來的檔案掃描件簽呈上多了那張說明，讓我趕快通知你處理，還幫你把責任推給曾晴穎，現在你還能坐在這裡跟我廢話嗎？」

　　「我的疏忽？如果不是謝向輝拿著帳冊和錄音檔到處去勒索，怎麼會發生這樣的事情？」湯道豐聽了方若堂所說的話，隨即暴怒說：「那個曾晴穎不過就是一個才剛來報到不久的小經辦員，她哪有可能知道什麼是附款或註記？就算她真的知道，她又怎麼可能有膽子私自在簽呈上貼上說明？更何況我自己就是最怕這份資料流出去的人，公文卷宗掃描檔和電腦資料庫裡的資料，早就被我給銷毀了，絕不可能是從我這裡流出去的。」

「當時是我建議楊立委讓他女婿去處理交付賄賂款項的事情。」方若堂對湯道豐說：「但我們真的沒想到謝向輝的膽子這麼大，竟然偷偷留下證據，事後又向那些人勒索。」

「那份資料也不可能是我兒子流出去的。」楊賢博篤定的說：「因為我兒子一收到你們市政府送來的資料，就馬上拿著資料找我商量該怎麼處理，當天晚上他也在我面前把那些資料燒掉了。」

「我們都是同一條船上的人，不會有人笨到搬石頭去砸自己的腳。」方若堂接著說：「如果警方要你過去說明，那我就陪你一起過去，這樣你可以放心了吧？」

「那倒不用，我要是真的帶著律師過去，不就反而顯得我心虛了嗎？」湯道豐對方若堂說完之後，轉過頭問楊賢博說：「你兒子被殺的那個案子，有沒有查到什麼新的線索？」

「沒有。」楊賢博搖著頭，面帶傷感的說：「那些人把我兒子綁走之後，只打了一通電話要求贖金，但卻在取得贖金之前，就把我兒子撕票了，而且在殺了我兒子之後，那些人就好像從人間蒸發了一樣，就連贖金也不要了。到現在我還是沒弄明白，那些人到底為什麼要這麼做。」

「唉……」湯道豐嘆氣說：「我總覺得最近所發生

的一些事，實在有太多令人想不通的地方。」

「這一切還不都要怪鍾文昱那個小子。」方若堂悻悻然的說：「這個案子就是他開始調查的，本來我以為他不做檢察官之後，就不會再有人管這個案子，怎麼知道他辭職做了律師之後，還是這麼多管閒事，真不知道他到底圖的是什麼？」

「楊滄堯當初不是誇口說，要把鍾文昱除掉是輕而易舉的事嗎？」楊賢博對方若堂說：「現在鍾文昱突然變成周清合的乾孫子，他是不是不敢動手了啊？」

「什麼？你們還找了人去殺鍾文昱？」湯道豐驚訝的問方若堂說：「鍾文昱不是你的姪女婿嗎？既然都是一家人，難道不能跟他好好的談一下嗎？」

「那小子要是能好好談，我還有必要找人去殺他嗎？」方若堂對湯道豐說：「這件事情你就當作不知道，雖然你弟弟湯全臨與我們是同一條船上的人，但他畢竟是個檢察官，可千萬不要節外生枝。」

「這本來就跟我和我弟弟無關。」湯道豐從沙發上站起來說：「該說的都說完了，我就先離開了。」

「反正我們都一起出現在楊立委家了，分別離開反而更令人懷疑。」方若堂站起來對湯道豐說：「坐我的車一起走吧！」

湯道豐點點頭，跟著方若堂一起走向停車場。

## 【本節註釋】

註213：有關議員索資之法源及相關問題之說明

議員請求提供之資料，如屬檔案法第2條第4款所稱之檔案，則檔案法第17條及第18條有關申請閱覽、抄錄或複製該檔案及政府機關得拒絕提供之規定，為政府資訊公開法與個人資料保護法之特別規定，自應優先適用；如非屬檔案法規範之對象或該法未予規定之情形，則應依政府資訊公開法與個人資料保護法相關規定（如政資法第18條、個資法第5條、第16條等）判斷之（法務部102年4月30日法律字第10203503090號函、102年2月7日法律字第10100253980號函、101年12月26日法律字第10103110880號函、97年5月19日法律字第0970009804號函意旨參照）。

## 第十九節　異常的屍體

臨近下班的時間，臺北市相驗暨解剖中心突然來了一大群警察，這些警察穿戴著頭盔和防彈衣，而且手執防彈盾牌和長鎗，氣氛顯得十分詭異。

田偉志從警車上走下來之後，快步跑進了法醫辦公室，對著宋逸成說：「老宋，你確定你的判斷沒錯嗎？這種事不是科幻片裡才有嗎？」

「報告就在這裡。」宋逸成指著桌上的報告說：「你不相信自己看啊？」

田偉志拿起桌上的報告看了一會兒，抱怨著說：「這我哪裡看得懂？你直接告訴我啦！」

「下午送過來的屍體，我做了例行性的屍檢，發現這具屍體的肌肉組織及身體骨骼異常強壯，我本來以為只是受過特種軍事訓練的現象，但是……」宋逸成面色凝重的說：「但是我在他的血液裡，發現了特殊的藥物成分，雖然詳細檢驗還需要一點時間，不過從他肌肉和骨骼組織切片裡發現，他應該是被施打了一種基因改變或重組的特殊藥物。」

「你說了一大堆，我怎麼一句也沒聽懂啊？」田偉志不解的問說：「這樣做的目的是什麼？」

「在二戰時期，曾有人對德國與日本士兵的屍體進

行研究，發現很多德國與日本的士兵都被長期施打或服用甲基苯丙胺 (註214)，也就是冰毒，這是一種很不人道的行為。」宋逸成解釋說：「但現在這個世界上，還有人在偷偷研究人體效能增強的技術，發展生物能力增強的超級士兵 (註215)，因為這種方式被認定違反倫理道德，並會造成人類的基因污染，一直被各國所禁止，沒想到還是有人在這麼做。」

「生物能力增強的士兵？」田偉志一臉難以置信的表情，又問說：「這樣人體可以承受嗎？」

「當然不是每個人都可以承受，所以在實驗過程中也會造成很多人暴斃。」宋逸成分析著說：「就是因為這樣，才會說這種研究是違反人類倫理道德底線的，而且在世界各國明令禁止的情況下，只有一些非法組織或不人道的軍事勢力，才會去做這種事情。」

「可是現在世界上又沒有這麼大規模的戰爭，幹嘛要去搞什麼生物能力增強的士兵啊？」田偉志還是不能理解的問著。

「雖然現在國際間只有一些局部或小型戰爭，但還是有少部份好戰且極具野心的團體和國家。」宋逸成說：「只要有這樣的需求與市場，就會有人為了金錢和利益去做這樣的研究與實驗。」

「這麼嚴重的事情，可不是我們警方可以解決的。」

田偉志說：「這種事情應該馬上通知軍方派人來處理比較妥當，我來跟署長說一下吧！」

「等一下！」宋逸成阻止田偉志說：「我是因為擔心有人會過來這裡毀屍滅跡，所以才趕快通知你們派人過來，現在詳細的檢驗報告還沒有出來，最多也只能說是我個人的猜測而已，在這樣的情況下，根本無法說服軍方派人來處理。」

「可是……這個人是僱傭兵集團的一員，那些國際僱傭兵並不是我們警察可以對付的啊！」田偉志擔心的說：「萬一他們傾巢而出來這裡硬搶，恐怕我們又會有很多弟兄傷亡。」

「那怎麼辦？」宋逸成憂心的說：「我只是個法醫，這方面我真的沒有更好的辦法。」

「該怎麼辦才好……」田偉志焦急的在辦公室裡踱步，突然喊說：「有辦法了！用你辦公室的室內電話，打電話給貴伯，讓周老爺子直接開口去請國防部長幫忙，我相信國防部長應該會給周老爺子面子的。」

「可是……這樣不是等於又把鍾文昱拉進這場漩渦裡了嗎？」宋逸成嘆氣說：「我身為他的朋友，其實真的很不希望讓他再去承受這種事情。」

「我當然也不希望這樣啊？」田偉志問說：「但現在除了這樣，你還能想出其他更好的辦法嗎？」

　　宋逸成無奈的搖搖頭，沒有再說什麼。田偉志猶豫了一下，還是走到辦公桌旁，拿起了市內電話機的聽筒，撥打著李陽貴的衛星電話號碼。

　　在與李陽貴的通話結束之後，田偉志又打了一通電話，向大隊長報告目前的狀況，大隊長也馬上將這個情形向警政署長報告。警政署長一方面擔心在場警員的安危，另一方面又怕造成民眾的恐慌，正在他舉棋不定之際，接到了國防部長打來的電話。

　　警政署長在與國防部長通完電話之後，馬上撥打了電話給田偉志，告知田偉志軍方會派人過去支援。接到這通電話之後，雖然讓田偉志安心了不少，但他仍然不敢有絲毫的鬆懈。

　　時間一分一秒的過去，天色也因為太陽下山而變暗，田偉志協調著在現場警員的警戒與掩蔽，以免有任何的意外發生，還不停看著自己的手錶，似乎顯得有點緊張。

　　大約在晚間七點左右，一輛軍用卡車緩緩駛入臺北市相驗暨解剖中心的大門，等軍用卡車停妥之後，車上穿著黑色制服全副武裝的軍人，很有秩序的跳下了軍卡，並迅速排好了隊形。

## 【本節註釋】

註 214：甲基苯丙胺（N-methylamphetamine），又稱為甲基
　　　　安非他命，其結晶型態俗稱冰毒（ice），是強效的
　　　　中樞神經系統興奮劑，主要被用於娛樂用途，較少被
　　　　用於治療注意力不足過動症和肥胖症，即便有當作治
　　　　療用途也被當成第二線療法。甲基苯丙胺是在 1893
　　　　年發現，有二種對映異搆，分別是「左旋甲基苯丙
　　　　胺」（levo-methamphelamine）及「右旋甲基苯丙胺」
　　　　（dextro-methamphelamine）。甲基苯丙胺一般是指左
　　　　旋甲基苯丙胺及右旋甲基苯丙胺各佔一半的外消旋混
　　　　合物。甲基安非他命較少被醫師作為處方，是因為可
　　　　能會毒害神經，以及有用作春藥和欣快感促進劑等風
　　　　險，而且已有療效相同且對人體危害風險更低的替代
　　　　藥物。甲基苯丙胺會被非法交易作為非醫療用途，在
　　　　亞洲部份地區、大洋洲和美國最為普遍。低劑量服用
　　　　甲基苯丙胺會產生欣快感、提振警醒度、專注力和精
　　　　神，以及降低食慾、減輕體重。高劑量服用則會引起
　　　　中樞神經刺激的精神病、橫紋肌溶解、全身癲癇和顱
　　　　內出血。長期攝取高劑量的甲基安非他命可能加快不
　　　　可預期且速度極快的副作用，例如心情擺盪、中樞神
　　　　經刺激劑引起的精神病（如偏執、幻覺、譫妄和妄想
　　　　等），甚至具有侵略性行為。目前已知甲基安非他命
　　　　能產生高度的成癮依賴（長期使用或超高劑量使用有
　　　　相當高的可能導致使用者出現衝動用藥）和高度物質

依賴（在戒除時有高度的可能性會造成急性戒斷症候群），其持續時間可能會比一般毒品的戒斷時間更長。

註 215：超級士兵（Supersoldier）是一種能夠超越人類正常極限或能力的軍人，以往均被認為是虛構的。但在 2017 年，俄國總統普京卻提出警告說，人類可能很快就會製造出比核彈更糟糕東西，普京所指的就是超級士兵。本來 CRISPR 是存在於細菌中的一種基因，該類基因組中含有曾經攻擊過該細菌病毒的基因片段，細菌透過這些基因片段來偵測並抵抗相同病毒的攻擊，並摧毀其 DNA。這類基因組是細菌免疫系統的關鍵組成部份，透過這些基因組，人類可以準確且有效的編輯生命體內的部分基因，也就是 CRISPR/Cas9 基因編輯技術。但目前多國情報機構證實，有某些具有野心的國家或組織使用基因編輯工具 CRISPR 進行研究，來提升人類甚至士兵的表現，製造出生物能力強化的超級士兵，但篡改人類基因可能產生許多無法預料的後果，被認為是沒有道德底線的作法。

## 第二十節　軍方派來的支援

　　穿著軍裝的指揮官站在小隊前面，一言不發的比了幾個手勢，那些軍人便迅速散開，並且馬上找了適當的掩體持鎗警戒，一看就知道這些軍人受過非常嚴格的特殊訓練。

　　那名指揮官直接走進了法醫辦公室，對田偉志與宋逸成說：「宋法醫、田隊長，我的名字叫尚義坤，是涼山特勤隊第五行動隊的少校隊長，奉國防部長的命令來對這裡進行警戒保護，請放心把這裡的安全交給我們，現在可以安排在場的警員慢慢進行撤退了。」

　　「尚隊長，你好。」田偉志走過去與尚義坤握手，微笑著說：「看到你們趕來，我就安心了。」

　　「別客氣，這是我們的職責。」尚義坤也回以微笑說：「你們今天所發生的事，我都聽說了，鍾文昱那小子……他還好吧？」

　　「尚隊長也認識鍾文昱？」田偉志驚訝的問著。

　　「當然，我可是他的學長呢！」尚義坤豪氣的笑著說：「雖然說起來是他學長，不過在十幾年前的某次行動裡，還是他救了我的命，說起來慚愧得很啊！」

　　「看來鍾律師在軍中還挺有人緣的嘛！」宋逸成問說：「但為什麼你們後來都沒有再聯絡了呢？」

　　「唉！十四年前他從戰場上回來之後，就好像變了一個人似的，後來他又跑去國外讀了好幾年的書，我們就失去聯絡了。」尚義坤嘆氣說：「我想應該是那些戰場上的經歷，讓他變成那樣的吧？聽說他在當檢察官的時候，老婆還被車給撞死了，老天爺還真是愛折騰人，不知道他現在有沒有好一點。」

　　「他最近是有好了一點。」田偉志回答說：「看來你一直都很關心他。」

　　「那當然！」尚義坤又問說：「我最近還看到他上過幾次新聞，他現在不是在做律師嗎？怎麼會一直有人想要殺他，還惹上這麼多的事情呢？

　　「這就說來話長了。」田偉志解釋說：「簡單來說，就是他從調查妻子的死因開始，又查到很多案子的真相，再加上以前殺死他父親的人，一直想把他殺掉斬草除根，很多事情都聚在了一起，所以……」

　　「這樣吧！」尚義坤一臉誠懇的說：「如果你們還不急著走的話，就多跟我說一點有關鍾文昱的事情，我也好看看有沒有什麼可以幫上忙的地方。」

　　「我們兩個都是孤家寡人，沒有急著回家。」田偉志說：「我先去安排警員撤走，回來再跟你說。」

　　田偉志從辦公室走了出去，馬上將幾個帶隊的警官叫了過來，交代他們迅速撤離在場的警員。而且在警員

撤離的過程中，他還特地躲到大門外的角落裡，撥了一通電話給警政署長，以查證尚義坤所言的真實性。

　　因為證實了尚義坤所言不假，所以田偉志才敢放下戒心，等在場警員都撤離了之後，他又走進了辦公室，把鍾文昱最近所發生的事情，詳細的向尚義坤說了一遍。

　　尚義坤靜靜的聽著，臉上不時出現憤慨的表情，兩手緊握著拳頭，似乎是在替鍾文昱抱不平，眼神裡所表現出的關心與不捨，完全不像是裝出來的樣子，這也讓田偉志更為放心了。

　　「田警官，謝謝你肯信任我。」尚義坤聽完田偉志所說的話之後，轉頭對宋逸成說：「宋法醫，帶我去看一看那具屍體吧！」

　　宋逸成點了點頭，打開櫃子拿出防護衣、頭套及手套，遞給了尚義坤與田偉志，等尚義坤與田偉志穿戴好之後，宋逸成便帶著他們兩個一起往解剖室走去。

　　宋逸成走到冰櫃前面，將那具屍體從冰櫃裡拖出來，並將屍袋的拉鍊打開，讓尚義坤與田偉志站在旁邊檢視著那具屍體，他則站在另一邊做著說明。尚義坤聽著宋逸成所做的說明，眼睛仔細的在那具屍體上打量著，但表情上卻出奇的平靜。

　　「其實不用等檢驗報告出來，就已經可以確定你的想法了。」尚義坤指著屍體的肌肉與手臂關節說：「你看，

根據他身上的肌肉與關節的接縫處來觀察，這樣的情形根本不合常理。」

　　「對！這根本不符合人體正常的情況。」宋逸成回答說：「剛開始我本來是懷疑他是施打了大量的生長激素，但抽血檢驗後發現並非如此，因為我在他的血液和肌肉組織裡，驗出一種不明的藥物，我已經把檢體樣本送到法醫研究所 (註216) 去做更進一步的檢驗了。」」

　　「程序上確實是要這樣做沒錯。」尚義坤搖著頭說：「但臺灣關於這方面的檢驗能力有限，恐怕也只能分析出其中的幾個成分，其他恐怕就檢驗不出來了。」

　　「確實如此。」宋逸成點頭說：「這也是我擔任法醫以來第一次遇到的狀況，如果臺灣真的檢驗不出來，法醫研究所應該會聲請送到美國去檢驗吧？」

　　「其實美國早已經發現有人在做這方面的研究，但因為怕造成社會大眾的恐慌，所以才一直不敢公布這方面的消息。」尚義坤對宋逸成說：「不過就我所知，美國可能也只是掌握了某部份的情報來源，但到目前為止也無法完整分析出那些藥物的成分與比例，所以即便送到美國，回來的報告也只能是疑似而已，不會有什麼肯定的結論。」

　　「我想也是，但不管怎麼樣，該走的程序還是要做。」宋逸成接著說：「我現在比較擔心的問題是，那

些僱傭兵可能會來搶走這具屍體。」

　　「我不認為那些人會過來搶走這具屍體。」尚義坤解釋著說：「生物士兵這種事情，其實在全世界已經不是什麼秘密了，各國的情報機構與國際刑警組織，也早就在調查這些事情，只不過都是秘密在進行的而已。一些高科技國家對這種改變基因編成的藥物，其實也並不陌生，只不過大家都認為這樣做不但有違倫理，還可能因為污染人類基因而造成無法預估的災難，所以才會把這種研究或實驗當成反人類的罪行。但是這個世界上還是有很多極端的武裝組織與不顧人權的國家，為了自己的野心和迅速擴張勢力的需要，根本不去管會造成什麼樣的後果，只要有人願意買，自然就會有人想從中牟利，所以就會有人繼續進行這種研究和實驗。這具屍體不管是個實驗對象，或是那些僱傭兵有目的性的給成員施打這種藥物，他們明知這個屍體來到這裡會被採下檢體樣本，也知道這種檢驗曠日廢時，而且還不一定能得出什麼確定的結果，又何必冒著這麼大的風險，來把這具屍體給搶回去呢？」

　　「您說的好像也有道理。」宋逸成想了一下，又問說：「按這樣說的話，那他們應該也不會去法醫研究所搶檢體樣本囉？」

　　「當然不會。」尚義坤篤定的說：「就像我剛才所

說的，法醫研究所應該也無法分析出全部的成分，根本就不必冒險去搶檢體樣本。」

「既然連尚隊長都認為那些僱傭兵不會來搶屍體的話……」田偉志提出疑問說：「那軍方為什麼還要派尚隊長帶著 ASSC (註217) 的隊員過來這裡呢？」

「為了確保你們的安全啊！」尚義坤回答說：「推測歸推測，但畢竟那些人都是亡命之徒，國防部之所以故意派我們過來，一方面是要確保在場的警察安全撤離，另一方面就是要在眾目睽睽之下，讓人看見那具屍體已經被軍方運走。」

「喔……我懂了。」田偉志點頭說：「軍方在眾目睽睽之下把屍體運走，這樣那些僱傭兵就不會來這裡找麻煩了。」

「沒錯。」尚義坤微笑著說：「那些僱傭兵再自大，也不會有膽量想從國家正規的特種兵手上搶屍體吧？」

「那倒也是。」宋逸成認同的說：「這樣一來，確實就不用擔心了。」

「我們的軍卡上有一個簡易的冰櫃，等一下我就讓隊員把屍體帶回去。」尚義坤接著說：「今晚我要去找鍾文昱一趟，你們要跟我一起去嗎？」

「好啊！」田偉志很爽快的回答。

「你當然好……」宋逸成用手肘撞了一下田偉志的

腹部說：「你去是要見鍾文昱？還是去見周醫生的啊？」

「老宋，我怎麼發現你跟以前都不太一樣了啊？」田偉志假裝露出無辜的表情說：「以前你的嘴巴可沒有這麼壞耶！」

「還不是被你跟鍾文昱給帶壞的啊！」宋逸成笑著說：「這叫近朱者赤，近墨者黑。」

尚義坤看見田偉志與宋逸成兩個人抬槓的模樣，也忍不住笑了起來，但他心裡同時也為鍾文昱能有這樣的好朋友感到欣慰，因為尚義坤從田偉志與宋逸成的談話間可以聽出來，他們兩個都是非常純真善良的人。

## 【本節註釋】

註216：法醫研究所為中華民國法務部所屬機構，成立於1998年7月1日，負責臺灣法醫訓練、鑑驗和技術發展等工作，地址在新北市中和區民安街123號。

註217：ASSC（Airborne Special Service Compay），是中華民國高空特種勤務中隊，簡稱高空特勤中隊、陸軍特勤隊、、原稱特種勤務隊，被民間或友軍俗稱為涼山特勤隊、涼山上的一群鬼。

## 第二十一節　三十五年前的往事

　　走出辦公室的尚義坤朝著隊員做了一個手勢，ASSC
隊員們就迅速進入解剖室將屍體裝進簡易冰櫃，並將簡
易冰櫃抬上軍用卡車，然後所有的隊員便跳上軍用卡車，
押送著那具屍體離開了臺北市相驗暨解剖中心。

　　在隊員全部離開之後，田偉志讓尚義坤與宋逸成坐
上他的車，載著他們兩個也離開了臺北市相驗暨解剖中
心。在車輛行使的途中，尚義坤拿出手持式衛星電話，
撥了一通電話給李陽貴，並且將電話拿給田偉志聽，田
偉志聽完電話之後，在李陽貴指示的地點將車停下，然
後等待著李陽貴派來的車輛。

　　李陽貴利用他們乘車前來的等待時間，先去向鍾文
昱報告了這件事，鍾文昱聽到李陽貴所說的話，面色凝
重的跟著李陽貴走到大門口，陳詩語與周雅琪看見鍾文
昱的臉色不對，也跟著他們一起來到了大門口，一同等
待著尚義坤的到來。

　　車輛在門口停下之後，鍾文昱連忙走過去打開右後
座的車門，一看見尚義坤就問說：「學長，這麼多年不
見了，您還好嗎？」

　　「臭小子，我當然好啊？就是老了。」尚義坤下車，
往鍾文昱的胸口打了一拳，笑著說：「進屋再說。」

聽到尚義坤這樣說，鍾文昱恭敬的帶著尚義坤進入大廳，宋逸成與田偉志也跟在後面。周雅琪還故意走到田偉志的身邊，輕聲的唸叨了幾句話，讓田偉志只能不斷的苦笑。

　　鍾文昱請尚義坤坐下之後，對尚義坤說：「貴伯剛剛才告訴我，原來您一直跟貴伯有聯絡。」

　　「孫少爺，我也不是故意要瞞著您的。」李陽貴不好意思的說：「只不過在事情還沒有明朗之前，我不想讓您太過擔心，而且我這麼做，也是為了尚隊長的安全著想。」

　　「貴伯與我講好之後，我們之間也很少聯絡。」尚義坤接著說：「要不是這樣，我哪能秘密的去調查一些事情呢？」

　　「我只是……」鍾文昱解釋著說：「不希望讓學長被捲進來，因為……」

　　「因為什麼？你出了這麼多事，也不來找我，是看不起我這個老哥哥了嗎？」尚義坤假裝生氣的說：「你真以為我已經老到不中用了啊？」

　　「學長，我哪敢啊？」鍾文昱回答說：「我只是……怕拖累你們。」

　　「你這說的是什麼話？」尚義坤扳起臉孔說：「我這條命是你救回來的，就算豁出去這條命，也不能讓別

人欺負你。」

　　在他們談話的時候，周清合也從裡面走了出來，一見面直接就問尚義坤說：「尚隊長，你今天直接就過來這裡，應該是在調查上有結果了吧？」

　　尚義坤一看見周清合，馬上恭敬的站了起來說：「周老，確實是有了結果，不然我也不敢直接過來。」

　　「坐、坐……別這麼客氣。」周清合邊坐下邊說：「這個答案我已經等了三十五年，就請你直接告訴我吧！」

　　「這件事說起來非常複雜，我先說結論，您兒子周亞明確實是被 CIA 裡的自己人害死的。」尚義坤坐了下來，繼續說：「當年下手殺害您兒子的人，就是楊滄堯，至於鍾文昱的父親，也是因為與您兒子一起調查有人想要在臺灣繼續 MK Ultra (註218) 計畫的事情，才會受到牽連而被殺的。」

　　「MK Ultra 計畫？」李陽貴露出訝異的表情說：「美國官方不是說這個計畫已經在 1973 年就全部停止了嗎？我家少爺來臺灣時候是 1984 年，怎麼還會跟這個計畫有關係呢？」

　　「停止？」周清合不屑的說：「官方說的能信嗎？」

　　「周老說得沒錯。」尚義坤點頭說：「事實上臺灣在戒嚴時期所進行的思想控制及政治迫害等相關手段，也都跟 MK Ultra 計畫有關，只是很少有人知道而已。」

「我記得蔣經國過世的那年是 1988 年，他是在 1987年宣布廢除解嚴令 (註219) 的。」李陽貴問說：「這難道跟MK Ultra 計畫被揭露這件事，是有關係的嗎？」

　　「歷史上的記載是說，蔣經國當時是為了臺灣的民主發展，認為已經沒有需要再維持戒嚴。」尚義坤回答說：「但經過我這些日子以來的調查，我認為與 MK Ultra 計畫被揭露，以及當時美國政府的施壓，都有很大的關聯，但很多事情已經都無從查證了。」

　　「好……很好……」周清合流下眼淚說：「亞明不愧是我周清合的兒子，這麼多年來……我都不知道他為了這個世界上的人，做了這麼偉大的事，我還一直……怪他不肯接下我的事業。跟他比起來，我根本什麼都不是……」

　　「老爺，您別這麼說，您對臺灣的貢獻，也是有目共睹的啊！」李陽貴安慰周清合說：「少爺是為了天下人而死，我們應該為他感到驕傲。」

　　「對、對……」周清合擦著眼淚，對尚義坤道謝說：「尚隊長，謝謝你為我所做的一切，讓我終於知道我兒子究竟是為了什麼而死，我真的……為他感到驕傲。」

　　「您不要這樣說。」尚義坤嘆氣說：「小鍾是您的乾孫子，而我的命是小鍾救的，我為您做什麼都是應該的，真的不用跟我道謝。」

　　「學長，說來慚愧。」鍾文昱對尚義坤說：「十四年前那天，要不是王東燁教官趕過來，恐怕我們兩個都沒辦法活著回來，可是教官他已經……」

　　「王教官的事情，我已經聽說了，這些事我也都在繼續追查。」尚義坤拍了拍鍾文昱的手，又說：「其實今天過來，還有一件很重要的事，這個事情我猶豫了很久，但我認為你遲早還是要面對，所以……」

　　「尚隊長，如果時機還不適當，那就先不要……」李陽貴突然插嘴，似乎有點想制止尚義坤說出來的意思。

　　「阿貴，你就讓尚隊長說吧！」周清合開口說：「就像尚隊長說的，就算我們一直刻意隱瞞，小昱最後還是會自己查出來的，既然早晚都要面對，不如就拿給他看吧！」

　　「老爺，其實我明白這件事孫少爺遲早也會自己查出來的。」李陽貴心疼的說：「可是我怕孫少爺……」

　　「這件事對於詩語來說，又何嘗不是個一直無法解開的心結呢？」周清合嘆了一口氣說：「讓他們看吧！你跟我去書房。」

　　李陽貴無奈的點點頭，伸手攙扶著周清合走向書房，但在行進的過程中，還不時回頭看了鍾文昱幾眼。周清合知道李陽貴的心思，伸手輕輕拍著李陽貴的肩膀，直接把李陽貴拉進了書房。

## 【本節註釋】

註218：MK Uitra 計畫，是在二戰結束之後，由美國 CIA 中部份人士與醫學、科學領域專家秘密進行的腦控計畫，其中的 M，代表英語的 Mind（頭腦），而 K 則代表德語的 Kontrolle（控制），雖然在維基百科中有粗略的介紹，但卻極少有人知道 MK 二字的含意。後來該計畫又更名為 MK Seaech 計畫，相關文件記載到 1973 年便停止。此項計畫是由美國中央情報局統籌的一項人類思想控制試驗計畫，該計畫始於 20 世紀 50 年代初，至 1953 年被正式認可。1964 年縮減規模，1967 年進一步削減，至 1973 年正式停止（此為官方所宣稱，但真實情形恐非如此）。此項計畫主要研究人類大腦的潛能控制，使用生物製劑及藥物（如 LSD）觀察對人類的影響，軍方的目的是制定一個大腦控制系統，可對重點目標進行斬首。計畫涉及許多非法活動。特別是以不知情的美國及加拿大公民作為實驗對象，引起有關合法性的爭議。後來在美國國會丘奇委員會的揭發下，MK Ultra 計畫在 1975 年首次引起大眾關注，當時的美國總統福特指示中央情報局美國境內活動委員會調查此事，惟該計畫的官方文件，早已於 1973 年被當時的中央情報局總監下令銷毀，調查方向只能轉移到受試者身上，或從小量民間紀錄中找到蛛絲馬跡。1977 年基於美國的資訊自由法，將與 MK Ultra 計畫有關的 2 萬份文件被解密，

並於同年召開了參議院聽證會。根據目前已解密的文件顯示，在第二次世界大戰之後，美國戰略情報局及中情局啟動迴紋針計畫（或被稱為回形針計畫），將超過 1,600 名前納粹德國的科學家、技術人員、工程人員等秘密帶進美國效力（這些科學家包括當年參與納粹德國 V-2 火箭研製的主要專家，如封‧布勞恩的火箭團隊、瓦爾特‧羅伯特‧多恩伯格、阿圖爾‧魯道夫等，這些科學家後來為美國的太空計畫，奠定了重要的根基）。雖然那些人中有許多是戰爭罪犯，但由於當年野心勃勃的納粹德國重視科研，戰爭期間又頻繁做殘酷的人體實驗，使該批科學家擁有充足的實際科研經驗，為 MK Ultra 等計畫奠定下很好的基礎。而在 MK Ultra 之前，已經存在有類似的計畫，包括 Project Chatter（1947 年成立）及 Project Bluebird（1950 年成立，1951 年改名為 Project Artichoke），主要是研究思想控制、行為修正等相關項目。

註 219：臺灣省戒嚴令，正式名稱為「臺灣省政府、臺灣省警備總司令部布告戒字第壹號」，是由時任中華民國臺灣省政府主席兼臺灣警備總司令陳誠於 1949 年 5 月 19 日所頒布的戒嚴令，宣告 1949 年 5 月 20 日零時（中原標準時間）起在臺灣省全境實施戒嚴，至 1987 年由時任中華民國總統蔣經國宣布同年 7 月 15 日解除該戒嚴令為止，共持續 38 年 56 天。此戒嚴令頒布時，臺灣省轄區包含臺灣本島與周邊附屬島嶼、以及

澎湖群島。以臺灣省來說，第一次戒嚴是二二八事件
發生時，由時任臺灣省行政長官兼警備總司令陳儀所
發布，此次是第二次實施戒嚴。該戒嚴令實行期間又
被稱為「戒嚴時代」或「戒嚴時期」。

## 第二十二節　遺漏的細節

　　看到周清合與李陽貴走進了書房之後，尚義坤將手伸進褲子的口袋裡，似乎是要拿出某樣東西交給鍾文昱，但尚義坤卻遲疑了很久，一直沒有將東西從褲子口袋裡拿出來。

　　「學長，怎麼了嗎？」鍾文昱看到尚義坤這樣的舉動，問說：「是不是有什麼不方便之處？」

　　「不是……」尚義坤回答說：「雖然我知道你是有權利知道真相的，但我其實也很擔心，怕你在心理上會承受不了。」

　　「到底是什麼？」鍾文昱追問著說：「為什麼你們每個人都好像不想讓我知道似的？」

　　尚義坤從褲子口袋裡拿出一個 USB 隨身碟，然後對鍾文昱說：「這是幾個月前，我拜託石頭駭入湯全臨檢察官的電腦，把這一年裡刪除掉的檔案都恢復出來，在其中找到了這個對你最為重要的影片檔案。至於湯全臨是怎麼取得這份資料的，我就不得而知了。」

　　「你叫石頭去駭入湯全臨的電腦？萬一被人家查出來怎麼辦？這可是犯罪耶！」鍾文昱驚訝的問說：「而且你怎麼會認為湯全臨有問題？他可是一名很優秀的檢察官耶！」

「優秀個屁！你這個傻小子。」尚義坤粗魯的說：「他要是沒做什麼壞事，我怎可能會盯他這麼久？」

　　「湯全臨有問題？」鍾文昱難以置信的問說：「學長，這其中會不會有什麼誤會啊？」

　　「我對他調查了一段時間，都查得很清楚了，怎麼可能還會有誤會。」尚義坤憤慨的說：「你還在當檢察官時所調查的那個土地徵收弊案，負責規劃與實行的人，就是這小子的哥哥叫湯道豐，你應該還記得吧？」

　　「記得。」鍾文昱回想著說：「不過湯道豐並不是主管，只不過是臺北市政府建管處裡面的其中一個資深公務員，當時我並沒有查出他有任何問題啊？」

　　「湯道豐雖然只是一個資深公務員，並沒有擔任任何主管職務，但以他的經驗和人脈，就算連一、二級主管或是他的直屬長官，在工作的安排與進行上也都要讓他三分。」尚義坤對鍾文昱說：「你當時所查的那個案子，最主要的建管處承辦人就是湯道豐，那個案子的共犯當時透過楊賢博立委與楊慶章市議員，找了不少上面的人對你威逼利誘，本以為你會在受到壓力與威脅的情形下會知難而退，哪知道你這個人是個硬骨頭，還是對那個案子窮追猛打。後來你因為老婆的死心灰意冷，辭去了檢察官的工作，那個案子最後就由湯全臨接手了。我查到這些事情之後，總覺得這其中一定有問題，於是我特

別對湯全臨進行了調查，為了不打草驚蛇，所以我才會請石頭幫我調查他上班地點與家裡的 IP 位址，然後駭入他的電腦拷貝了所有資料，而且還想辦法恢復了他刪除掉的檔案。」

「那個案子現在已經不是由我負責調查了。」鍾文昱嘆氣說：「而且用這種方法取得的資料，根本不能在法庭上拿出來。」

「這個檔案不是要給你拿去法庭用的。」尚義坤摸了摸自己的頭，結巴著說：「這是……是……是撞死你老婆的凶手，他車內行車紀錄器所錄下來的畫面。」

「什麼？」陳詩語聽完尚義坤所說的話之後，趕緊將尚義坤手上的 USB 隨身碟搶了過來，搖著頭對鍾文昱說：「不要……不要看……」

「詩語，給我……」鍾文昱眼眶泛淚的對陳詩語說：「我們查了這麼久，這是學長好不容易才幫我們拿到的……妳不讓我看，我要怎麼查出殺害詩芸的真凶？」

「不要、不要……」陳詩語哭著說：「我也想找到殺害姐姐的真凶，可是……可是我怕你看了之後，心裡會更加的痛……就當是我求你，我只想看到你好好的，不想你再為這些事痛苦。」

「小立哥哥，詩語是因為怕你心痛，才不想讓你看的。」周雅琪轉頭問尚義坤說：「如果只是詩芸被車撞

死的畫面，在半年多前早就在警方提供的監控畫面看到了啊！為什麼還要讓小立哥哥再看這個影片檔案？」

「其實我明白你們的心情，我當然知道小鍾看了這些畫面，心裡一定很不好受，這也是我一直沒把這段錄影畫面拿給小鍾的原因。」尚義坤解釋說：「這段影片我看了無數次，如果我能夠從中看出殺害小鍾他老婆的人是誰，我早就把那個凶手宰掉了，可是……我到現在也沒能搞明白。」

「你剛才不是說……這是請石頭駭入湯全臨的電腦，再從已刪除檔案回復取得的嗎？」田偉志問說：「既然如此，那湯全臨一定知道那個凶手是誰啊？」

「如果這麼簡單，我怎麼可能到現在還查不出來呢？」尚義坤對田偉志說：「其實周老和貴伯在還沒有回來臺灣之前，就已經拜託國防部長派我去調查一些事情了。在我請石頭幫我取得那些資料之後，就安排了隊員每天輪流跟蹤監視湯全臨，而且也調閱了他所有的通聯紀錄，但我在他身上什麼也沒有查到。至於許丞光和楊滄堯那裡，有于景立在臥底，雖然那裡的具體情況我並不清楚，但目前我們可以肯定的是，許丞光和楊滄堯主要是怕小鍾查到殺死他一家三口的人，就是許丞光和齊正祥，擔心小鍾找他們尋仇而使當年的事被曝光，所以他們才想要把小鍾殺掉以絕後患，而小鍾老婆被殺的

那件事，應該跟他們沒有關係。」

「有關許丞光和楊滄堯這邊的事情，于景立已經跟我們說過了。」田偉志對尚義坤說：「而且根據我們前一陣子的調查，小鍾老婆被人用車撞死的那件事，應該是謝向輝讓王東燁在坐捷運時，隨機把隨身碟丟進小鍾老婆皮包裡，打算利用陌生人把隨身碟裡的資料曝光，卻被跟蹤王東燁的人發現，後來他們派人侵入陳家的豪宅被保全系統發現，隔天那件事又鬧上了新聞，他們從新聞上發現那個女的原來是小鍾的老婆，所以才決定殺人滅口的。只不過因為抓不到凶手，所以才被警方列為肇事逃逸的案件。」

「乍聽之下似乎合理，但你不覺得邏輯上有點不通嗎？」尚義坤接著說：「你們署長也有把那件事的調查報告給我看過，所以你所說的我都知道，但你們所查到的那些，只是其中的一部份，還有一件很重要的事情卻被遺漏掉了。」

「邏輯不通……不會吧？」田偉志驚訝的問說：「我們還漏掉了什麼呢？」

「那些人在深夜侵入陳家豪宅，目的是想把王東燁丟在陳詩芸皮包裡的隨身碟拿走，對吧？」尚義坤分析著說：「那天晚上他們觸發了保全系統，並沒有拿到他們想要的東西，如果只是因為在新聞上看到陳詩芸就是

小鍾的老婆，就決定用殺人滅口的方式，但萬一陳詩芸已經將隨身碟交給小鍾或是其他人，那他們這樣做不就一點意義也沒有了嗎？既達不到想要的目的，又大費周章殺了檢察官的老婆，這個凶手和幕後的教唆者有這麼笨嗎？」

「你的意思是說……」宋逸成聽出尚義坤話裡的意思，問說：「他們之所以殺害小鍾的老婆，其實是另有目的？」

「因為小鍾的老婆死後，小鍾就辭去了檢察官的工作，後來那個土地徵收弊案的所有調查工作就由湯全臨給接手了，所以我當時懷疑教唆凶手殺害小鍾老婆的人是湯全臨，才會拜託石頭去駭入他的電腦。」尚義坤繼續解釋說：「經過我這一段時間的調查，雖然查到湯全臨在那些土地徵收弊案的調查上，確實有很大的問題存在，但他很顯然並不是教唆殺害小鍾妻子的人。」

「你不是說這個檔案，是從他電腦得到的嗎？」田偉志不解的問說：「那他的嫌疑不就最大嗎？」

「表面上看起來是這樣沒錯，但石頭有對這份資料的來源做過分析，這個檔案並不是從網路抓取下來的，也不是透過郵件寄給湯全臨的，而是透過讀卡設備直接放進他電腦裡的。最重要的問題是，這個檔案進入他電腦裡之後，只被使用軟體播放了一次，而且在完全沒有

進行備份的情形下，很快就被湯全臨給刪除掉了，石頭根據這些情形判斷，認為湯全臨看到這段影片時應該非常震驚，才會在不備份的情況下馬上進行刪除，這點確實很奇怪。」尚義坤詳細的說：「在有些買凶殺人的案件裡，殺手會將他執行任務的過程錄下來，目的是拿給教唆者作為收取尾款之用，但這個凶手用行車紀錄器所錄下的畫面，我反覆看過好幾次，總感覺這個凶手之所以錄下這個畫面，看起來根本不像是要作為收取尾款的證明，感覺上更像是故意錄下來要給某個人看的。因為有很多事情，只有小鍾自己最清楚，所以才必須要讓小鍾親自看這段影片，看他能發現些什麼，我才能做出正確的判斷。」

　　「你的意思是說，凶手故意錄下這段畫面，目的就是要小立哥哥看？」周雅琪感到非常驚訝，又問說：「但是……還是有點說不通啊？要是湯全臨跟這個凶手沒有關係，那他又是如何取得這個檔案的呢？」

　　「最困擾我的問題就在這裡了，其實我也根據他取得檔案的時間，對他當天的行蹤進行過調查，還向電信業者調閱了他當天所有的通話紀錄，他那天是搭捷運上下班的，而且當天他除了在地檢署上班之外，其他時間都在家裡。」尚義坤回答說：「從那個檔案放入他電腦裡的時間判斷，他那個時候應該是已經回到家裡，而且

當天他下班回家之後，並沒有再出過門，也沒有任何人來找過他，根本沒有任何線索可以再往下追查。但根據目前的情況，如果不把這個幕後的人找出來，我們就只能一直處於被動應對的狀態。」

「我懂了。」宋逸成轉頭對陳詩語說：「詩語，把隨身碟拿給小鍾吧！該面對的事情，是躲也躲不掉的。」

陳詩語難過的雙手發抖，猶豫不決的緊抓著那個隨身碟，周雅琪輕輕拍著陳詩語的肩膀，安撫著她的情緒，慢慢將那個隨身碟從她手中拿了過來，遞給了鍾文昱。

## 第二十三節　凶手錄下的畫面

　　鍾文昱走到電視櫃前，將隨身碟插入智慧連網電視的 USB 插槽，然後用遙控器切換影像輸入的選項，電視螢幕上就出現了畫面。

　　畫面一開始有點晃動，明顯可以看出是安裝行車紀錄器的動作所造成的，也就是說這輛車上原本並沒有行車紀錄器，而是當時才安裝在車上的。在這個過程中看到一隻皮膚黝黑的右手，手掌背面有一個「Hellø」字樣的刺青。

　　在前一陣子楊慶章議員被棄屍海港的案件中，當時穿在楊慶章身上的救生衣上就有這個符號，即便這個畫面只有短短的兩秒鐘，卻足以讓在場的人感到震驚與不尋常。

　　從畫面中所顯示的街景來判斷，那輛車應該是停靠在路邊，而且刻意關上了所有車燈。只不過外面街道上有明亮的路燈照明，再加上目前行車紀錄器攝影感光元件都具有一定程度的夜視功能，所以整個畫面呈現出來的景象都還算非常清晰。

　　「蒼狼，那個員外又不是我們的正主，他憑什麼叫我們做事啊？」這句話明顯是車內的人所說，口氣還十分不耐煩的樣子，而且從口音上來判斷，應該不是臺灣

本地人士。

　　「這是正主要我們配合的。」這個聲音是從手機喇叭所傳出來的，在電話那端被稱做蒼狼的人說：「我是今天才收到的通知，後續的接應我也是好不容易才安排好的，你照做就對了。」

　　「Abel 讓我來這裡幫你，是為了讓你得到這裡的主控權，可不是來摻和這種小事的。」車內的人抱怨著說：「而且我真的有點搞不懂，殺個人用狙擊鎗不是比較省事嗎？為什麼要假裝成車禍肇事逃逸呢？」

　　「我跟你一樣，都是今天才接到這個指令。」電話那頭的蒼狼說：「正主就只給了我一張照片，告訴我下手的地點，就沒說理由了，我連照片裡那個女的到底是誰，我也不知道。」

　　「你看……要是他們到時候翻臉不認帳，那我們可就只能吃啞巴虧了。」車內的人冷笑說：「既然如此，那我就用自己的方式，讓他們知道狗也是會咬人的。」

　　「你可別亂來……」電話那頭的話還沒說完，車內的人就已經切斷了電話。

　　畫面遠處的十字路口，出現了幾個稀疏的人影，其中的一個女性在路口停下腳步，應該是準備著要穿越馬路，雖然在畫面中尚無法看清那個女性的容貌，但從穿著與身形上來看，應該就是已經過世的陳詩芸。

　　尚義坤看到這裡，伸手拿起了電視遙控器，迅速按下了暫停播放的按鍵，然後對大家說：「看到這裡就好了，不需要再往下看了。」

　　「讓我……看下去吧！」鍾文昱聲音顫抖的說：「我可以……我必須知道……」

　　「可是……」周雅琪忍不住流眼淚，搖頭說：「這樣實在……太殘忍了……」

　　「就讓他看吧！」田偉志雖然也於心不忍，但還是對尚義坤這樣說。

　　尚義坤看了看田偉志與宋逸成，無奈的點了點頭，再次按下了播放鍵，讓影片繼續往下播放。

　　當車子正前方的紅燈亮起，畫面中的陳詩芸看了一下左右兩側，確定沒有車子繼續前進之後，陳詩芸快步走上了斑馬線。

　　此時影片裡突然傳來引擎的轟隆聲響，畫面中的影像也急速的變化起來，很明顯是車內的人突然重踩油門，筆直的往前方加速而去。不到二、三秒的時間，影片中傳來撞擊的巨響，由於速度實在太快，晃動中只看到陳詩芸的身體向上翻滾，副駕駛座前的玻璃因撞擊而碎裂成蜘蛛網狀，玻璃上還因此留下一大片的血跡。

　　看到這裡，所有人終於明白為什麼陳詩芸死時全身多處骨折，身體也嚴重變形，因為人體怎麼可能承受得

了如此猛烈與高速的撞擊。

　　畫面在劇烈晃動下隨即終止，陳詩語早已崩潰得泣不成聲，雖然鍾文昱沒有發出任何的聲音，但可以明顯感覺到，他的呼吸變得雜亂且急促，而且身體也不自主的顫抖著，顯然是刻意在克制著自己的情緒。

　　陳詩語看見鍾文昱傷心的模樣，心疼的緊緊抱住他，哽咽的說：「已經過去了……已經過去了……」

　　「我就跟你說……不要讓他看嘛……」周雅琪難過的對田偉志抱怨說：「你知道這樣……他心裡會有多痛嗎？」

　　「我知道……我知道……」田偉志低聲向周雅琪道歉說：「是我不好，對不起……」

　　鍾文昱一動也不動的看著前方，淚水再也止不住的從眼眶裡奔流而出，他一言不發的站了起來，腳步沉重的走出大廳門口。陳詩語知道鍾文昱是不想讓別人看見自己脆弱的一面，所以她也跟著走出了大廳，寸步不離的跟在鍾文昱後面。

　　突然鍾文昱好像看到了什麼，跑向院子裡的一棵樹下，難過的問說：「詩芸被殺害的那天……您在天上都看見了吧？她這麼善良……為什麼……您為什麼不救她？」

　　雖然鍾文昱看起來是對著空氣說話，但大家對這樣

的情形並不陌生，都知道鍾文昱是在跟白髮老人說話。

　　因為這裡有不少人都親眼見過白髮老人，所以白髮老人也乾脆現了身影，對鍾文昱說：「我確實是全都看見了，要是我可以去改變，我又怎麼可能不幫呢？」

　　「您不是神嗎？神不是應該賞善罰惡嗎？」陳詩語淚流滿面的說：「為什麼您要縱容那些壞人繼續作惡？為什麼要讓善良的人……受這麼多的折磨與痛苦？」

　　「我們怎麼可能會縱容那些惡人作惡……」白髮老人一臉無奈的說：「我也想自己動手收了這些惡人啊！可是……這些事情我們不能直接去做嘛！」

　　「那就由我來做。」鍾文昱激動的說：「既然一切都是因我而起，那就由我來結束這一切。」

　　「你……你這傻小子。」白髮老人緊張的問說：「你想要幹什麼？」

　　「我要把這些不該留在這個世界的魑魅魍魎（註220），全部都丟回阿鼻地獄（註221）裡面。」鍾文昱眼神銳利的說：「所有的後果，都由我一個人承擔。」

　　「我可以明白你心裡的痛，也知道你一定會覺得很不公平……」白髮老人解釋著說：「就是因為你與一般人不同，我怕你又會因為一時的衝動，造成更大的殺孽，讓你自己一直脫離不了輪迴之苦，所以我才會一直守在你身邊的。」

　　「那您教我現在該怎麼做啊？」鍾文昱生氣的怒吼著說：「到底還要有多少人被他們害死，上天才會覺得該收了他們呢？」

　　白髮老人嘆了一口氣，抬頭看了看天空，眼神中充滿了無奈，似乎還有一點怒氣。

## 【本節註釋】

註220：魑魅魍魎是源自中國上古傳說中，在山澤間害人的精怪，原意為各式各樣的妖魔鬼怪，現用作形容各種各樣的壞人。魑魅和魍魎其實是不同的兩種東西，魑同「彲」，與「螭」字相通，是一種像龍的野猛獸，無角（也有一說為山神，魑常與魅做搭配，若單獨使用時指「螭」，非害人妖怪的意思）；魅同「鬽」，指天地間的精靈。魑魅也被稱做「夔」，為山林異氣所生、木石所化之精怪，特徵是人面獸身四足，好魅惑人。魍魎別稱「罔兩」、「罔閬」，為水中精怪，外型如三歲小兒，色赤黑、目赤、耳長、髮潤。喜食亡者肝。魍魎又可以指「影子外層的淡影」或「渺茫無所依的樣子」，其意為山林間交互重疊、晃動不清、令人心生懼怕的影子。

註221：阿鼻地獄（梵語：Avīci Naraka），所謂阿鼻是指地域、時間、痛苦都沒有間歇，要無休無止的死而復生、生而復死的受苦，如有金剛壁壘不能逃離，故亦被稱之為無間地獄、金剛地獄。

## 第二十四節　捷運站入口的爆炸

　　城市裡平日的早晨，學生們趕著去上學，上班族們也趕著去上班，無論車站或公共交通運輸工具，都擠滿了匆忙的人群。有人看著報紙，有人滑著手機，有人講著電話，有人閱讀著書本，有人漫不經心的看著街景。

　　一個穿著白色襯衫與黑色西裝褲的中年男性，提著公事包快步走向捷運站的出入口，這個時段是上班時間，所以捷運站的出入口也是人來人往。

　　本來這一切看起來都是一如往常，但在那個中年男性剛踏上捷運站入口的樓梯時，突然傳來一聲轟隆巨響，捷運站的入口應聲崩裂坍塌，有些人被壓在瓦礫堆下生死不明，路面上還散落著幾具口鼻出血的屍體，遠處還有一些被碎片擊傷的受傷民眾，躺在地上痛苦的哀嚎著。

　　幸運逃過一劫的路過民眾，在驚嚇中慌忙逃竄，而且因為害怕還會有後續的爆炸，所以都退避得很遠。有些人好心撥打了電話報警，有些人則是只站在原處議論紛紛。

　　經過不久的時間後，現場就出現了許多警車、消防車與救護車，最特別的是，還有一個穿著印有 MP-EOD (註222) 字樣背心的小隊，也出現在現場，其中兩名成員穿著整套的防爆服，緩緩的接近爆炸點。

按照正常的程序，本來應該要等到防爆小組確認沒有其他爆裂物，或確認沒有後續爆炸的危險之後，救護人員才可以進入爆炸範圍內救治傷者，但救護人員看見現場有這麼多受傷的民眾，根本無暇顧及自己的安危，直接衝到看起來還有生命跡象的傷者身邊進行救援。

　　令人慶幸的是，在經過憲兵防爆小組的勘驗之後，確認已經沒有其他爆裂物，所以救護人員放心的加快救護速度，救護車不停穿梭在街道中將傷者送往醫院，警消人員也開始現場採證，並將埋在瓦礫堆下的屍體挖掘出來。

　　田偉志到達現場之後，亮出證件進入了警戒範圍，直接走向憲兵防爆小組的某位軍官身邊，表明身份後詢問著現場的狀況。

　　「目前只能確定是 C4 炸藥（註 223），這是國外很多恐怖份子常用的炸藥。」憲兵防爆小組的軍官說：「但這種炸藥在臺灣幾乎很難看到，因為臺灣對鎗械彈藥及爆裂物的管制比較嚴格。」

　　「C4 炸藥？」田偉志問說：「既然是炸藥，怎麼現場都沒看到火呢？」

　　「C4 炸藥爆炸時只會產生強烈的衝擊波。」憲兵防爆小組的軍官解釋著說：「除非現場有易燃物，或者是使用超過 50 公斤的 C4 炸藥，否則不太會有肉眼可見的火光。」

「這麼特殊的炸藥啊？」田偉志扳著臉說：「看來這個放炸彈的匪徒，應該不簡單。」

「以現場情形來看，歹徒所使用的炸藥量應該在 10 到 15 公斤左右，所以爆炸半徑不到 10 米的距離，至於較遠距離的那些傷者，應該是被碎片給擊傷的。」憲兵防爆小組的軍官提醒著說：「你們最好把死者與傷者的身分排查清楚，我覺得歹徒之所以這麼做，應該是有針對性的。」

「你的意思是說……」田偉志驚訝的問說：「這個歹徒可能是因為要殺某個人，所以才在這個捷運的入口放炸彈？」

「如果歹徒針對的是特定目標，就不能選擇用定時裝置引爆炸藥。因為這裡早上的人群很多，時機點非常不好掌握，所以歹徒必須觀察到特定目標靠近這個入口，才用遙控的方式引爆炸藥。」憲兵防爆小組的軍官進一步說：「你可以試著調閱附近道路或大樓的監視器，說不定就可以找到這個歹徒。」

「我懂了，謝謝你。」田偉志向那名憲兵防爆小組軍官道了謝，馬上走到隊員身邊，指揮著調查的方向。

新聞媒體得知爆炸案的消息之後，馬上派了 SNG 趕到現場，蜂擁而至的記者在警戒線外進行現場直播，場面顯得有點混亂。

地檢署派來的檢察官抵達現場之後，馬上被一大群媒體記者給包圍，現場維護秩序的警員見狀趕緊過來解圍，這才讓檢察官順利的走了進去。

「田警官。」檢察官對田偉志打了招呼，問說：「有掌握到什麼線索嗎？」

「目前還在調閱附近的監控錄影，歹徒使用的是 C4 炸藥，還要進一步調查炸藥的來源。」田偉志回答說：「不過根據憲兵防爆小組的分析，這個爆炸案應該不是隨機性的攻擊事件，看起來應該是針對特定的目標，所以我們目前正在對死者跟傷者的身分全面排查，如果有進一步的消息，我們會向檢座報告。」

「最近真的有點奇怪啊！」檢察官搖搖頭說：「臺北市的治安一向不錯，怎麼最近會接二連三發生一些奇怪案子呢？」

「我們警方也正在努力的調查。」田偉志感慨的說：「人心如鬼域，壞人好像怎麼抓也抓不完。」

「唉！誰叫我們是吃這行飯的呢？」檢察官拍了拍田偉志的肩膀說：「辛苦了，等資料彙整好之後告訴我一聲，我直接去你們那裡一起討論。」

「好的。」田偉志點頭說：「檢座，我送送您。」

田偉志帶著檢察官走出警戒線，恭敬的送檢察官上車，然後又走進警戒線內，繼續指揮著勘驗與偵查工作。

## 【本節註釋】

註222：憲兵防爆小組（MP-EOD），成立於民國72年。為
　　　　因應民國70年代臺北市所發生的兩起爆炸案，政府
　　　　採購七套英國製造先進防爆裝備，於全台五個憲兵指
　　　　揮部突擊排成立五個防爆小組、憲兵特勤隊成立防爆
　　　　組任務編制一個防爆分隊。防爆憲兵均須赴國安局培
　　　　安班受訓取得專業證照，除特勤隊防爆分隊專責恐怖
　　　　攻擊外，各指揮部直屬防爆小組之任務為特定人士蒞
　　　　臨場所警衛區之安全偵測（寧安任務）。民國74年6
　　　　月，原編制於各指揮部突擊排防爆小組改隸各指揮部
　　　　特車連或勤支連。民國75年，為因應將要來到的解
　　　　嚴局面，依照新頒布之動員戡亂時期國安法第4條，
　　　　憲兵將承擔大部份警備治安支援需要，故於防爆憲兵
　　　　基礎下，從全國防爆憲兵中召訓10名，於虎頭山205
　　　　指揮部特車連受訓專精後，在圓山201指揮部成立「憲
　　　　兵寧安小組」，小組內編制「刑鑑士」、「特戰爆破
　　　　士」、「未爆彈處理士」等專業技士。寧安小組成立
　　　　初期仍配合五個地區指揮部隸屬之防爆小組執行場勘
　　　　安檢任務與爆裂物拆解，不久後隨即支援警備總部常
　　　　駐桃園國際機場機動待命，任務受警總機場協調中心
　　　　指揮。民國78年，為因應台北市內違常狀況增加，
　　　　寧安小組結束警總支援任務，歸建201指揮部，並配
　　　　屬於聯指部指揮，執行元首蒞臨場勘安檢任務，任務
　　　　先行於福莊聯指部警安組實施勤教後，於保護對象蒞

場前先行到場實施安檢。民國 85 年 8 月，憲兵配合
實施精實案，裁撤第 201 指揮部，憲兵寧安小組改編
制至第 202 指揮部特車連成立未爆彈處理小組。除憲
兵特勤隊防爆任務小組專責反恐任務爆裂物處理，憲
兵 202 指揮部未爆彈處理小組與憲兵偵爆犬小組則共
同配合國安局特勤中心執行區域警衛、蒞臨場所警衛
及道路警衛等特種勤務，主要負責維護場地安全檢查
勤務，協助搜索重要場所間的各類危險爆裂物，以確
保警衛對象安全。目前防爆憲兵專長人員，搭配性能
強悍的「防爆處理機器人」（已為歐美先進國家廣泛
運用），其無線遙控距離可達 100 公尺，如使用光纖
有線操控，更能降低電磁干擾，提高任務成功率。另
因應航空器反挾持任務，此型機器人亦可在密閉、狹
小的機艙空間內作業，透過多具監視器回傳影像，由
操作人員判讀、拆解未爆彈，精準執行特種勤務暨反
恐任務。

註 223：C4 炸藥（C-4 exlosive），全稱為 C4 塑膠炸藥，簡稱
　　　　C4，其名稱由來是每個單分子結構裡有 4 個碳。其主
　　　　要成分是聚異丁烯，用火藥混合塑料製成，威力極大。
　　　　C4 是一種高效的易爆炸藥，由 TNT、Semtex 和白磷
　　　　等高性能爆炸物質混合而成，可以被碾成粉末狀，
　　　　能隨意裝在橡皮材料中，然後擠壓成任何形狀。如果
　　　　在外邊附上黏著性材料，就可以安置在非常隱蔽的位
　　　　置，像口香糖那樣牢牢的黏附著，因此又被稱為「殘

酷口香糖」。C4 的爆炸當量為 1.34，當其密度為 1.59g/cm3 時，C4 的爆速可達 040m/s。在攝氏 77 度貯存時不滲油，在攝氏 -54 度至 77 度時均保持可塑性。其爆炸威力雖大，但其穩定性非常高，只能結合引爆劑以電雷管引爆，即使直接向 C4 炸藥開鎗也不會發生爆炸，被放到火中也只會慢慢的燃燒。由於這種炸藥能輕易躲過 X 光安全檢查，而被帶上飛機等公共場所或公共運輸交通工具，就算警犬也難以識別它，而這種安全、隱蔽、易控制的特點，就是恐怖份子或組織喜歡使用 C4 炸藥的主要原因。

## 第二十五節　湯全臨提供線索

田偉志站在辦公室的中央，監督著隊員查閱案發現場及周邊道路的監控錄像，還不斷有其他隊員拿著書面資料走到田偉志的身邊，由於每個人都十分的認真與嚴肅，讓辦公室裡的氣氛也變得緊張了起來。

一個年輕的隊員走到田偉志身邊，對田偉志說了幾句話，田偉志看了看隊員用手指著的方向，放下了手中的資料，緩緩的走出了辦公室。

那個在辦公室外的人看見田偉志走了出來，默默的跟在田偉志背後，一起走進了田偉志的辦公室。

「檢座，您現在來找我，不太合適吧？」田偉志關上辦公室的門，然後說：「我就算知道什麼，也不能直接告訴您的。」

來找田偉志的這個人，就是臺北地檢署的檢察官湯全臨，而田偉志之所以說出剛才的那些話，是因為早上捷運站爆炸案的其中一個死者，就是湯全臨的親哥哥湯道豐。

「我知道早上發生的爆炸案，其中的一個死者是我哥哥。」湯全臨對田偉志說：「對於這個案子，我知道的恐怕比你還要多，我之所以來找你，是希望你幫我約鍾文昱見個面，我有很重要的事情要跟他說。」

「您要約鍾文昱見面？」田偉志不解的問說：「這個案子跟鍾文昱有什麼關係？」

「等我跟他見了面，你就什麼都知道了。」湯全臨誠懇的說：「我跟鍾文昱談話的時候，你可以全程在場，這樣你放心了吧？」

田偉志猶豫了一下，但還是從口袋裡拿出衛星電話，撥打了電話聯絡李陽貴，在得到李陽貴的許可之後，才同意帶湯全臨去見鍾文昱。

大約經過了半個小時，田偉志在窗口看見李陽貴所派來的車輛已經到達門口，便帶著湯全臨一起走了過去。車上走下來兩個安全人員，先對田偉志及湯全臨做了搜身的動作，確認沒有問題之後，才讓田偉志及湯全臨坐上了車。

在他們上車之後，安全人員拿出一個眼罩要求湯全臨戴上，湯全臨接過眼罩之後，立刻矇住了自己的眼睛，並沒有多說什麼。司機見湯全臨戴好了眼罩，這才發動了引擎，緩緩的將車開走。

這樣做的目的，當然是不想讓湯全臨知道周清合住在什麼地方，雖然他們知道湯全臨並不是受過特殊訓練的人，但為了小心起見，還是做了這樣的預防動作，而且司機也故意繞了一大段路，才往正確的方向駛去。

等到安全人員幫湯全臨摘掉眼罩的時候，轎車已經

停在一個很大的花園內，田偉志與湯全臨下車之後，在安全人員的引導下走進了別墅大廳。

鍾文昱早已坐在大廳等待著，一看到田偉志與湯全臨走了進來，開口說：「湯檢、田隊長，請坐吧！」

田偉志坐下來之後，對鍾文昱說：「湯檢座突然跑到市刑大找我，對我說他有重要的事要見你，所以我打了電話給貴伯……」

「這些我都知道了。」鍾文昱打斷田偉志的話，問湯全臨說：「湯檢有什麼事要跟我說呢？」

「今天早上的那起爆炸案，你應該也知道了吧？」湯全臨面容哀傷說：「其中一個死者，是我的哥哥湯道豐，而且……凶手的目標只是我哥哥一個人，其他的死者與傷者……只不過是被連累的而已。」

「你的意思是說……凶手為了殺你哥哥，所以預先在捷運站入口放置了C4炸藥？」田偉志繼續追問說：「你是怎麼知道的？」

「昨天傍晚的時候，我跟我哥通過電話，他說昨天下午去了楊賢博的住處，後來是方若堂律師開車送他回家的。」湯全臨低著頭說：「當時我還叮囑他要小心方若堂，沒想到……今天中午就接到我嫂子打來的電話……」

「你懷疑是楊賢博和方若堂叫人殺了你哥哥？」田

偉志問說：「可是……他們為什麼要殺你哥哥呢？」

「是為了幾年前北投區的那個區段徵收案。」湯全臨回答了田偉志，又轉頭對鍾文昱說：「我今天來找你，除了要講我哥哥被殺的事情，還要給你一個交代。」

「給我一個交代？」鍾文昱問說：「為什麼你要給我交代？」

「因為害死你老婆的人……」湯全臨吞吞吐吐的說：「其中一個就是我哥哥。」

「什麼？」田偉志驚訝的說：「鍾律師的老婆……是你哥哥害死的？」

「你既然早就知道，為什麼到現在才告訴我？」鍾文昱難過又憤怒的看著湯全臨，問說：「難道殺害我老婆的事情，你也有參與？」

「我沒有……我也是在你離職之後才知道的。」湯全臨慚愧的低下頭說：「但我確實為了袒護自己哥哥的罪行，做了很多不該做的事……對不起，等我跟你交代完後，我會跟田警官回去做筆錄，承擔所有應負的刑責。」

「小鍾，你先別激動。」田偉志見鍾文昱情緒相當激動，拍著鍾文昱的肩膀說：「既然他主動來找你說這些事情，就先聽聽看他怎麼說吧！」

「好！」鍾文昱深呼吸平復了一下情緒，然後對湯

全臨說：「不過在聽你說那些事情之前，我要你先老實的告訴我，凶手撞死我老婆的那段錄影畫面，究竟是什麼人交給你的？」

湯全臨聽到鍾文昱所提的問題，臉上露出驚訝的表情，問說：「你怎麼會知道……有人將凶手撞死你老婆的那段錄影畫面交給我？」

「是我軍中的學長懷疑你有問題，所以叫人從網路駭入你的電腦，將你一年內刪除的檔案都加以還原，才發現你的電腦裡曾經存入過那個檔案。」鍾文昱不客氣的問說：「如果你完全沒有參與，那凶手為什麼要把這個影片給你？」

「那個影片是在你離職之後，方若堂才拿給我的。」湯全臨激動的回答說：「幾個月前的一個中午，我的一個同學約我去吃中飯，方若堂也出現在那裡，他跟我說了一些莫名其妙的話，還拿了一個 USB 隨身碟給我。我那天下班回家之後，把隨身碟插到我電腦的 USB 插槽，那個隨身碟裡可能藏有某個程式，竟然自動將一個影像檔存到我的桌面上。我猶豫了十幾分鐘，還是播放了那個影像檔，才發現那是你老婆被車撞死的畫面。我當時非常害怕，立刻就把那個檔案給刪掉，又馬上打了電話給方若堂問是怎麼回事，方若堂說我哥哥明天中午會跟我說明，所以我隔天中午就去見了我哥哥。隔天中午我

哥哥約我吃飯，吃飯時當面把那個土地徵收弊案的原委告訴了我，還說如果我不配合他們的話，方若堂會叫人殺了我哥哥⋯⋯」

「我懂了。」鍾文昱惋惜的說：「我記得我們一起在司法官訓練所受訓（註224）的時候，你曾跟我說過，你跟你哥哥相差十幾歲，在你父母過世之後，是他把你養大的。但他所做的事情國法不容，而且還害死了好幾條人命，你身為檢察官，怎麼可以助紂為虐呢？現在你哥哥被那些人殺死了，就連你也要受到法律的制裁，前途也毀了，你真是太糊塗了。」

「對不起。」湯全臨懺悔的說：「我現在只能多提供點線索給你，希望能給自己贖點罪。」

「真是太可惜了。」田偉志嘆氣說：「湯檢已經把那個檔案刪除了，我們取得的方式又不合法，這樣根本拿方若堂沒辦法啊！」

「不會的。」湯全臨從褲子口袋裡拿出一個用透明塑膠袋裝著的 USB 隨身碟，交到田偉志的手上，然後說：「這就是方若堂拿給我的那個隨身碟，雖然上面不一定有方若堂的指紋，但我有調取我和方若堂手機門號那天的基地台位置，足以證明我們兩個當天中午確實是在同一個地點，而且這個隨身碟裡有特殊的自動存取程式，再加上我的證詞，在證據能力上應該不會有問題。」

「真不愧是檢察官啊！」田偉志高興的說：「這樣方若堂就跑不了了。」

「方若堂並不傻，他當然想得到湯檢會把它留下來當作證物。」鍾文昱提醒說：「他既然可以在這個隨身碟裡放入自動存取的程式，當然也可以放入自動刪除的程式，所以在湯檢把隨身碟插入電腦 USB 插槽的同時，那個檔案和那些程式應該都已經被自動刪除了。」

「啊？」田偉志沮喪的說：「那不就……又沒戲唱了。」

「你忘啦？」鍾文昱自信滿滿的說：「這種小把戲難得倒石頭嗎？」

「對喔！」田偉志對鍾文昱說：「那就要拜託你請石兄幫忙了。」

「若是這樣就太好了。」湯全臨想了一下，又說：「只不過……我知道他們殺我哥哥的目的是為了滅口，但我不明白的是，他們為什麼要選擇動靜這麼大的方式，在捷運站安裝 C4 炸藥，還害死這麼多無辜的人呢？」

「他們這麼做的目的，是在向我提出警告與挑釁。」鍾文昱分析著說：「我們國家對鎗砲彈藥的管制非常嚴格，要取得 C4 炸藥並不是一件容易的事，殺死你哥哥的那夥人，絕對不是方若堂這種人可以控制的。剛開始我本來以為那些人不過是許丞光和楊滄堯僱來殺我的，但

現在又出現了生物士兵，國安局也派了我學長來調查這個案子，恐怕背後還有很多我不知道的事情。不過可以肯定的是，他們的其中一個目標是我，他們用這種方式濫殺無辜，可能目的就是要逼我出面。」

「那你豈不是很危險？」湯全臨擔心的提醒鍾文昱說：「我知道你很想替你老婆報仇，雖然你曾經是個軍人，但你現在不過就是個普通百姓，這種事情就交給軍方去處理，你可千萬不要亂來啊！」

「我知道，這件事我會小心處理的。」鍾文昱對湯全臨說：「你跟田警官回去做筆錄吧！有關刑事案件的偵查，我就不參與了。如果有什麼特別需要注意的地方，田警官會來告訴我的，至於那個土地徵收弊案，就交給檢警去查吧！我現在負責的案子，只不過是那個土地徵收弊案所衍生出的國家賠償案件，相關資料我可以用聲請調查證據的方式取得。」

「你還是這麼有原則的人。」湯全臨愧疚的說：「我把這些事情隱瞞了這麼久，還配合他們想要誣陷你，希望你可以原諒我。」

「你是說前一陣子調查局把我帶回去訊問的事情嗎？」鍾文昱微笑著說：「你不用在意，你要是願意信任我的話，到時候可以委任我做你的辯護律師。」

「謝謝！」湯全臨站起來說：「那我就跟田警官回

去做筆錄了。」

鍾文昱從沙發上站起來,走到田偉志的身邊說:「我先安排人送你和湯全臨回去刑事警察局,等一下我會請人把我岳父也帶過去找你。」

「我知道了。」田偉志點頭說:「這下方若堂應該就無法狡辯了。」

「注意安全。」鍾文昱提醒說:「那些人不好對付,做什麼事都要小心一點。」

田偉志拍了拍鍾文昱的肩膀,帶著湯全臨走出了客廳。

鍾文昱陪著他們一起走到車子旁邊,交代安全人員多派幾名人手一起送他們回去,這麼做的目的顯然是怕再有什麼意外發生。

## 【本節註釋】

註224:我國司法官訓練機構之設置始於民國3年,當時北京政府國務院為植養司法人才,由司法部開辦「司法講習所」。由於時局動盪,其後相繼有「司法儲才館」、「法官學校」、「法官訓練所」、「中央訓練團」以及「中央政治學校法官訓練班」等之設立,以訓練有司法官資格之人員。迨民國38年國民政府遷臺後,司法行政部曾開辦「司法人員訓練班」,民國44年2

月正式創辦「司法行政部司法官訓練所」，由行政院核定其組織規程，置所長一人，經司法行政部延聘時任總統府資政石志泉先生擔任首任所長，體制始告健全，成為司法官培育之專責機構。後民國 69 年 7 月 1 日實施審檢分隸，司法行政部改制為法務部，便易名為「法務部司法官訓練所」，同年 8 月 1 日總統令公布「法務部司法官訓練所條例」，迄 102 年 7 月又改制為「法務部司法官學院」，總統令公布「法務部司法官學院組織法」，增設「犯罪防治研究中心」部門。法官學院之院址，從民國 44 年司法行政部法官訓練所創立時原址臺北市重慶南路一段 128 號，至民國 55 年 4 月遷至臺北市博愛路 129 號，再於民國 74 年搬至現址臺北市辛亥路三段 81 號迄今。為解決廳舍不足問題，復於臺北市辛亥路二段 185 號百世大樓一、二樓新設司法官學院第二辦公室，擴增學員教室，並將犯罪防治研究中心遷址至此，以強化其組織功能。

## 第二十六節　許丞光之死

「今天下午臺北地檢署指揮調查局與刑事警察局，兵分兩路到楊賢博立委及方若堂律師的住家與辦公室進行搜索，並簽發拘票將楊賢博立委及方若堂律師帶回偵訊。據記者了解是因為今天近中午時，臺北地檢署湯全臨檢察官向警方自首曾為祖護其兄長湯道豐之罪行，而故意拖延及誤導臺北市內湖區土地徵收弊案之偵辦，並供出楊賢博立委及方若堂律師均為該弊案之共犯。而且在今天中午的時候，漢光集團陳漢光董事長也向警方自首，供出自己曾對楊賢博立委及已故楊慶章議員行賄，因而得標內湖區都市計畫 BOT 案，其中負責穿針引線及交付賄款者就是他的小舅子方若堂律師。除此之外，承辦檢察官還發現楊賢博立委及方若堂律師牽涉到最近發生的幾起命案，以涉犯法定刑三年以上重罪有串供、滅證及逃亡之虞，向臺北地院聲請羈押，但楊賢博立委及方若堂律師堅決否認並宣稱遭到栽贓，也委請了律師到庭辯護，目前臺北地院羈押庭仍在審理中，本台將繼續追蹤報導後續發展……」

「現在插播一則重大新聞，今天傍晚國安局緊急派車將許丞光少將送往三軍總醫院，三軍總醫院急診部主任稱許少將在到院前就已經沒有了生命跡象，初步研判

死亡的原因應該是中毒，但究竟是中了什麼毒，院方還在會同法醫進行詳細的化驗。許丞光少將現年 64 歲，是國家安全局第二處處長，平日裡喜歡爬山運動，並無任何重大疾病或慢性病之病史。根據國家安全局所屬人員所述，許少將今日上班時身體並無出現異狀，而且也未曾外出用餐，在下班半個小時前有人員因為要呈送文件給許少將批示，敲門許久沒有回應，開門進入辦公室後發現許丞光少將躺在沙發前的地上，才趕快將他送醫。許少將被發現時已經沒有呼吸及心跳，雖然隨行人員一路進行 CPR，仍無法挽回許少將的性命。消息傳到總統府之後，蔡總統感到非常震驚與不捨……」

　　吃完晚餐之後，李陽貴攙扶周清合走進書房，兩人一起喝著茶，打開電視看著新聞，看到後面那則新聞時，兩人不約而同互看了一眼。

　　「中毒？」李陽貴驚訝的問說：「他難道是畏罪自殺嗎？」

　　「你想多了。」周清合回答說：「他絕對不是那種會自殺的人。」

　　「您的意思是說，他是被人殺死的？」李陽貴滿臉疑惑的說：「在國安局的辦公室殺人，應該很快就會被查出來吧？」

　　「那可不一定。」周清合搖頭說：「那個人既然敢

在辦公室下手，就一定有不被查出來的把握。」

「最想殺孫少爺的就是許丞光。」李陽貴對周清合說：「現在許丞光已經死了，應該就不會再有人針對孫少爺了吧？」

「事情恐怕沒有這麼簡單。」周清合不認同的說：「如果我沒猜錯的話，許丞光應該是被楊滄堯殺死的，但楊滄堯到底想幹什麼，我卻還沒搞明白。」

「楊滄堯不是一直替許丞光辦事的人嗎？他為什麼要殺許丞光呢？」李陽貴無法理解的問說：「而且許丞光不是明年就要退休了，到時候楊滄堯不就是順理成章的接班人選嗎？」

「你說得對，許丞光明年就會退休，楊滄堯也是許丞光極力推薦的接班人，按照常理來說，楊滄堯根本沒有殺許丞光的理由。但如果楊滄堯別有所圖，或是他還跟其他勢力有所勾結，那可就完全不一樣了。」周清合分析說：「那些躲在幕後指使別人去做壞事的人，利用別人的貪婪，就可以達成自己的目的，出了事還可以把別人推出去頂罪，自作聰明的以為算無遺策，根本不相信這個世界上有因果應報這件事，但是天道好輪迴，蒼天饒過誰啊！」

「要是每個人都這麼會想，那這個世界上就不會有壞人了。」李陽貴嘆氣說：「許丞光殺了少爺，又殺死

了鍾崇德，甚至還一直想要殺孫少爺滅口，這種人早該遭到報應了，根本就死不足惜，這種死法還真的是太便宜他了。」

「我總覺得……我們似乎還遺漏了什麼。」周清合沉思了一下，接著說：「根據你所調查的資料，是因為小昱當檢察官時負責調查臺北市內湖區土地徵收的弊案，那些參與弊案的人怕小昱繼續追查下去，所以叫人假裝肇事逃逸撞死了詩芸，讓小昱因為自責內疚而辭去了檢察官的工作，結果小昱當了律師之後所負責的案子，又與那些事情有所牽連，再加上小昱一直想要找出殺害詩芸的凶手，所以那些參與弊案的人想要除掉小昱，以掩蓋他們的罪行，這個部份應該沒有什麼問題。而許丞光是因為三十五年前教唆齊正祥殺害了小昱一家三口，後來在小昱的資料上，發現父親欄所填寫的名字是鍾崇德，於是他故意讓小昱帶隊去金三角參與剿滅糯康集團的行動，本想讓小昱死在戰場上，雖然沒料到小昱竟能大難不死而活著回來，但他見小昱後來辦理因公致殘退伍，又跑到德國去留學，認為小昱應該不知道三十五年前的事情，就沒有再繼續追殺小昱。小昱取得博士學位回到臺灣，並且當上了檢察官，應該也都在許丞光的掌握之中，而且他應該也有派人監視著小昱，發現小昱確實不知道三十五年前的事，為免節外生枝，他便暫時打消了

除掉小昱的念頭。後來小昱辭去檢察官的工作，轉行做了律師，在追查承辦案件真相的過程中，讓許丞光又感到了威脅，這才又讓許丞光起了殺心。如果把這兩件事分開來看，似乎邏輯上都沒有任何的問題，但如果再仔細的推敲一下，就會發現我們遺漏了一個很重要的問題。」

「遺漏了很重要的問題？」李陽貴回想了一下自己所調查的資料，回答說：「這兩件事裡最大的關聯，就是他們所僱用的殺手，應該都是李雲強所帶領的那批國際僱傭兵……我懂老爺的意思了。許丞光不可能自己跟李雲強和那些僱傭兵聯絡，負責聯絡與安排的人應該是楊滄堯，即便方若堂認識李雲強，也願意花錢僱用殺手，但這件事一定會被楊滄堯知道，如果楊滄堯不同意讓那些僱傭兵去幫方若堂殺人，李雲強那夥人也不見得會聽方若堂的話，再加上現在許丞光又在國安局的辦公室裡被人毒死，所以這個楊滄堯可能早就偷偷的在計畫些什麼，只是我們一直都不知道而已，如果他不在這個時候把許丞光殺了，我還真沒想到過這一點。」

「我最擔心的問題是，想要在這個時候把許丞光殺掉的人，恐怕並不是楊滄堯。」周清合提醒說：「這些年來，許丞光唯一能信任的人只有楊滄堯，如果只是楊滄堯自己想要殺死許丞光的話，他多的是機會可以下手，

又何必等到現在？」

「不會吧？」李陽貴訝異的問說：「那背後的這個人，又是為了什麼而來的呢？」

「不知道。」周清合冷笑著說：「但他藏不了太久，應該很快就會出現的。」

李陽貴見周清合沒有再往下說，也就不再追問下去了，因為經過這麼長時間的相處，他對周清合已經非常瞭解，既然周清合的心裡已經有了疑問，那周清合必然會在短時間內把這些事情調查清楚。

「小昱和詩語怎麼這麼晚還沒回來啊？」周清合看了看牆上的時鐘，問說：「是不是因為地檢署檢察官向法院聲請羈押陳漢光，法院怕違反禁止深夜應訊的規定，要等到明天早上八點以後才開羈押庭啊？」

「不是這樣的，按照刑事訴訟法第 93 條第 6 項（註225）的規定，所謂深夜是指晚上 11 點以後到隔天早上 8 點。根據孫少爺打電話回來時的說法，檢察官大約是在晚上 7 點左右，向地院聲請羈押方若堂和楊賢博，現在離晚上 11 點還有三個小時左右，就算到晚上 11 點仍未訊問完畢，按照刑事訴訟法第 93 條第 5 項（註226）的規定，被告或辯護律師是可以請求於隔日日間再繼續訊問，但若被告和辯護律師不做這樣的請求，法院還是可以繼續訊問下去。」李陽貴解釋著說：「至於湯全臨和陳漢光，

他們並不是被拘提或逮捕，而是自首或自行到案說明的，除非符合緊急拘捕（註227）之要件，或檢察官依刑事訴訟法第228條第4項（註228）先予逮捕再聲請羈押，否則根據『拘捕前置原則』（註229），檢察官是不能向法院聲請羈押他們的。」

「喔⋯⋯法律真的是太複雜了，一般百姓根本搞不懂。」周清合繼續問說：「現在是小昱在做陳漢光的辯護人嗎？」

「不是。」李陽貴回答說：「是委請羅章柏律師在處理。」

「既然湯全臨和陳漢光都不會被羈押，那他們為什麼到現在都還不回來？」周清合問說。

「或許是還有些事情吧！」李陽貴說：「孫少爺打電話回來的時候，有說他們會晚一點回來，但並沒有告訴我具體的原因。」

周清合聽了之後，點了點頭，沒有再說什麼。

## 【本節註釋】

註225：刑事訴訟法第93條第6項規定，前條但書所謂深夜，指午後十一時至翌日午前八時。

　　　應注意的是，刑事訴訟法第93條第6項所規定之深夜，係專為法院受理檢察官聲請羈押訊問被告或犯罪

嫌疑人之規定，與刑事訴訟法第 100 條之 3 司法警察官與司法警察不得於夜間訊問犯罪嫌疑人之規定有所不同。

刑事訴訟法第 100 條之 3 第 1 項本文規定，司法警察官或司法警察訊問犯罪嫌疑人，不得於夜間行之。同調第 3 項規定，稱夜間者，為日出前，日沒後。

註 226：刑事訴訟法第 93 條第 5 項規定，法院於受理前三項羈押之聲請，付予被告及其辯護人聲請書之繕本後，應即時訊問。但至深夜仍未訊問完畢，被告、辯護人及得為被告輔佐人之人得請求法院於翌日日間訊問，法院非有正當理由，不得拒絕。深夜始受理聲請者，應於翌日日間訊問。

註 227：刑事訴訟法第 88 條之 1

「檢察官、司法警察官或司法警察偵查犯罪，有下列情形之一而情況急迫者，得逕行拘提之

一、因現行犯之供述，且有事實足認為共犯嫌疑重大者。

二、在執行或在押中之脫逃者。

三、有事實足認犯罪嫌疑重大，經被盤查而逃逸者。但所犯顯係最重本刑為一年以下有期徒刑、拘役或專科罰金之罪者，不在此限。

四、所犯為死刑、無期徒刑或最輕本刑為五年以上有期徒刑之罪，嫌疑重大，有事實足認有逃亡之虞者。

前項拘提，由檢察官親自執行時，得不用拘票；由司法警察官或司法警察執行時，以其急迫情況不及報告檢察官者為限，於執行後，應即報請檢察官簽發拘票。如檢察官不簽發拘票時，應即將被拘提人釋放。

檢察官、司法警察官或司法警察，依第一項規定程序拘提犯罪嫌疑人，應即告知本人及其家屬，得選任辯護人到場。」

註228：刑事訴訟法第228條第4項規定，被告經傳喚、自首或自行到場者，檢察官於訊問後，認有第一百零一條第一項各款或第一百零一條之一第一項各款所定情形之一，而無聲請羈押之必要者，得命具保、責付或限制住居。但認有羈押之必要者，得予逮捕，並將逮捕所依據之事實告知被告後，聲請法院羈押之。第九十三條第二項、第三項、第五項之規定於本項之情形準用之。

註229：本於憲法第8條規定，人民涉嫌犯罪，需先經法定拘提或逮捕程序，方可移送法院審查其拘捕是否合法及有無羈押之必要，據此我國刑事訴訟法採拘捕前置原則，即必須先經過合法之拘捕程序後，才能聲請法院羈押。

## 第二十七節　無藥可救的方若堂

「臺灣臺北地方檢察署在今日下午 7 點左右，對楊賢博及方若堂提出羈押聲請，臺灣臺北地方法院羈押庭經過三個小時的審理，裁定楊賢博以新臺幣壹仟萬元交保候傳，方若堂則以新臺幣伍佰萬元交保候傳，法院做出裁定後，楊賢博及方若堂的友人都在十分鐘之內帶來保證金，目前二人的辯護律師正在為楊賢博及方若堂辦理具保 (註 230) 保釋……」

正當這位記者對著攝影機說這些話的時候，後面的一大群記者及攝影師突然朝著法院大門口移動，那名記者看見攝影師的手勢，馬上轉頭也跟著衝了過去。

楊賢博跟在律師的後面，快步走出了大門，但卻在一大群記者的包圍下擋住了去路，記者們不斷提出發問，律師與楊賢博都沒有任何回應。

有兩輛黑色的賓士轎車停在法院門口，四個穿著西裝的人突然從其中一輛轎車上下來，動作粗魯的鑽進人群，引導著楊賢博和律師走過去坐上轎車，在眾人的喊叫聲中揚長而去。

在楊賢博所乘坐的車輛遠離後，所有記者與攝影師又紛紛回到法院的門口，雖然已經在法院法警室外看見了方若堂，但他卻似乎因被人叫住而停下了腳步。

「若堂，現在連姊姊叫你，你都不理了嗎？」方若芷叫了幾次才讓方若堂停下腳步，生氣的問說：「你怎麼⋯⋯怎麼會變成這個樣子？」

「變？」方若堂眼神冰冷的回答說：「這些年我為陳家賺了多少錢，妳不是不知道，我所做的一切，都是按照姊夫的指示去做，現在出了事，他反而把所有的責任都推到我身上，是我變了嗎？」

「我知道漢光也有錯。」方若芷語氣有點激動的說：「但我跟他做夫妻這麼多年，他的個性我非常瞭解，他絕對不可能叫你去做那些⋯⋯」

方若芷之所以沒有把後面的話說出口，是因為她知道這裡是法院，有些話在這裡說確實不合適。

「你瞭解他？」方若堂一臉不服氣的說：「我是妳從小看到大的弟弟，難道妳有了丈夫，有了自己的家庭，就變得不瞭解我了嗎？」

「以前我一直認為自己很瞭解你，可是現在⋯⋯就連你在我面前⋯⋯就連我跟你說著話，我都覺得你好陌生。」方若芷一時悲從中來，哽咽著說：「若堂，我們是親姊弟啊！就算你真的做錯了什麼，只要你肯認錯⋯⋯只要你願意改，姊姊都一定會想辦法幫你的。」

「幫我？」方若堂冷笑著說：「妳是想讓我把這些罪都認一認，好幫妳老公脫罪吧？」

　　陳詩語在旁邊實在看不下去，氣憤的衝過來說：「你敢不敢對天發誓，說姊姊和叔叔不是你害死的？」

　　「詩語，他是妳的舅舅。」方若芷喝叱說：「妳不可以跟舅舅這樣說話。」

　　「舅舅？你真的還當自己是我和姊姊的舅舅嗎？」陳詩語激動問方若堂說：「我和姊姊從小都很崇拜和尊敬你，常常很驕傲的告訴同學說……我的舅舅是方若堂，是臺灣數一數二的大律師，可是你……你怎麼忍心……？」

　　「你也是讀法律的，還考上了律師，怎麼連犯罪事實應依證據認定的基本道理，都給忘了呢？」方若堂狡辯著說：「在警方所調取的監控畫面裡，清楚的顯示詩芸是被人開車撞死的，開車的人肇事逃逸，妳不去找真正的凶手，反而一直說是我害死了詩芸，不覺得自己很可笑嗎？」

　　法警看見他們在法警室外面爭吵，走出來說：「現在已經很晚了，交保之後就趕快離開，有什麼事到外面去說，不要在這裡喧嘩。」

　　鍾文昱見狀趕緊走過來，客氣的向法警道歉，然後把陳詩語拉到旁邊去，用眼神示意叫她不要再說下去。

　　方若堂一臉不屑的表情，轉身向門口走去，但走了幾步之後，似乎想起了什麼，突然停下腳步，隨後又往

回走向鍾文昱。鍾文昱看見方若堂走向自己，故意往前走了一步，擋在陳詩語的前面。

「別這麼緊張。」方若堂停在鍾文昱的面前，皮笑肉不笑的說：「我只是想跟你說幾句話而已。」

「好啊！」鍾文昱回答說：「要私下說，還是在這裡說？」

「沒什麼不能讓人聽的，在這裡說就可以了。」方若堂故意壓低音量說：「我知道你很有本事，又有周清合這樣的乾爺爺當靠山，但你真的以為僅憑這樣，你就可以改變這個弱肉強食的世界嗎？」

「我知道自己只不過是個微不足道的平凡人，根本就沒有改變這個世界的能力。」鍾文昱眼神堅定的說：「但只要我還有一口氣在，無論有多大的困難或危險，我都會堅守自己的信念。」

「信念？例如……正義的代言人嗎？你以為自己還是檢察官啊？」方若堂輕蔑地笑著說：「聽我一句勸，很多事情不是像你想的那麼簡單，有些事情差不多就得了，根本沒有必要太過執著，否則苦的不是只有你自己，恐怕你身邊的人也會被你連累，這又是何必呢？我這純粹只是一個前輩給的建議與忠告，並沒有什麼特別的意思，你可不要多想喔！」

陳詩語當然聽得出方若堂所說的話裡，帶有明顯的

威脅語氣，她氣憤的想要上前說些什麼，卻被鍾文昱給擋了下來。

　　方若堂臉上帶著冷笑，隨即轉身離去，方若芷看著方若堂離去的背影，真沒想到自己的弟弟竟然會變成這樣，忍不住流下了眼淚。

　　陳漢光看見妻子如此難過，默默的走到方若芷身旁坐了下來，輕輕摟著她的肩膀，安撫著她的情緒。

## 【本節註釋】

註230：具保就是命一定之人提出保證書或指定相當之保證金而代替羈押，暫時恢復犯罪嫌疑人或被告之自由。刑事訴訟法相關規定略述如下：

刑事訴訟法第110條第1項規定，被告及得為其輔佐之人或辯護人，得隨時具保，向法院聲請停止羈押。

刑事訴訟法第111條

「許可停止羈押之聲請者，應命提出保證書，並指定相當之保證金額。

保證書以該管區域內殷實之人所具者為限，並應記載保證金額及依法繳納之事由。

指定之保證金額，如聲請人願繳納或許由第三人繳納者，免提出保證書。

繳納保證金，得許以有價證券代之。

許可停止羈押之聲請者，得限制被告之住居。」

刑事訴訟法第 113 條規定，許可停止羈押之聲請者，
應於接受保證書或保證金後，停止羈押，將被告釋放。

## 第二十八節　兩個爆炸案的疑點

　　兩輛黑色賓士的轎車，一前一後的在臺北市中山北路 (註231) 二段往北行駛，但後方的那輛賓士轎車突然發生爆炸，瞬間竄出火光，爆炸衝擊波導致周圍的車輛也受到波及，現場馬上亂成一團。

　　前方賓士轎車馬上停了下來，車上的人也馬上下來想要救援，但猛烈的火勢馬上讓那輛轎車變成一團火球，根本沒有任何救援的可能，只能眼睜睜看著大火吞噬著車內的人。

　　警消人員在接獲報案後立即趕往現場，也因為臺北市在一天之內連續發生兩起爆炸案，當然會受到新聞媒體的重大關注，所以現場也馬上聚集了大批 SNG 車與媒體記者。

　　根據車牌號碼及在場人員的供詞，警方很快就確認了死者是楊賢博立委，以及他所僱用的司機與保全人員，也知道楊賢博是剛從臺北地院交保離開。並且以現場所看到的情形判斷，這絕對不是車輛自燃所發生的意外，而是非常明顯的謀殺。

　　因為基於安全上的考量，李陽貴在鍾文昱出門前特別交代把陳漢光也一起帶回別墅，所以陳漢光在離開臺北地院時，也跟著方若芷與陳詩語一起上了車。在回程

的路上，鍾文昱接到田偉志打來的電話，得知了楊賢博被炸死的消息，鍾文昱切斷通話後一直沉默不語，臉上露出擔心的表情。

　　一行人回到周清合住處的時間已是深夜，在平常這個時間周清合早已上床休息，但今天周清合卻堅持要等鍾文昱回來，所以當然已經在電視新聞上看到楊賢博被人炸死的消息。等看到鍾文昱他們回來之後，周清合讓李陽貴帶陳漢光上樓，自己則把鍾文昱叫進了書房。

　　剛才還在車上的時候，陳詩語就已經發現鍾文昱的臉色有異，所以她讓方若芷陪陳漢光上樓，自己則往周清合的書房走去。只不過等陳詩語來到周清合書房門口的時候，書房的門已經被關上，陳詩語又不好意思去敲門，不知所措的站在書房門外。

　　即便周清合的年事已高，然而他察言觀色的本事卻遠超過任何人，雖然他並沒有聽到陳詩語的腳步聲，但在他們進門之後，他叫鍾文昱跟他進書房的時候，就已經看到陳詩語臉上擔心的表情，猜想到陳詩語一定會跟過來。

　　周清合坐在沙發上，對著門外喊說：「丫頭，想聽就自己進來啊！我又沒有不讓妳進來，幹嘛在門口罰站啊？」

　　陳詩語在外面聽到周清合所說的話，不好意思的將

門打開，走進來對周清合說：「爺爺，您的耳力也太好了吧？怎麼連我跟在後面，您都能聽得到啊？」

「我這麼大的年紀，耳朵早就重聽了，還耳力好咧！」周清合笑著說：「不過爺爺察言觀色的本事可是一流的，剛才我叫小昱跟我進書房的時候，妳的眼睛就一直盯著小昱，妳以為我不知道妳這個小鬼靈精在想什麼啊？」

「爺爺……」陳詩語坐到周清合的身邊，拉著周清合的手肘撒著嬌說：「我這個叫聰明伶俐，怎麼被您說得這麼難聽啦！」

「哈哈……」周清合被陳詩語逗樂了，笑著搖頭說：「我算是搞懂了。」

「您搞懂什麼了呀？」陳詩語好奇的問著。

「我終於搞懂為什麼小昱和雅琪都這麼喜歡妳了。」周清合打趣的說：「像妳這麼可愛的小姑娘，誰遇到妳一定都沒有抵抗能力啊！」

「爺爺……這就是您的不對了。」陳詩語假裝出一臉很認真的表情說：「爺爺年輕的時候，一定很會哄女孩子開心吧？但您怎麼都沒有把這些教給文昱呢？他就像一根傻木頭似的。」

「這倒是。」周清合打趣的對鍾文昱說：「小昱啊！你聽到了沒有？不要每天像個書呆子似的。」

「我知道了。」鍾文昱尷尬的點頭回答。

「玩笑開完了，我們該說正事了。」周清合收起笑臉，問鍾文昱說：「楊賢博離開法院沒多久，就被炸死在車上，你聽說了嗎？」

「在回來的路上，田警官已經打電話告訴我了。」鍾文昱回答說：「楊賢博一死，很多真相就會跟著石沉大海，對方若堂是最有利的，所以我和田警官都認為這件事跟方若堂脫不了關係。」

「最想讓楊賢博消失的人，當然是方若堂沒錯，但我總覺得這裡面還有一些細節，可能我們還沒有搞清楚。」周清合分析著說：「因為當年你父親調查到許丞光有問題，許丞光叫齊正祥殺了你們一家三口，為了掩蓋當年的事實真相，所以許丞光和楊滄堯一直想殺你滅口。而方若堂和楊賢博則是為了掩蓋臺北市內湖區土地徵收弊案的真相，才會買凶殺了這麼多人。由於他們各自的理由不相同，即便所僱用的殺手都是同一夥人，但那些僱傭兵本來就是收錢辦事的角色，所以我們並沒有察覺有什麼不對之處。今天連續兩起爆炸案所使用的都是 C4 炸藥，絕對不可能是一般江湖人士可以拿到的，可以肯定凶手一定就是那批僱傭兵，再加上今天許丞光也莫名其妙的中毒而死，我總覺得這些事情的背後，一定還有我們不知道的某種關聯。」

　　「今天使用 C4 炸藥殺死湯道豐和楊賢博的人，應該就是那夥僱傭兵。」鍾文昱想了一下說：「但許丞光是被人下毒殺死的，那夥僱傭兵應該無法混入國安局裡才對，所以我還無法猜出許丞光到底是被誰殺死的。」

　　「其實並不難猜。」周清合接著說：「許丞光今天早上到國安局上班之後，一直都沒有外出，而且像他這種等級的人物，一般人根本無法接近他，所以凶手應該是國安局裡的人，而且還是許丞光可以信任的人。」

　　「我知道爺爺所懷疑的人是楊滄堯，而且確實是他的嫌疑最大。」鍾文昱提出疑問說：「楊滄堯是許丞光一手提拔起來的人，他也幫許丞光做了不少壞事，這些年來他確實是許丞光最信任的人，若他要對許丞光下毒，確實非常容易。但就是因為如此，他也會是第一個被人懷疑的對象，就算他真的想要殺死許丞光，應該多的是機會才對，怎麼會選擇這麼容易讓人懷疑到他的時間與方法呢？更何況就算許丞光一死，他就有機會坐上許丞光的位子，但那畢竟還是有很多的變數存在，既然許丞光明年就要退休，由許丞光直接建議或指定他來做接班人選，豈不是比較妥當嗎？他有必要冒這麼大的風險，選在這個時候殺了許丞光嗎？」

　　「這也是我一直還沒想明白的地方。」周清合點點頭，但隨即又說：「如果……楊滄堯有不得不在這個時

候把許丞光殺掉的理由呢？」

　　「爺爺，您說了這麼多，我怎麼都聽不懂啊？」陳詩語著急的問說：「您的意思是不是說楊滄堯的背後，還有我們不知道的事情啊？」

　　「許丞光是在傍晚被毒死的，而楊賢博被炸死的時間卻是在深夜……雖然那些僱傭兵都是拿錢辦事的人，但如果他們來臺灣最主要的任務，是在進行許丞光和楊滄堯所交代的工作，在他們得知許丞光被殺之後，至少也會先沉寂一陣子，怎麼可能又在同一天晚上去殺楊賢博呢？」鍾文昱思考著腦袋裡的疑問，接著又說：「而且有一點我始終想不通，在今天所發生的爆炸案中，要殺的目標都分別是一個人而已，對於那些僱傭兵來說，要殺一個人簡直就是輕而易舉的事，而且愈隱密的方式，愈是最好的選擇，為什麼要用 C4 炸藥搞出這麼大的動靜？好像深怕警方不知道犯案的人是他們一樣，這也跟他們前一陣子的行事風格完全不同，難道還有我們不知道的人在背後操控那些僱傭兵嗎？」

　　「雖然這陣子那些僱傭兵殺了不少人，但這些社會案件根本用不著國安局來插手，從國安局派尚義坤出來調查這點來看，軍方似乎已經掌握了什麼特定的消息。」周清合表情嚴肅的說：「這批僱傭兵有著比一般犯罪集團還要強大的火力，其中還有人長期注射增強人體功能

的生物血清，怎麼看都不像只會幹一些拿錢殺人勾當的小角色而已。我已經打了電話給邁克‧蓬佩奧 (註 232)，請他找以前 CIA 裡的同事調查這件事，應該很快就會查到那些人到底想幹什麼。」

「邁克‧蓬佩奧？他不是現任的美國國務卿嗎？」陳詩語驚訝的問周清合說：「爺爺跟他很熟嗎？」

「這就說來話長了。」周清合解釋著說：「因為川普 (註 233) 在 2016 年選上美國總統之後，一直拜託我幫他實現成立美國太空軍 (註 234) 的想法，所以我跟邁克‧蓬佩奧就有了不少的接觸，成為了很好的朋友。他現在雖然轉任國務卿，但他以前當過 CIA 的局長，要打探這方面的消息應該不是難事。」

「原來如此。」陳詩語笑著說：「我就說嘛！我之前還在奇怪，為什麼臺灣的這些高官都這麼尊敬您，原來爺爺在美國有這麼好的關係啊！難怪文昱以前從來都沒有跟任何人說過爺爺的事，因為說了也沒人信啊！」

「他這小子啊！」周清合假裝扳起臉孔說：「不但給我玩離家出走，還給我跑去當軍人，出了一大堆事也不回家告訴我，有時候我還真想揍他一頓。」

「爺爺，您別生氣。」陳詩語假裝配合著說：「以後我來幫您揍他。」

「妳……？算了吧！」周清合笑著搖頭說：「妳把

這個臭小子當成寶一樣，哪裡捨得揍他啊？」

　　陳詩語被周清合說得滿臉通紅，不好意思的一直對周清合撒嬌，讓周清合笑得合不攏嘴。

　　等到鍾文昱與陳詩語離開書房之後，周清合走到書房對外的窗戶旁邊，凝視著窗外的庭院，臉上沒有了笑容，而且還顯得有點心情沉重的樣子。

　　以周清合這麼有本事的人，能令他擔心的事恐怕不多，他到底在擔心什麼呢？

## 【本節註釋】

註 231：中山北路是臺灣臺北市重要的南北幹道，南接中山南路。中山北路自中華民國行政院起，往北經雙連、圓山，過基隆河後，經士林、蘭雅至天母，全路分為七段。民權東路路口以南屬省道台 1 甲線，以北至福林路路口屬台 2 甲線。中山北路三段靠近圓山段，於美軍駐台期間，也是美軍協防臺灣司令部（USTDC）與美軍顧問團（MAAG）的總部營區。臺北市的東西向幹道皆以中山北路為界，分為東路、西路（例如民族、民權、民生、南京、長安、忠孝等道路）。為了方便外籍人士，臺北市政府將該道路與中山南路合編為 6th Ane.（第六大街）。中山北路二段係自南京東、西路口至民權東、西路口（精確的分界點是撫順街），屬中山區。

註 232：邁克‧蓬佩奧（Michael Richard Pompeo），美國政治人物，生於加利福尼亞州橙縣，美國第 70 任國務卿（2018 年 -2021 年 1 月），卸任後加入美國保守派智庫哈德遜研究所擔任傑出會士（distinguished fellow），曾任美國陸軍軍官、堪薩斯州聯邦眾議員、中央情報局局長（2017 年 1 月 23 日 -2018 年 4 月 26 日）。

註 233：唐納‧約翰‧川普（Donald John Trump），又翻譯為唐納德‧川普（Donald J Trump）出生於西元 1946 年 6 月 14 日，美國共和黨籍政治人物，第 45 任美國總統。川普初生並成長於紐約州紐約市皇后區，在踏入政壇之前，川普是企業家、主持人、電影演員，《富比士》在 2017 年時將他列為世界上第 544 名最富有的人（當時美國的第 201 名）。

註 234：美國太空軍（United States Space Force），是美國的太空軍事部門，是自 1947 年美國空軍獨立以來，所成立的第六個軍事部門和第一個新設軍種，同時也是美國國防部三大軍事部門其中下屬的一個部門。在川普任內，美國國會通過《國防授權法》，並於 2019 年 12 月 20 日將美國太空軍確立為美國的獨立機構。

## 第二十九節　早晨的誤會

　　鍾文昱在睡夢中被敲門聲吵醒，睜開眼睛看了一下窗外，發現天色已經相當明亮，他迷迷糊糊的起身打開了房門，發現陳詩語穿著睡衣站在門口，手上還拿著一支牙刷，傻傻的衝著鍾文昱微笑。

　　「怎麼啦？」鍾文昱讓陳詩語走進房間，問說：「昨天這麼晚才睡，今天妳怎麼這麼早就起床了啦？」

　　「都七點半了，還早啊！」陳詩語露出甜美的笑容說：「我房間裡的牙膏沒有了，這麼早我又不敢去打擾貴伯，所以……」

　　「喔！」鍾文昱點頭說：「妳都直接把牙刷拿過來了，我還能說什麼啊！」

　　「你怎麼這樣……」陳詩語將房門關上，然後走進浴室，嘴裡還唸叨著說：「不過就是用你一點牙膏而已嘛！看你說得這麼委屈。」

　　陳詩語擠了一點牙膏，對著鏡子開始刷牙，鍾文昱站在她的背後問說：「妳幹嘛把房門關上啊？要是給爸媽看見了，那我可就跳到黃河也洗不清了。」

　　因為正在刷牙，所以陳詩語口齒不清的回話說：「我就是怕被他們看見，才把門關上的。再說了，我們兩個又沒做什麼，你怕什麼啊？」

「不是啊！」鍾文昱解釋說：「妳身上穿的可是睡衣耶！要是他們誤會我們昨晚睡在一起……」

陳詩語打開水龍頭，用手捧著水漱口，等清洗乾淨之後回答說：「我的睡衣都這麼可愛，有什麼好誤會的啊？我要是想害你的話，應該穿著雅琪姐借給我的睡衣過來，她的睡衣可性感了。」

「爸媽現在可都住在這裡耶！妳真打算要把我害死啊？」鍾文昱無奈的搖頭說：「好啦！趕快回妳的房間去換衣服啦！」

沒想到就在這個時候，房間門口突然傳來敲門的聲音，鍾文昱慌張的看著陳詩語，陳詩語四處張望了一下，沒有找到適合的躲藏地點，只能直接躺到鍾文昱的床上，用棉被把自己從頭到腳的蓋住。

鍾文昱雖然覺得有點不妥，但門外一直傳來周雅琪叫喚的聲音，他也只好將房門給打開。

房門打開之後，周雅琪就直接走了進來，問說：「小立哥哥，你有看到詩語嗎？她一大早不知道跑到哪去了，方阿姨說有事要找她。」

「沒……沒有啊！」鍾文昱心虛的說：「我剛才還在睡覺，是聽到妳敲門的聲音才醒的，她會不會到外面花園裡去運動了呀？妳有去花園找過嗎？」

「花園？」周雅琪走到窗戶旁邊看了一下外面的花

園，並沒有看到陳詩語的蹤影，不過在走回來的時候，看見鍾文昱床上的棉被有異常，用斜眼瞪著鍾文昱問說：「你都起床了，這棉被怎麼還鼓鼓的啊？」

被周雅琪這麼一說，鍾文昱緊張的連臉都紅了，隨口敷衍著說：「可能昨天晚上有點冷，所以我蓋了比較厚的棉被……」

雖然鍾文昱在法庭上能言善道，但他在私底下可是木訥得很，再加上周雅琪對他也十分瞭解，這樣的謊言當然騙不了周雅琪。

「裝……你們再給我裝嘛！」周雅琪在床邊坐了下來，笑著說：「這棉被……是要我動手掀開？還是……？」

雖然陳詩語躲在棉被裡，但還是可以清楚聽見周雅琪所說的話，她知道已經無法再躲下去，只好自己將棉被掀開，滿臉羞紅的低著頭。

這一幕當然也被站在門口的方若芷給看見了，雖然她知道鍾文昱與陳詩語兩情相悅，甚至也知道他們兩個早已有過肌膚之親，但身為母親直接看到這個場面，還是不免有些尷尬。

「你們兩個……」周雅琪有點吃醋的問說：「昨天晚上……睡在一起喔？」

「不是……不是妳們看到的這樣啦！」鍾文昱結巴的解釋說：「詩語說她房間裡的牙膏沒了，因為時間還

太早又不敢去吵醒貴伯，所以才……」

「借牙膏……？穿著睡衣過來跟你借牙膏是吧？」周雅琪知道鍾文昱向來不善於說謊，但看見鍾文昱如此緊張的表情，還是故意落井下石的問說：「要只是借牙膏的話，詩語怎麼會躺在你的床上？還躲在棉被裡怕我們看見啊？」

「我真的……真的是來借牙膏刷牙的啦！」陳詩語連忙否認說：「我剛才是……是因為怕連累文昱被誤會，所以才趕緊躲起來的。」

陳詩語看見周雅琪和方若芷仍然是一副不相信的表情，知道在這個情況下，說再多也是愈描愈黑，只能用眼神向鍾文昱求助，但鍾文昱一臉無辜的聳著肩，表示他也不知道該怎麼辦才好。

「行啦！你們兩個別再眉來眼去了。」方若芷一副又好氣又好笑的樣子說：「詩語，還不快點起來，妳爸爸有事找妳。」

鍾文昱本來還想再做解釋，但方若芷馬上把陳詩語拉出了房間，讓他一臉無辜的楞在當場，頓時間不知道該怎麼辦才好。

「對了。」周雅琪對鍾文昱說：「田警官剛才打電話給我，他說等一下會過來找你，好像是有關許丞光中毒的事情。」

「喔！」鍾文昱問說：「他是一個人過來，還是跟宋法醫一起過來啊？」

「他沒說。」周雅琪還不依不饒的揶揄著說：「你們這些男人啊！就連說話也說不清楚，真的是……」

「什麼？」鍾文昱剛開始聽不太懂，但稍微再想了一下，就明白了周雅琪這些話裡的含意，他半開玩笑的瞪著周雅琪說：「我怎麼以前都不知道，妳這麼會落井下石啊？」

「哇！你這個眼神也太恐怖了吧？」周雅琪慢慢向後退，俏皮的笑著說：「做人要講道理啊！我這哪裡叫落井下石啊？這叫……見縫插針才對。」

話一說完，周雅琪就趕緊轉身走出房間門外，沒想到才剛走出門口，就看到李陽貴攙扶著周清合朝客廳走了出來，於是她便走下樓梯，到客廳去向兩位老人家打招呼。

雖然周清合並不知道，他們一大早到底發生了什麼事，但聽到他們嬉鬧的笑聲，還是讓周清合的臉上掛滿笑容。

「爺爺，貴伯，您們這麼早就起來啦？」周雅琪坐到周清合的身邊說：「昨天晚上您們這麼晚才睡，怎麼不多睡一會兒呢？」

「年紀大了，每天都是到點就自己醒過來了。」周

清合笑著說：「而且你們今天一大早就這麼熱鬧，我哪裡還能繼續睡啊？」

「是啊！年輕可真好啊！」李陽貴在一旁搭腔說：「一大早就聽到你們有說有笑的，真讓人羨慕啊！我們本來還怕一直把你們關在家裡，會把你們給悶壞了，現在看來是我們想太多了。」

「對喔！我向醫院請假這麼久，還真有點擔心醫院會直接把我辭退了。」周雅琪對周清合撒嬌說：「我要是沒工作了，就留在家裡給爺爺養好了，我這個開心果對這個家還是很有貢獻的，對吧？」

周清合被周雅琪逗得哈哈大笑，就連李陽貴也露出近日以來難得的笑容，一直說周雅琪還是像小時候一樣可愛。

## 第三十節　田偉志與宋逸成來訪

　　沒過多久，田偉志與宋逸成就來到了周清合的住處，他們兩個平常很少會一起出現，甚至宋逸成平時也很少會在上班時間外出，今天他們兩個一起來到這裡，絕不可能只是為了告知檢驗報告的結果這麼簡單。

　　他們被安全人員帶進大廳之後，李陽貴很熱情的招呼著他們，這讓他們兩個非常不好意思，田偉志還趕緊主動去幫李陽貴端茶過來。

　　「田警官，別這麼客氣了。」李陽貴對田偉志說：「你趕緊坐下來跟孫少爺說正事吧！」

　　「宋法醫，田警官說你已經檢驗出許丞光所中的毒。」鍾文昱問宋逸成說：「你今天應該不只是來告訴我這麼簡單吧？」

　　「嗯！我跟田警官討論了一下，這件事恐怕需要你去請尚義坤隊長幫忙了。」宋逸成回答說：「因為下毒殺害許丞光的凶手，應該是國安局裡面的人，這種情況下恐怕不太適合讓警方去查。」

　　「其實我大概已經猜到，下毒的人應該就是楊滄堯。」鍾文昱說：「而且我到現在還沒有搞清楚，楊滄堯為什麼要把許丞光殺掉，又為什麼要選在這個時間點對許丞光下毒。」

「你是對楊滄堯殺害許丞光的理由，有所懷疑嗎？」田偉志問說「許丞光一死，那個處長的位置，不就是楊滄堯的了嗎？」

「如果楊滄堯為的是能坐上第二處處長的位置，就更沒有理由在這個時候去對許丞光下毒。」鍾文昱搖頭說：「許丞光在國安局裡位高權重，平日裡能與他長時間接觸的人本來就不多，楊滄堯難道會不知道許丞光死在國安局裡，他的嫌疑是最大的嗎？」

「這點我也想過。」田偉志想了一下，接著說：「或許是他對自己下毒的手法太過自信，認為我們就算都懷疑他，也拿他沒有辦法。」

「下毒？」鍾文昱問說：「他下的是什麼毒？」

「是鈴蘭 (註235)。」宋逸成對鍾文昱說：「你應該很清楚這是什麼吧？」

「鈴蘭不是常見的花嗎？而且好像還常用來做盆栽啊！」田偉志不解的問說：「這種花很毒嗎？」

「鈴蘭是劇毒，它的毒性不亞於曼陀羅花和馬錢子，重點是這種毒放進水裡，不像其他毒物會有特殊的氣味，所以即便喝了很多也不容易發覺。」鍾文昱接著說：「所以宋法醫的意思是……楊滄堯是在水裡下毒，而且許丞光還喝了不少……有現場的照片嗎？」

「不用看了，就像你想的一樣。」宋逸成回答說：「許

丞光的辦公室裡，有一套價值不斐的茶具，可見許丞光平時有泡茶的習慣，問題應該是出在泡茶的水。」

「現場的水源或飲水機有查過嗎？」鍾文昱接著問宋逸成說：「或是……有什麼裝水的容器？」

「我都檢驗過了，沒有問題，可見有人把下毒的水給帶走，或是給倒掉了。」宋逸成搖頭說：「現場還有一個裝水的容器，我已經在檢驗了，應該會有殘留的毒物反應。」

「田警官，你有查過監視錄影畫面嗎？」鍾文昱問田偉志說：「有看到誰把水弄進辦公室裡的嗎？」

「我看過國安局所提供的全天監視錄影畫面。」田偉志對大家說：「看見許丞光在早上的時候，自己提著一個裝水的容器走進辦公室。」

「那現在問題不就很簡單了嗎？」周雅琪插嘴說：「只要能查出這個水到底是誰給他的，就知道誰是凶手了吧？」

「我說幾句話……妳可不要生氣喔！」田偉志對周雅琪說：「妳所說的，我們都知道，剛才小鍾不是說了嗎？凶手應該就是楊滄堯，但如果我們的問題這麼簡單，那我們今天就不用專程跑來找小鍾了啊？」

「你……」周雅琪瞪了田偉志一眼，但隨即想到有這麼多人在場，不好意思的撇開臉說：「好、好……我

不生氣，不跟你計較。」

「其實楊滄堯會選擇用這樣的方式殺害許丞光，一定是精心考慮過的，而且他將那容器交給許丞光的地點，應該也是慎重安排過的，所以要找出直接的證據，來證明楊滄堯就是殺害許丞光的凶手，並不是件容易的事。」鍾文昱分析了一下，直接問田偉志和宋逸成說：「所以你們的意思是……要我叫于景立私底下去套楊滄堯的話，對嗎？」

「我知道這樣會讓于少校陷入極大的危險，但目前也只有這個辦法比較可行了。」宋逸成憂心的說：「而且從最近所發生的一些事情來看，這已經不是一般警察可以處理的了。」

「這些事我會幫孫少爺處理的，你們不用擔心。」李陽貴提醒說：「你們自己也要小心一點，尤其宋法醫比較沒有自保的能力，田警官可要幫忙保護宋法醫的安全喔！」

「老宋可是我們警界的寶貝啊！我當然會小心保護他的。」田偉志接著又抱怨說：「這些壞人這麼囂張和殘忍，老天爺怎麼也不管管啊！」

「老天爺不會不管的，只不過祂用的方式你不知道而已。」周清合微笑著說：「不管遇到多大的凶險和災禍，一定要記得太史公 (註236) 在史記裡所說的『太上修德，其

次修政,其次修救,其次修禳,正下無之（註237）』,自然就可以趨吉避凶。」

「周爺爺,您的學問真是太好了。」田偉志傻笑著說:「可是那些書裡的知識,我都還給老師了,您可不可以用白話一點的方式告訴我是什麼意思啊?」

「就是以德除災的意思啦!」周雅琪好不容易逮到修理田偉志的機會,當然不會輕易放過,故意唸叨著說:「你看人家宋法醫都比你聰明。」

「謝謝周小姐的抬愛。」宋逸成尷尬的說:「不過我剛才也……不太明白是什麼意思啦!」

宋逸成此話一出,馬上引來了哄堂大笑,頓時間反倒讓周雅琪覺得有點不好意思。

## 【本節註釋】

註235:鈴蘭（Lily of the valley；學名 convallaria majalis）,又被稱為山谷百合、五月百合、聖母之淚、風鈴草、君影草等,全株有毒,葉子毒性猶強。其以白色鐘形的小花朵而為人所知,其漿果多肉,呈橘紅色,將摘取的花朵放在水中保存,連水都會變成有毒,甚至有孩童誤飲鈴蘭插花水而致命的真實案例。其毒性會立即發作,中毒症狀包括臉潮紅、易怒、頭痛、產生幻覺、皮膚紅疹、感覺寒冷、皮膚濕冷、瞳孔放大、嘔

吐、胃痛、噁心、唾液分泌過剩、心跳減緩、有時會陷入昏迷，甚至心臟衰竭而死。

註 236：司馬遷（西元前 145 年，死亡時間已不可考），字子長，龍門（今陝西省韓城）人，是西漢時期著名的史學家和文學家。司馬遷所撰寫的《史記》被公認為中國史書的典範，首創的紀傳體撰史方法為後來歷代正史所傳承，被後世尊稱為史聖，又因曾任太史令，故被稱為太史公。

註 237：大意為「以德禳災」，禳，本為祈求解除災禍、疾病的祭祀，後來被解為去除或解除之意。此文出於《史記・天官書》。史記最早稱為《太史公書》或《太史公記》，是西漢漢武帝時期任職太史令的司馬遷（太史公）編寫的紀傳體史書，記載自傳說中黃帝至漢武帝太初年間共二千五百年之中國歷史，與後來的《漢書》、《後漢書》、《三國志》合稱「前四史」。史記全書包括本紀 12 卷、世家 30 卷、列傳 70 卷、表 10 卷、書 8 卷，共 130 卷，52 萬 6,500 餘字。該書原稿約在西漢末年佚失，目前存世最古的史記殘卷是日本京都高山寺中國六朝抄本，存世最古的完整史記為現藏於臺灣中央研究院歷史語言研究所之北宋「景祐本」《史記集解》（其中有十五卷為別版補配），及日本藏南宋版黃善夫刻三家注史記。

## 第三十一節　不尋常的餐會

**基隆某高級海產餐廳包廂**

　　這個包廂的四面牆壁都沒有窗戶，但是卻有著極好的空調系統，包廂所有的擺設都非常講究，雖然不能稱得上是富麗堂皇，但一看就知道是經過精心設計過的特殊包廂。

　　齊正祥與賽吉・金恩坐在包廂裡的沙發上，餐廳外面及包廂門外有許多彪形大漢站著，尤其現在是中午用餐高峰的時間，但整個餐廳裡卻看不到其他的客人，明顯可以察覺出不尋常的氣息。

　　沒過多久，楊滄堯與于景立在餐廳的停車場停好了車，一前一後的走進了這家餐廳，幾名彪形大漢對他們兩個進行搜身，確認他們身上沒有攜帶武器之後，便引導他們進入包廂。

　　「齊老大，真是好久不見了。」楊滄堯一進入包廂就假裝熱情的向齊正祥打招呼，笑著說：「你的身體看起來還是這麼硬朗啊！」

　　齊正祥當然知道楊滄堯所表現出來的熱情是虛情假意，但還是客氣的說：「楊上校，喔……不……現在應該叫你楊處長了吧？搞不好再過一陣子就要叫你楊將軍了，先請坐吧！」

「你還真是會開玩笑。」楊滄堯皮笑肉不笑的說：「我還不見得能坐上第二處處長的位置呢！就算在人選還沒決定之前讓我暫代，那也只是個代處長而已。」

雖然于景立與賽吉・金恩早已互相認識，但卻裝得十分陌生，甚至連眼神也故意不相交會。

「你不是說今天有個重要的客人嗎？」齊正祥問楊滄堯說：「他還沒到嗎？」

「應該馬上就到了。」楊滄堯回答說。

包廂的門再次打開，一個異常壯碩的棕髮外國男子先走了進來，後面跟著進來的人是李雲強，而且李雲強看起來對那個棕髮外國男子十分恭敬。

「抱歉、抱歉……」那個棕髮外國男子一開口就是流利的中文，而且發音還相當標準，讓齊正祥與賽吉・金恩有點驚訝，他對齊正祥說：「因為路不太熟，所以遲到了，請齊老大多多包涵啊！」

「你客氣了。」齊正祥回應了一句，轉頭問楊滄堯說：「這位是……？」

「他叫做亞伯・馬丁內斯（Abel Martinez），是亞伯生物科技公司的老闆。」楊滄堯向齊正祥介紹完那名棕髮外國男子之後，又對亞伯・馬丁內斯說：「這位是大名鼎鼎的齊老大。」

「幸會、幸會。」亞伯・馬丁內斯上前想與齊正祥

握手，卻被賽吉・金恩硬生生的給擋了下來，他不但沒有任何不悅的表情，反而笑著對賽吉・金恩說：「這位應該就是大名鼎鼎的黑閻羅吧？」

「不敢當。」賽吉・金恩面無表情的說：「亞伯生物科技公司在美國可是赫赫有名的大公司啊！我這種小人物，怎麼能跟董事長比呢？」

「大家都別客氣了，一起入座吧！」楊滄堯一副虛情假意的模樣，著實令齊正祥與賽吉・金恩感到噁心。

大家都入座之後，餐廳的服務生開始上菜，既然是海鮮餐廳，菜色自然都是當地漁民捕撈的生鮮漁貨，但以每道菜精緻的擺盤與烹煮的手藝來看，這個餐廳的主廚顯然也不是泛泛之輩。

由於齊正祥堅持用餐時不談正事，所以大家除了寒暄幾句之外，都很專心的在品嚐佳餚，整體的氣氛也還算融洽。

吃完餐點之後，大家一起坐在沙發區泡茶，齊正祥單刀直入的問說：「既然飯也吃完了，那就談談你們今天找我的目的吧！」

「那就由我先說吧！」亞伯・馬丁內斯對齊正祥說：「我聽楊上校說過，前一陣子因為許丞光個人的問題，造成大家有不小的誤解，既然許丞光已經死了，我想大家應該可以開誠布公的來談談後面的合作。」

　　「合作？」齊正祥問說：「亞伯先生沒有搞錯吧？你的公司可是美國知名的上市公司啊！而我不過就是走私團伙的小頭目，我們之間有什麼可以合作的嗎？」

　　「齊老大，你這麼說可就太見外了。」亞伯·馬丁內斯微笑著說：「有句漢語的古話，是怎麼說來的？富貴險中求，誰做生意還不搞些小偏門呢！尤其我們這種比較先進的生物科技項目，有些東西走正常管道恐怕不行，所以很需要有齊老大這樣的合作夥伴。」

　　「喔？」齊正祥反問說：「你們公司想讓我幫忙走私些什麼東西呢？」

　　「既然選擇走私，當然就是一些不能擺到檯面上的東西，而且走私要賺的，不就是非法的利潤嗎？」亞伯·馬丁內斯解釋著說：「以前臺灣和香港都是走私貨品最大宗的地區，以前香港的三合會 （註238） 等幫派還有點搞頭，現在香港那條路已經走不通了，反倒是臺灣因為海岸很長，成為了最熱門的地區，很多交易都在臺灣近海或沿岸進行。而齊老大你掌握的北區，又是重中之重，我當然想跟齊老大有一起合作的機會，所以我才冒昧的透過楊上校，想和齊老大見面聊聊。」

　　「你的意思是說……」齊正祥冷笑說：「叫我不要過問你走私的物品是什麼，對嗎？」

　　「其實知道與不知道意義並不大，重點是走一趟能

得到的利潤，不是嗎？」亞伯・馬丁內斯回答說：「如果我說……每一趟我至少會給齊老大每船 20 萬美金以上的運費，而且若有意外或傷亡，相關費用都由我來支付，你覺得這個生意可以做嗎？」

「每船 20 萬美金以上？而且有意外或傷亡的相關費用都由你付？看來你要運的可不是一般的東西啊！」齊正祥笑容更加陰沉的說：「不過我這個人不喜歡總是被蒙在鼓裡，而且至少要知道運的是什麼，出了事心裡才有個底，你這門生意……我怕是做不了。」

「齊正祥，亞伯先生好聲好氣的跟你商量，你倒是擺起架子了。」李雲強生氣的指者齊正祥說：「你不要給臉不要臉啊！」

賽吉・金恩看見李雲強用手指著齊正祥，馬上站起來抓住李雲強的手腕，雖然李雲強用盡全力的想要掙脫，但由於賽吉・金恩的抓力驚人，他不但沒能掙脫，反而痛得漸漸蹲了下來。

但就在這個時候，亞伯・馬丁內斯迅速伸手抓住賽吉・金恩的手腕，一股巨大的抓力，讓賽吉・金恩的手指瞬間麻軟，李雲強趕快利用這個機會將手甩開。賽吉・金恩用盡全力抗拒亞伯・馬丁內斯的抓力，卻沒想到竟痛到直冒冷汗，這讓賽吉・金恩感到十分驚訝，眼睛一直瞪著亞伯・馬丁內斯。

「黑閻羅，大家有話好說嘛！」亞伯・馬丁內斯鬆開了手，眼色嚴厲的對李雲強說：「小李，你這樣太沒禮貌了，難怪黑閻羅會這麼生氣，還不趕快跟齊老大道歉。」

被亞伯・馬丁內斯這麼一說，李雲強窩囊的趕緊向齊正祥道歉，賽吉・金恩不發一語的坐了下來，手腕處還隱隱作痛，顯然亞伯・馬丁內斯的力量大得驚人。

「齊老大，我手底下的人不懂事，你可千萬不要生氣，別跟他一般見識。」亞伯・馬丁內斯馬上又對齊正祥說：「生意場上的事都是慢慢談出來的，我們才剛見面，暫時談不攏也很正常，千萬不要傷了和氣。」

齊正祥當然看見賽吉・金恩的臉色不對，而且額頭上還冒著冷汗，他陪著笑臉打圓場說：「亞伯先生倒是一個明理的人，要不然就讓我回去多想個幾天，順便也跟底下的人商量一下，如何？」

「當然、當然……」亞伯・馬丁內斯雙手端起茶杯，笑著說：「那我就以茶代酒敬你一杯，希望一切順利。」

齊正祥也端起茶杯，跟亞伯・馬丁內斯碰了一下杯子，然後將茶杯裡的茶水一飲而盡。

以茶代酒，喝的不是酒，喝的是豪氣。

這個叫亞伯・馬丁內斯的外國男子，看起來大約四十歲左右，雖然身材異常壯碩，但說話得體儒雅，但

他只不過抓了賽吉‧金恩的手腕，就能讓賽吉‧金恩臉色大變，顯然不是一個簡單的人物。

　　他……到底是從哪裡來的？到底想要做什麼？

## 【本節註釋】

註238：三合會（Triad），史上曾為反清秘密組織，使於清朝康熙、雍正年間，很多港人黑社會組織的根源都可以追溯到清朝洪門三合會，但現在已經沒有洪門三合會的存在，因此現在「三合會」一般用來泛指黑社會有組織之犯罪集團。三合會原是在1830年（清道光十年）由廣西邊陲至廣州一帶、梧州、肇慶和佛山在內的團練、市鎮民團及村民組織互相自保而成的民間組織。經過鴉片戰爭後，兩粵（兩廣）的珠江水系三江民心思變，特別是在廣州、佛山、香山及肇慶的相連地區，加上鄉勇團練興起，武裝社團林立，紛紛加入俗稱洪門的天地會，是為「洪門」。另一種說法則是洪秀全在廣西發動金田起義，演變成洪仁玕、李文茂、羅大綱、陳開等人組成的「反清復漢」組織，聚眾建立太平天國，實行揭竿起義，互稱洪門子弟，進行現稱「廣東洪兵起義」的革命事跡。早於1845年（清道光二十五年）香港的殖民政府就應清朝要求，封鎖三合會的活動。1842年英屬香港就頒布法令《壓制三合會及其他秘密結社條例》。清朝滅亡至第二次世界

大戰後，三合會已經演變成香港傳統江湖秘密結社的統稱，近半個世紀以來，三合會的各幫派行為包括收取保護費、販賣毒品、洗黑錢、非法賭博、經營性產業等所謂黃、賭、毒的偏門行業，個別成員則會進行偷竊、詐騙、綁票及恐嚇勒索等犯罪行為。香港三合會的成員約 20 多萬人，大部分小型街頭幫派中有 7 至 10% 的黑社會成員是活躍份子，若統合所有三合會和黑幫，可達 40 萬至 50 萬人以上，所以香港往往將三合會與黑社會混為一談，至今香港警方仍不時出動警力打擊任何有關三合會的活動。

## 第三十二節　車上的對話

聚餐結束之後，于景立開車載著楊滄堯離開，在車子上了高速公路之後，楊滄堯打開了副駕駛座的車窗，點燃了一根煙抽了起來。

「這個亞伯・馬丁內斯到底是誰？」于景立邊開車邊問說：「就連李雲強都對他畢恭畢敬的，應該不只是美國上市公司老闆這麼簡單吧？」

「他就是李雲強那夥人幕後的老闆。」楊滄堯雖然面無表情，但嘴角卻微微上揚，似乎有點得意的樣子。

「他是那批國際僱傭兵的老闆？」于景立一臉難以置信的說：「我看他大約才四十歲左右，就算亞伯生物科技公司在美國是數一數二的大公司，充其量也不過就是個很有錢的富人而已，怎麼能成為那批國際僱傭兵的老闆呢？更何況他已經那麼有錢了，幹嘛還要去養一批僱傭兵呢？」

「錢這種東西誰會嫌多啊？他可不是一般生物科技公司的老闆這麼簡單，而且他能有今天，還是拜周清合所賜呢！」楊滄堯繼續往下說：「在十四年前，他也只不過是美國海豹部隊裡的一個小軍官而已，那年我們國家不是也派了一批菁英去金三角，配合聯合國部隊去圍剿糯康為首的犯罪集團嗎？當時鍾文昱就是領隊，而亞

伯‧馬丁內斯就是美國部隊的領隊。鍾文昱那個傻子為了替同伴復仇，完全不顧最高指揮官要求撤退的命令，僅僅三個人就直接跑到糯康的山寨，結果造成另外兩個人戰死，鍾文昱為了救其中一個同伴，在逃離時被狙擊鎗擊中了左膝，本來當時根本不會有人願意冒險回去接應他，但在周清合動用關係與高額懸賞的情況下，亞伯‧馬丁內斯帶著人駕駛直昇機去把鍾文昱救了回來，因此周清合就給付亞伯‧馬丁內斯一百萬美金作為酬謝。有了那筆錢之後，亞伯‧馬丁內斯沒多久就向部隊申請退伍，跟幾個朋友一起成立了亞伯生物科技公司。剛開始他們也只是搞一些健康食品之類的東西，雖然有賺到一些錢，不過也只能算是一家小公司罷了。但沒有經過多久，亞伯‧馬丁內斯就開始收購許多製藥和生物科技的公司，而且亞伯公司還莫名其奇妙的擁有了許多專利技術，更與美國政府相關部門開始了研究合作，從那個時候開始，就有不少傳聞說亞伯‧馬丁內斯手底下有一批神秘組織，專門幫他搶奪人家的研究成果，甚至指證他的人，都會莫名其妙的意外身亡，就連他被美國媒體指控涉及與國際恐怖組織進行禁藥交易的案件，在 FBI 立案調查後也無疾而終。這個傢伙要是沒點真本事，早就把牢底都坐穿了。」

　　「這麼說起來，這傢伙還真是不簡單啊！」于景立

接著試探的問說：「他不會就是許處長以前常說的那個很有實力的人吧？」

「許處長跟他認識有好幾年囉！也跟他有過很多次的合作。」楊滄堯冷笑說：「但是離退休的時間愈近，許處長就變得愈加保守，有很多輕而易舉就可以入袋的錢，許處長都不敢去賺，最近亞伯‧馬丁內斯有一個大計劃，只要我們從中穿針引線一下，就可以得到很豐厚的酬勞，你就好好的跟著我幹，我是絕對不會虧待自己兄弟的。」

「那是當然的。」于景立笑著說：「每個人拼死拼活的，不就是為了錢嗎？誰會跟錢過不去啊？」

「做人啊！就是要做個聰明人。」楊滄堯得意的說：「要是我能坐上第二處處長的位置，絕對少不了你的好處，我跟許處長不一樣，他只把我們當狗，根本沒把我們當人看，我們拼死拼活的為他做事，他卻連一點好處也沒給過我們。」

「論資歷與能力的話，處長這個位置肯定是非您莫屬的。」于景立故意話鋒一轉，又說：「只不過現在許處長被驗出是中毒而死的，局裡面總免不了有一些風言風語……」

「不用擔心，這些人總是愛亂嚼舌根，就讓他們說去。」楊滄堯故做鎮定的說：「許處長平日裡很愛泡茶，

又喜歡去找山泉水來泡茶，誰知道他是不是找了什麼不乾淨的水源，才把自己給毒死的呢？局裡不是有很嚴密的監控設備嗎？調出來看不就一清二楚了嗎？」

「說得也是。」于景立聽到楊滄堯這麼說，便趕緊打住這個話題，迎合著說：「我看應該是有人覬覦處長的位置，才故意散播這種謠言的吧？要不要我幫您把這個人找出來，好好的教訓他一頓？」

「這種事情不用去理會，反正時間久了他們自然會閉嘴。」楊滄堯心虛的說：「我們現在最重要的事情，就是要讓齊正祥答應與亞伯・馬丁內斯配合。」

「可是我看齊正祥好像沒這個意願。」于景立問說：「要是齊正祥不願意配合怎麼辦？」

「亞伯・馬丁內斯叫李雲強搞了兩次 C4 炸藥殺人案，你以為是為了什麼？」楊滄堯奸詐的笑著說：「用你的頭腦好好想一想。」

「臺灣對鎗砲彈藥的管制一直很嚴，即便偶而也有爆炸案發生，但用的幾乎都是自製的炸藥。」于景立想了一下說：「現在出現了 C4 炸藥，警方一定會對走私的途徑加強查緝，這樣齊正祥的生意一定會受到影響。我先前還在想李雲強他們為什麼要用 C4 炸藥對單一的對象下手，我現在終於搞懂了。亞伯・馬丁內斯這樣做的目的，就是故意要讓齊正祥的生意受到影響，齊正祥為了

生存，也只能選擇跟亞伯·馬丁內斯合作，這傢伙確實有點頭腦。」

「還有另一個層面你沒有想到。」楊滄堯提醒說：「今天亞伯·馬丁內斯故意帶著李雲強一起去，就是擺明讓齊正祥知道他的實力，齊正祥應該很清楚選擇不合作的後果。」

于景立沒有再說話，只是應和的點點頭，心裡暗自在想著，這個亞伯·馬丁內斯來到臺灣，到底有什麼目的？又該怎麼把這些事情告訴鍾文昱與田偉志？

# 第三十三節　楊瑩欣的自私

## 臺北市　某知名精品汽車旅館

　　這個汽車旅館已經存在了很長的一段時間，但至今名氣未減，它之所以這麼出名，是因為不像一般飯店僅在提供溫馨或豪華的住宿環境，而是館內的房間都有不同的主題與風格，而且房間內的每樣擺設都是精品，讓住宿或休息的客人，在都會區裡可以擁有別樹一格的休閒與享受。

　　在一個南洋風格的精美房間裡，方若堂只有下身裹著一條浴巾，坐在沙發上喝著香檳，床上躺著一個全身赤裸但用棉被遮住身體的中年女人，一看就知道剛才發生過什麼事。

　　難道方若堂在這裡嫖妓？不……這個中年女人看起來氣質出眾且雍容華貴，完全不像是風塵女子。

　　「你這個做父親的，這麼多年來都沒有關心過自己的兒子。」那個中年女人用抱怨的口吻說：「你現在反倒是想起他來了。」

　　「秉軒是我的親生兒子，我怎麼可能不關心他？」方若堂走到床邊坐了下來，遞給那名中年女子一杯香檳，接著說：「瑩欣啊！我們都在一起這麼久了，妳難道還不瞭解我嗎？」

「謝向輝都死了這麼久了，你也該想辦法讓秉軒認祖歸宗了吧？」那個中年女子說：「你難道要讓我們的兒子一輩子姓謝嗎？」

他們口中的秉軒姓謝？謝秉軒不是謝向輝與楊瑩欣的兒子嗎？而這個叫瑩欣的中年女人，應該就是楊瑩欣，但謝秉軒怎麼又變成是方若堂與楊瑩欣的兒子呢？

「當初要不是妳太愛吃醋，硬說我跟女助理有一腿，還跑去跟謝向輝那個窮小子交往，也不會變成今天這個樣子啊！」方若堂辯解著說：「後來我主動去找妳，也跟妳解釋清楚了，那天我們還上了床，我怎麼知道妳懷了我的孩子之後，卻選擇嫁給那個小子。他倒好啊！明知道妳肚子裡不是他的種，為了攀上楊賢博這個岳父，就連入贅他也願意……」

「那時候我未婚先孕，我們家根本丟不起那個臉，當時我和謝向輝在交往，我哥跟我爸硬說那是謝向輝的孩子，我根本不知道該怎麼對他們開口說……我懷的是前男友的孩子。」楊瑩欣有點生氣的說：「而且我那個時候確實也有跟謝向輝發生過關係，謝向輝一直以為秉軒是他的孩子。」

「後來他不也知道了秉軒不是他的孩子了嗎？他就是想要妳家裡的錢，所以才會心甘情願做這個現成的老爸，他那個破印刷廠要不是楊賢博給錢資助，早就該倒

閉了。」方若堂一臉不屑的說：「而且……要不是因為他利用楊賢博叫他去付錢的機會偷偷錄音，事後還向那些配合的官員與富商勒索，那個臺北市內區的案子也不會被曝光出來。」

「他確實是死有餘辜。」楊瑩欣冷冷的說：「可是你為了自己，除了叫人殺了陳漢成，甚至連我哥和我爸也不放過，要不是看在你是秉軒的親生父親……為了秉軒將來能少吃點苦，我怎麼可能會答應幫你？」

「我已經老了，我所有的一切，將來還不都是妳和秉軒的嗎？」方若堂安撫楊瑩欣的情緒說：「更何況你只不過是楊賢博的養女，妳家裡出了事，楊賢博根本都沒有理妳，讓妳們孤兒寡母的守著那個破印刷廠，而且楊賢博生前幾乎把所有的財產都過到楊慶章名下 (註239)，楊慶章和楊賢博死後妳什麼都分不到，在他們對你無情無義的時候，早該想到有今天了，不是嗎？」

「過去的事情，我現在也不去想了。」楊瑩欣喝了一口香檳，又問說：「現在陳漢光和湯全臨都指證你，你真的可以全身而退嗎？」

「放心吧！」方若堂自信的說：「他們都是共犯，而且也提不出任何證據，共犯的自白是不能當作認定犯罪事實的唯一依據的 (註240)，而且去做那些事的人又不是我，他們也不可能提出我教唆那些人的證據，再加上現

在楊賢博也已經死了，很多事情根本就無從查起，他們又能拿我怎麼樣呢？」

「說得也是，這點小事是難不倒你這個大律師的。」楊瑩欣繼續問說：「既然這個案子你這麼有把握，而且陳漢光在瑞士的那筆錢，也已經在你的掌握之中，那你又何必再跟楊滄堯那種人繼續搞下去呢？該分給他的錢，給他就是了。」

「現在國安局第二處的許丞光處長死了，楊滄堯就是最有希望的接班人選，他這個人雖然陰險狡詐，但總還是需要我這種合作夥伴的。」方若堂解釋說：「而且他現在手上有很好的機會，就是美國很有名的那個亞伯生物科技公司，那家公司的老闆已經來臺灣，聽說是要和楊滄堯合作一件大事，我不過就是提供一些法律上的幫助，就可以分到一大筆錢，比搞那些土地徵收的案子要好多了。」

「亞伯生物科技公司？好像是很有錢的上市公司。」楊瑩欣說：「那家公司的老闆不是很有錢嗎？怎麼會看上臺灣這種小地方？我總覺得其中有很大的問題，你可要小心一點，見好就收吧！」

「我知道。」方若堂點點頭說：「我只不過想趁這個機會多賺一點錢，這樣妳和我們的兒子將來就不用愁了，放心吧！」

　　楊瑩欣點點頭，將頭靠在方若堂的身上，一副撒嬌的模樣，方若堂用手將楊瑩欣摟在懷裡，嘴角微微的上揚，似乎在盤算著什麼。

## 【本節註釋】

註239：生前處分與遺贈明顯不同。生前處分為贈與人處分其生前財產之行為，遺贈則是贈與人以遺囑表示，將其遺產之一部或全部，於自己死後無償贈與給繼承人以外之受贈人之意思。遺贈與死因贈與又不相同，此觀最高法院95年度台上字第817號判決意旨「遺囑人依遺囑所為之遺贈，因一方之意思表示即而成立，為屬無相對人之單獨行為，與死因贈與乃以贈與人之死亡而發生效力，並以受贈人於贈與人死亡時仍生存為停止條件之贈與，其為贈與之一種，性質上仍屬契約，須有雙方當事人意思表示之合致者迥然不同」即明。基於財產處分自由，生前處分原則上並無侵害特留分之問題，然仍須注意下述規定：（基於特別法優先之原則，先列特別法再列民法之規定）
遺產及贈與稅法第22條：「贈與稅納稅義務人，每年得自贈與總額中減除免稅額二百二十萬元。」
遺產及贈與稅法第15條第1項：「被繼承人死亡前二年內贈與下列個人之財產，應於被繼承人死亡時，視為被繼承人之遺產，併入其遺產總額，一本法規定

徵稅：一、被繼承人之配偶。二、被繼承人依民法第
一千一百三十八條及第一千一百四十條規定之各順序
繼承人。三、前款各順序繼承人之配偶。」

民法第 416 條：「（第 1 項）受贈人對於贈與人，有
左列情事之一者。贈與人得撤銷其贈與：一、對於贈
與人、其配偶、直系血親、三親等內旁系血親或二親
等內姻親，有故意侵害之行為，依刑法有處罰之明文
者。二、對於贈與人有扶養義務而不履行者。（第 2
項）前項撤銷權，自贈與人知有撤銷原因之時起，。
一年內不行駛而消滅。贈與人對於受贈人已為宥恕之
表示者，亦同。」

民法第 1148 條之 1：「（第 1 項）繼承人在繼承開始
前二年內，從被繼承人受有財產之贈與者，該財產視
為所得遺產。（第 2 項）前項財產如已移轉或滅失，
其價額，依贈與時之價值計算。」

民法第 1173 條第 1 項：「繼承人中有在繼承開始前
因結婚、分居或營業，已從被繼承人受有財產之贈與
者，應將該贈與價額加入繼承開始時被繼承人所有之
財產中，為應繼財產。但被繼承人於贈與時有反對之
意思表示者，不在此限。」

註 240：刑事訴訟法第 156 條第 2 項規定，被告或共犯之自白，
　　　　不得作為有罪判決之唯一證據，仍應調查其他必要之
　　　　證據，以察其是否與事實相符。我國最高法院再三重
　　　　申，共同被告有利害關係衝突，因此，容易嫁禍他人，

不符真實的機率較高。最高法院 87 年台上字第 3525
號判例指出：「……（按刑事訴訟法第 156 條第 2 項）
乃欲以補強證據擔保自白之真實性，亦即以補強證據
之存在，藉之限制自白在證據上之價值，防止偏重自
白，發生誤判之危險。以被告之自白，作為其自己犯
罪之證明時，尚有此危險；以之作為其他共犯之罪證
時，不特在採證上具有自白虛偽性之同樣危險，且共
犯者之自白，難免有嫁禍他人，而為虛偽供述之危險。
是則，利用共犯者之自白，為其他共犯之罪證時，其
證據價值如何，按諸自由心證主義之原則，固屬法院
自由判斷之範圍。但共同被告不利於己之陳述，雖得
採為其他共同被告犯罪之證據，惟此項不利之陳述，
須無瑕疵可指，且就其他方面調查，又與事實相符者，
始得採為其他共同被告犯罪事實之認定」（並請參考
最高法院 92 年台上字 6834 號及大法官會議釋字第
582 號解釋）。

## 第三十四節　張豪華之死

### 臺北市刑大附近巷內的咖啡廳

由於咖啡廳規模不大，中午的簡餐是由一個較資深的店員掌廚，而晚餐就是由張豪華親自掌廚，所以晚餐的時段，一向都是店內生意最好的時候，也是張豪華最忙碌的時候。

不過今天店內多了一個幫手，這個幫手不是工讀生或店員，而是被大家稱為老闆娘的彭順茹。她與張豪華交往多年，雖然至今還沒有結婚，但現在已有幾個月的身孕。張豪華向來都捨不得讓她來店裡幫忙，但今天是因為他們下午一起去做了產檢，她堅持要和張豪華一起來到店裡，張豪華也只能由著她。

大約在晚上八點半的時候，張豪華接到了一個電話，而且張豪華所拿出來接電話的手機有點特殊（手持式衛星電話）。講完電話之後，張豪華說有事要出去一下，就匆忙的走出了店外。

張豪華以步行的方式，匆匆的走了一大段距離，還不時注意著四周的人群。有一個戴著帽子身材壯碩的黑人經過他身邊，兩個人的手輕微碰觸了一下，張豪華連看都沒有看他一眼，就把手放進褲子口袋，兩人繼續往不同的方向走去。

　　張豪華在與那個黑人擦身而過之後，並沒有馬上折返，反而刻意的在路上繞了一圈，才往回程的方向走去。但就在走到離咖啡廳只有一個轉角的距離之前，突然有兩個異常壯碩的男子向他走來。

　　畢竟張豪華曾是一個受過特種訓練的軍人，所以馬上察覺到迎面走過來的兩個男子顯然不懷好意，他故意放慢了腳步，甚至故意往外走想要繞開，但那兩個男子卻直接向他衝了過來。

　　由於距離非常的近，雖然張豪華已經有了防備，但腹部卻在一瞬間被其中一個男子手中的短刀劃傷，張豪華忍痛向那兩名男子發動攻擊，但那兩名男子的力量卻大得驚人，甚至連抗擊打能力也異於常人，不但完全沒有閃躲張豪華的攻擊，反而還不斷用短刀刺入張豪華的身體。

　　只不過短短不到十秒的時間，張豪華就已經身中十刀以上，而且每處傷口都不斷湧出鮮血。那兩個男子見張豪華已經全身無力的靠在牆邊，便以最快的速度跑到路邊，跳上前來接應他們的車輛揚長而去。

　　張豪華用盡最後的力氣拿出手機，撥打了電話給彭順茹，只說出自己所在的位置，就虛弱的倒在地上。路過的好心群眾打了電話報警，在救護車來到現場之前，咖啡廳的店員與彭順茹也趕來了現場，彭順茹看到眼前

的景象，嚇得癱軟的跪了下來，幾乎是爬著來到張豪華的身邊。

　　張豪華在被救護人員抬上擔架之前，從褲子口袋裡拿一張紙條交給彭順茹，聲音微弱的交代彭順茹將紙條交給鍾文昱，然後就不醒人事了。

　　鍾文昱接到張豪華出事的消息，馬上在李陽貴的安排下趕往醫院，陳詩語因為放心不下，也跟著一同前往。等到了醫院之後，鍾文昱根本不管安全人員的制止，直接用最快的速度衝進急診室，卻只見到彭順茹一身是血的蹲坐在急診室牆邊，一臉無助的悲傷哭泣著。

　　由於張豪華曾給鍾文昱看過照片，所以鍾文昱一眼便認出了彭順茹，這個時候陳詩語和李陽貴也走了進來，陳詩語看見鍾文昱一言不發的站在一個女人旁邊，便主動在彭順茹的身邊坐了下來。

　　彭順茹感覺到身邊有人，抬頭看了一眼，啜泣的問說：「你們……是誰啊？」

　　「我叫鍾文昱，是小張以前的隊長。」鍾文昱緊張的問說：「弟妹，小張人呢？」

　　「鍾隊長，你……來晚了。」彭順茹崩潰的哭著說：「豪華他……剛才已經被……推去太平間了。」

　　「什麼？」鍾文昱流著眼淚激動的問說：「到底怎麼回事？怎麼……會這樣？」

「警察說……豪華是在路上……被兩個男子……突然用刀捅死的。」彭順茹哽咽著說：「他身上被捅了十幾刀，醫生說……到院前就……」

陳詩語輕輕拍著彭順茹的背部，安撫著她的情緒，並用眼神示意叫鍾文昱等一下再問。

彭順茹呼吸急促的不斷喘氣，根本止不住淚水，一旁的護士看見彭順茹懷有身孕還如此悲傷，趕緊也過來安慰著她，唯恐她因此而動了胎氣。

此時田偉志從外面跑了進來，他看見鍾文昱一臉難過的站在那裡，心裡大概也有了底，他默默的走到兩名警員面前，出示了自己的證件，向兩名警員詢問著案發情形。

彭順茹把手伸進褲子口袋裡，拿出一張沾滿血跡的紙條，交到鍾文昱的手上說：「這是豪華他……被抬上擔架之前，囑咐我交給你的……他一直到臨死之前……還一直囑咐我……一定要交到你手裡……」

「他到底去做了什麼？」鍾文昱看見紙條上到處都是血跡，心裡極其不忍，小心翼翼的將紙條打開，上面只有一個英文名字「Abel Martinez」。

「我都跟他說過了，都已經……退伍這麼久了，就不要再去管那些危險的事。」彭順茹難過的說：「而且我們已經有了孩子，孩子就……就快要出世了，我們就

平平凡凡的過一輩子，不好嗎？可是他說……你對他有恩……說什麼也要幫你……結果還是……」

「對不起，我……」鍾文昱難過得全身顫抖說：「是我不好，我不應該……」

「他還跟我說……說這件事情很重要，關乎著整個社會的正義……可是……到底是什麼要……用豪華的命去換啊？你現在不就只是個律師嗎？為什麼會發生這樣的事情啊？」彭順茹哭喊著說：「他說孩子一生下來，就要給我……辦一個風風光光的婚禮，還要讓我們的孩子……幸福的成長，現在他撒手走了，我……該怎麼辦啊？你不是很有本事嗎？那你把……把豪華還給我……還給我啊？」

聽到彭順茹這麼說，鍾文昱的心痛到有如刀絞，一時之間無言以對，只能跟著流淚。

「他的身上……被刺了十幾刀……每一刀都深入內臟……」彭順茹哀痛的對鍾文昱說：「那得有多痛啊？你知道流了這麼多的血……身體有多冷嗎？他一直把你當成最尊敬的人，說你救過他的命，他現在還給你了，這就是你想看到的嗎？」

聽到彭順茹撕心裂肺的哭聲，鍾文昱簡直無地自容，難過得說不出話來，田偉志趕緊走了過來，但除了能拍著鍾文昱的肩膀安慰一下，其他什麼也做不了。

　　天上突然下起大雨，伴隨著接連不斷的閃電，除了閃電的數量不尋常之外，就連雷聲也大得驚人。每一次的閃電過後，雷聲的音波讓建築物的玻璃也跟著顫動。

　　白髮老人站在急診室門外，不停的搖頭嘆息著，而且他的臉上似乎充滿了怒火，不時的抬頭仰望天空，並且好像向著天空在說些什麼。

## 第三十五節　白髮老人的善良

從醫院回來以後，鍾文昱就一直待在住處的健身房裡，以往他打沙包的時候，都會戴上拳套，但他今天卻赤手空拳的擊打沙包，力量也明顯比以往大上許多，很明顯是在發洩著情緒。

雖然陳詩語並不是第一次看鍾文昱練拳，但這一次她卻明顯感覺到鍾文昱的眼神充滿殺氣，甚至每一拳的力量都足以致人於死。她知道鍾文昱心裡難受，只能一言不發的坐在地上等他，難過的掉著眼淚。

李陽貴回來之後，就把那張沾滿血跡的字條拿給周清合過目，周清合看了之後好像想起了什麼，馬上走進書房去打電話，似乎在聯絡一些美國的朋友。

吊著沙包的鐵鍊，原本應該是非常堅固牢靠，卻也承受不住鍾文昱的全力打擊，突然應聲斷裂，沙包直接飛出去撞到牆壁之後落地，鍾文昱衝過去繼續擊打著地上的沙包，就好像發狂了一樣。

「夠了，不要再打了。」陳詩語難過的大叫，衝過去抱著鍾文昱說：「不要這樣，這不是你的錯。」

「是我……」鍾文昱哭喊著說：「要不是我去找張豪華幫忙，他根本不會被牽扯進來，他也……不會這樣被人殺死……

　　「你聽我說……」陳詩語將鍾文昱緊緊抱在懷裡說：「我知道你心裡很難過，但你必須冷靜下來，才能趕快將那些壞人繩之以法，否則張豪華就白死了。」

　　「繩之以法？」鍾文昱憤怒的說：「連那些壞人在哪裡我都不知道，還害得你們大家都要跟我一起躲在這裡，我就是一個只會帶來災禍的人，連我自己身邊的人都保護不了……」

　　「不是這樣的。」陳詩語知道鍾文昱又想起了往事，心如刀割的說：「你不要總是把所有的事，都怪在自己的身上，你已經盡力了，是那些壞人喪盡天良，根本就不是你的錯。」

　　「前一陣子……張豪華還很高興的……拿著他和女友的合照給我看……他說等孩子生下來之後，就要帶著女友去向她父母提親，要給她……辦一場風風光光的婚禮，還擔心自己只是個孤兒，沒有好的學歷，也沒有什麼成就，怕她父母會擔心女兒嫁給他會受委屈……拜託我請爺爺去幫他提親，讓女方家比較有面子……」鍾文昱悲痛欲絕的說：「可是現在……他卻為了我替我去拿一張紙條……就丟了性命，孩子還沒有出生……就沒有了爸爸，如果不是又遇到我……他們本來可以很幸福的過一輩子，不應該是這樣的……不應該這樣……」

　　「我知道……我都知道……」陳詩語哽咽的說：「但

事情已經發生了，再難過也改變不了什麼，現在我們唯一能做的，就是趕快把那些僱傭兵都抓起來，讓他們受到法律的制裁，這樣才能告慰張豪華的在天之靈。」

「法律的制裁？判個幾十年？還是以命抵命？那些人渣的命，夠資格給張豪華抵命嗎？」鍾文昱悲憤填膺的說：「要是我……還是軍人的話，我會讓他們死無葬身之地。」

「這些事情有尚隊長他們會去做，我們能做的只有查明真相。」陳詩語安慰著鍾文昱說：「你忘記你以前教過我的了嗎？以殺止殺根本解決不了問題的。」

「這些道理我都知道。」鍾文昱淚如雨下的說：「可是我的心裡……真的好痛……痛得喘不過氣來……」

「我明白。」陳詩語輕輕拍著鍾文昱的背部，安慰著他說：「我會陪你一起面對的。」

就在陳詩語安撫鍾文昱情緒的時候，白髮老人突然出現在健身房裡，他蹲下來看著沙包上被打斷的鐵鍊，搖頭說：「你這拳是怎麼練的啊？連這麼粗的鐵鍊都可以打斷。」

鍾文昱看到白髮老人現在才出現，火冒三丈的說：「您現在捨得出來啦？張豪華被人殺的時候，您怎麼不出來救他？如果做好人要落得如此下場，那這個世界上還有人敢做好人嗎？」

「唉！你希望我怎麼做？」白髮老人摸著鬍子說：「我知道他是個好人，這樣的事情我看了也很心痛，問題在他命數如此，我不能改啊！」

「命數？又是命數。」鍾文昱生氣的說：「如果神連好人都不保護，那要神做什麼？」

「我知道你心裡有很多解不開的謎團，對於上天的安排，你也心有不服，甚至想把那些壞人都殺了。」白髮老人嘆氣說：「世人總說世道艱難，但其實人心如鬼域，卻反過來怪神，做神可真難啊！」

「我現在沒有心情聽那些大道理。」鍾文昱氣憤的說：「我只想知道，您到底要我做什麼？為什麼這些事情必須由我來做？」

「因為能滅鬼域的，也只有人心啊！」白髮老人對鍾文昱說：「俠之大者，為國為民，生逢亂世，又有幾個人能堅守本心呢？而且……即便天選了你，也要你的心選了你自己，如果面對苦難和折磨，就能讓你放棄自己堅守的信念，又如何擔負得起天選者的重任。」

「可是我身邊的人……都是無辜的。」鍾文昱哀求說：「有什麼事都衝著我來，反正我是從地獄裡爬回來的人，不管你們要我做什麼，我都可以心甘情願的去做，但可不可以……不要再讓我身邊的人受到傷害。」

「我跟你說過很多遍了，不是我安排的。你以為我

看了不生氣嗎？你以為我就這麼狠心，看你受盡各種折磨嗎？」白髮老人氣呼呼的說：「要不是我於心不忍，我犯得著跑來陪著你這個傻小子嗎？」

「老人家，您不要生氣。」陳詩語插嘴說：「文昱是因為心裡太難過才會這樣的，您不要跟他計較。」

「我才不會跟這個傻小子計較呢！放心，我到這裡就是來幫這個傻小子的。」白髮老人慈眉善目的對陳詩語說完這句話，又轉頭對鍾文昱說：「張豪華手上的那張字條，是那個黑人讓他拿給你的。」

「黑人？您說的是賽吉·金恩嗎？」鍾文昱問說：「紙條上寫的那個名字，難道是背後真正的主謀？」

「這個傢伙你也認識，就是十四年前把你從戰場送回醫院的人。不過要不是周清合透過關係，又花了大價錢作為懸賞，他根本也不會回去救你，所以你一點也不用感謝他，要謝還不如謝你自己的爺爺。」白髮老人又摸了摸鬍子說：「那個小子收到你爺爺給的一百萬美金之後，很快就申請退伍，跟幾個朋友一起創業，原本搞的是健康食品之類的東西，後來他搭上了美國某個神秘組織，就開始收購其他生物科技公司，並且強取豪奪人家辛苦研發的專利技術，甚至還養了一批僱傭兵殺人滅口，現在這個人已經來到臺灣，要逼著齊正祥替他走私東西，而他要走私的東西，那可是禍害全人類的東西啊！

你一定要想辦法阻止他，同時也可以一舉除掉那些作惡多端的僱傭兵。」

「他怎麼會認識齊正祥？」鍾文昱想了一下說：「難道這件事情是楊滄堯搞的鬼？難怪他這麼急著要殺掉許丞光。」

「詳細的事情，在你爺爺調查完之後就會告訴你，我先告訴你這些已經不合規矩了。」白髮老人對鍾文昱說：「我知道你很有本事，以你的功夫要對付一般的軍人完全不是問題，但那些僱傭兵有的施打了生物血清，體能與抗擊能力都超乎常人，你可不要仗著自己有點功夫，就笨到去跟他們動手，那些人可以在一分鐘之內就把你活活打死。」

「這麼恐怖啊？太不可思議了。」陳詩語擔心的說：「那萬一真的遇到了他們要怎麼辦？」

「其實這個傻小子的功夫，也不是真的這麼不堪一擊啦！」白髮老人笑說：「傻小子，你的力氣確實夠大，連吊著沙包的鐵鍊都可以打斷，但若是遇到抗擊打能力超乎常人的那些人，卻根本無法對他們的身體造成嚴重的傷害。自由搏擊在實戰上固然是最有效的，但你所學過的那些傳統武術，也不見得一點用都沒有，你在對付他們的時候，要專挑關節和穴位打，而且在出拳的時候除了要快，還要能將力量集中在一個點上，最重要的是

跟子彈的原理一樣，出拳不要只會直直的出去，要有旋
轉的爆發力。」

　　鍾文昱聽了白髮老人所說的話之後，迅速往地上的
沙包打了一拳，在拳頭接觸到沙包的一瞬間，被擊中的
沙包皮面與布面都瞬間爆開，而不是從縫線處裂開，只
要是個練過功夫或拳擊的人就會知道，這種力量大到難
以想像。

　　「不錯、不錯⋯⋯孺子可教也。」白髮老人笑著說：
「但拳頭再快，力量再大，也比不過子彈，我只是教你
防身，能讓別人用鎗解決的，就用鎗去解決，因為身體
再強壯，也不可能刀鎗不入，可千萬記住了。我還有一
點事要去做，就先走了啊！」

　　說完這句之後，白髮老人就在他們面前瞬間消失了，
陳詩語牽著鍾文昱的手，帶著他離開了健身房。

## 第三十六節　爺爺的愛

　　鍾文昱和陳詩語從健身房走出來時，看見周清合與李陽貴坐在大廳的沙發上，顯然是有話要說，所以陳詩語就拉著鍾文昱到沙發旁坐了下來。

　　「爺爺，您是不是有話要說啊？」陳詩語問周清合說：「需不需要我迴避一下啊？」

　　「妳是我的孫媳婦，還迴避什麼啊？」周清合雖然露出了笑容，但從眼神可以看出他的心情似乎很沉重。

　　「老爺，那些事情實在不是孫少爺該去面對的。」李陽貴插嘴說：「要不……我們……」

　　「我還能活多久？等我兩腿一伸，他還不是要面對？」周清合表情嚴肅了起來，似乎真的有很嚴重的事情或問題。

　　「爺爺，您就說吧！」鍾文昱對周清合說：「以前您總是在背後保護著我，現在也該由我來替您分擔一些事情了。」

　　「算你還有點良心。」周清合嘆了一口氣說：「我最擔心的事情，還是發生了，我這輩子已經盡量不去跟他們正面為敵了，但現在他們都搞到我孫子的頭上來了，我要是還讓著他們，他們只會變本加厲，這些危害世界的混蛋，也該有人出來會會他們了。」

「爺爺，您所說的他們，到底是誰啊？」陳詩語問說：「我怎麼一句也沒聽懂啊？」

「這件事情說起來非常複雜，而且恐怕也只有小昱知道得比較詳細。」周清合看著鍾文昱說：「你去德國留學了這麼多年，對猶太人的歷史應該很熟悉吧？」

「我學的是法律，雖然對歷史也要懂一些，但要說很熟悉倒不至於。」鍾文昱問說：「您要問的是哪一方面的歷史？」

「我要問的，你應該有學過。」周清合沉澱了一下說：「你有聽過卡巴拉 (註241) 這個密教嗎？」

「聽過。」鍾文昱點頭說：「這是從猶太教所發展出來的一個密教，主要是對聖經裡的上帝創世做了全新解讀，最重要的是說由於亞當所犯的罪，在上帝發出純正能量和光的過程中，出現了宇宙的災難，發生了爆炸，結果使得上帝和原始人中的陰陽、善惡部分分開了，同時也讓上帝發射過來的無數光星一起掉進了無底地獄，在爆炸中隨著一起掉入地獄的，還有伊甸園裡的那條古蛇，而彌撒亞必須先去無底地獄拯救那些散落在地獄裡的上帝光星，才能夠現身於人世間。」

「這是……什麼東西啊？」陳詩語一臉茫然的說：「我怎麼連聽都沒聽過啊？」

「很好，看來你這些書確實沒有白讀。」周清合接

著問說：「我知道你現在腦袋一定一大堆問號，但我接下來要講的事情，跟這些東西都有關係，你就耐心的讓我問，後面我會告訴你答案的。」

「我知道了。」鍾文昱恭敬的說：「爺爺請繼續問，我會就我所知的盡量回答。」

「好。」周清合繼續問說：「那有關歷史上最大規模的彌撒亞運動，不……應該說是假彌撒亞，你應該也很清楚吧？」

「我記憶中……第一個自稱是彌撒亞的人，應該是沙巴蒂‧薩維（註242），當時以色列亡國之後，猶太人被迫四處流浪，當時許多政府把猶太人限制在貧民窟裡生活，遭到殘忍的迫害和屠殺，在這樣的歷史背景之下猶太人飽受苦難，於是強烈盼望著彌撒亞的到來，才能盡快的帶領他們走出困境回到以色列。沙巴蒂‧薩維在內森的幫助下，到處宣稱他就是彌撒亞，所以受到很多猶太人的崇拜，他也是第一個去實現敗壞人類道德使彌撒亞早日降臨的人，但後來他在土耳其遭到囚禁，被逼皈依了伊斯蘭教，當時因為他的叛教，讓很多猶太人對彌撒亞的期盼破滅，也引起了很大的爭論。」鍾文昱繼續說：「第二個自稱是彌撒亞的人，應該是雅可比‧法蘭克（註243），如果說沙巴蒂是被魔鬼附身，那法蘭克簡直就是魔鬼的化身，因為他並不像沙巴蒂是在精神病發作時才做

出邪惡的行為，而是在意識清楚的情況下故意做出來的，他不但首創在黑暗當中組織信徒搞性狂歡的宗教儀式，又把散居的信徒召集起來組成了一個公社式的社區，下令叫信徒們把所有的錢產都上交，由財政人員統一管理，甚至為了自己對權力的慾望，將信徒組成軍隊，鼓吹世界大革命和暴力奪取政權，讓信徒在世界浸泡於戰爭的血泊中，向當時的權貴們拿回原本應該屬於他們的東西，而且他還讓信徒做兩面人滲透進其他宗教，從內部去搞破壞，所以沙巴蒂與法蘭克的惡行，才會對後世造成巨大而又難以消除的影響。」

　　「哇！原來還有這麼多東西是我不知道的啊！」陳詩語驚訝的看著鍾文昱說：「你的學問也太好了吧？」

　　「但是光靠這兩個人，其實是不足以影響這麼久的。」鍾文昱補充著說：「後來在 1770 年的時候，有一個德國法蘭克福市的沙巴蒂 / 法蘭克信徒，成為了舉世聞名的銀行家，他召集了 12 名信奉沙巴蒂 / 法蘭克主義的銀行家們開會，大家同意組織起來，集中資源形成強大的力量，以實現統治全球的目的，且同時獲取或掌控人類的財富，並說服當時一名年輕的大學教授，委託他籌劃、組織和成立一個極其秘密的政治顛覆性組織，在全球推行法蘭克主義，以最終實現沙巴蒂及法蘭克的彌撒亞使命，企圖建立一個世界性政府。我想爺爺真正要我

說的，應該是最後的這個部分吧！」

「沒錯。」周清合點著頭說：「這個神秘組織就是MSA（註244），到現在還一直存在。」

「MSA？原來你們說的是 MSA 的歷史由來喔？」陳詩語插嘴說：「不是很多政府與主流媒體都說……那些只是穿鑿附會的陰謀論嗎？」

「小丫頭啊！這個世界上大家都說是真的東西，未必是真的，大家都說是假的東西，也未必是假的。」周清合笑著說：「就像你們所看到的白髮老人，妳認為是真還是假啊？」

「那是我親眼所見的，當然是真的啊！」陳詩語理直氣壯的回答著。

「所以囉！」周清合解釋說：「每個人的經歷不同，眼界也不同，妳能看到的東西，別人不見得看得到，別人能看到的東西，你也不見得看得到，這樣妳懂了嗎？」

「懂了。」陳詩語尷尬的笑著說：「爺爺快跟那個老人家一樣了，說的話都好深奧喔！」

「其實 MSA 一直在全世界暗中推動大重構計畫，並且不擇手段的在推進這個議程。」周清合嚴肅的說：「我跟你們說這些的目的，不是要你們去瞭解或相信什麼陰不陰謀論的問題，而是我已經透過邁克・蓬佩奧查出，在背後提供資金給亞伯・馬丁內斯去併購和奪取其他生

物科技公司專利技術，就是 MSA。正確來說，亞伯‧馬丁內斯現在應該也是 MSA 裡的成員。」

「他真的是李雲強那夥人的幕後老闆嗎？」鍾文昱難以置信的說：「他以前……不像是這樣的人啊？」

「很多人是會變的。」周清合看著鍾文昱說：「尤其在金錢和權力的面前，很多人甚至可以將做人的最後底線都拋諸腦後。」

「爺爺，我是不是又給您惹了很大的麻煩？」鍾文昱一臉愧疚的問著。

「是該會會他們了。」周清合長嘆了一口氣，接著說：「其實 MSA 裡我也認識很多人，只不過道不同不相為謀罷了。我已經請人幫我約亞伯‧馬丁內斯見面，他曾經拿過我一百萬美金，應該不會不肯跟我見面。」

「什麼？」鍾文昱被周清合所說的話給嚇到，緊張的說：「這太危險了，爺爺您沒必要這麼做。」

「他不至於連我都敢殺吧？」周清合冷笑著說：「就算他真的想殺我，也得有那個實力才行。而且我打算……帶著你一起去，是騾子還是馬，牽出來遛遛就知道了，也免得在背後猜來猜去，是吧？」

「好！」鍾文昱回答說：「我跟您一起去。」

「小昱啊！爺爺已經很老了，就算你再不願意，這整個集團的擔子，將來還是會落在你的肩膀上。」周清

合感慨的說：「我們不惹麻煩，但我們也絕對不怕麻煩，堅守自己心中的信念，並沒有錯，更不能因為心裡的愧疚，就放棄自己堅守的信念，知道嗎？」

鍾文昱眼裡含著淚光，用力的點了點頭。

在李陽貴的攙扶下，周清合慢慢走向自己的臥房，走到門口回頭看了一下鍾文昱，微笑著點了點頭，然後才走進了臥房。

## 【本節註釋】

註241：無論舊約或新約聖經（《舊約・以西結書》第 38 章 16 節），都預言了彌撒亞將在人類的最後時刻降臨，猶太教則堅信彌撒亞將會復興以色列，並且征服其他所有的王國，最終給世界帶來和平。在猶太教傳統的神學中，彌撒亞何時來臨是完全由上帝決定的，人類是無法透過與上帝互動或溝通，而影響上帝的決定，所以傳統的猶太教認為對於彌撒亞的出現，人只能等待而無法左右。後來猶太教發展出另一支密教「卡巴拉」，卡巴拉是猶太教的玄幻部分，有兩個分支即「理論卡巴拉」與「實踐卡巴拉」，以實踐卡巴拉為例，就是透過學習和運用法術（例如驅邪、招魔）和神靈、天使或魔鬼溝通，與神靈、天使溝通的叫白魔術，與妖魔鬼怪溝通的叫黑魔術。卡巴拉的主要思想與《摩西五書》的一神論不同，其所宣揚的是二元論，其認

為上帝同時含有善與惡，所以傳統猶太教的信徒認為卡巴拉是異端，對卡巴拉持批評的態度。於16世紀，卡巴拉出現革命性的變化，有一個叫艾薩克・魯利安（1534-1572）的拉比（此為猶太教的特別階層，主要為有學問的學者，是老師和智者的象徵），創立了一個新的密教教派「魯利安卡巴拉」，其對聖經裡的上帝創世做了全新解讀，其中最重要的是其認為由於亞當所犯的罪，在上帝發出純正能量和光的過程中，出現了宇宙的災難，發生了爆炸，結果使得上帝和原始人中的陰陽、善惡部分分開了，同時也讓上帝發射過來的無數光星一起掉進了無底深淵（即地獄），在爆炸中隨著一起掉入地獄的，還有伊甸園裡的那條古蛇（即撒旦），而彌撒亞必須先去無底地獄拯救那些散落在地獄裡的上帝光星，才能夠現身於人世間。至於彌撒亞究竟何時降臨人間，教徒們認為有兩種情況，一是全人類都是純潔善良的好人而沒有壞人時，另一是整個世界完全墮落而不有任何好的因素存在時，所以在他們的想法中關於彌撒亞的出現，與全人類整體道德是有緊密聯繫的。也就是「魯利安卡巴拉」不像傳統猶太教義認為上帝的意旨不受人類影響，而是可以通過改變人類的整體道德來加速彌撒亞降臨人間。「魯利安卡巴拉」的出現與當時歷史背景息息相關，在以色列亡國之後，猶太人被迫四處流浪，在中世紀的歐洲猶太人被認為是外國人，許多政府把猶太人限

制在貧民窟裡生活，遭到殘忍的迫害和屠殺，在這樣的歷史背景之下猶太人飽受苦難，於是強烈盼望著彌撒亞的到來，才能盡快的帶領他們走出困境回到以色列，所以「魯利安卡巴拉」的出現，就給了猶太人對於彌撒亞的嶄新希望，甚至全世界的猶太人都認為彌撒亞很快就會降臨，於是歷史上最大規模的彌撒亞運動就因此應運而生，其中不乏對假彌撒亞的崇拜，當時最早出現的人物就是沙巴蒂・薩維。

註242：沙巴蒂・薩維（Sabbatai Zevii,1626-1676）於 1648 年第一次對外宣稱自己與彌撒亞的來臨有關，但是周圍的人認為他是公開褻瀆神靈，導致他被當地的拉比們趕出了家鄉，後來沙巴蒂流浪到波蘭（及現今烏克蘭境內）、伊斯坦布爾、埃及等很多地方，就在沙巴蒂四處流浪時，耶路撒冷出現了一個叫內森的人，其從小就是當地著名的拉比，受到很好的猶太宗教教育，後來內森也成為一名卡巴拉學者，甚至有人盛傳他有第三隻眼，可以看到一些凡人看不到的東西。隨著內森的名氣愈來愈大，沙巴蒂知曉後便去找了內森，兩人進行了深入的對談，內森認為沙巴蒂就是彌撒亞，替沙巴蒂四處宣傳，慢慢傳遍了當地的猶太社區，而當時猶太人正急迫的想從苦難中逃離，盼望著彌撒亞的降臨，所以在內森這個功臣的幫助下，沙巴蒂就成為了（假）彌撒亞，後來沙巴蒂與內森離開了耶路撒冷，向敘利亞、土耳其方向前進，使彌撒亞的消息快

速的擴散到全世界的猶太社區，途中無數狂熱的歡迎
人群拜倒在地向沙巴蒂臣服，漸漸有幾百個人跟著沙
巴蒂當保鏢，甚至他走到哪裡，信徒們都鋪上地毯相
迎。不過在沙巴蒂家鄉及其他流浪過的地方，當地的
拉比都認為沙巴蒂是精神病，根本不承認沙巴蒂就是
彌撒亞，這也造成當時猶太社區的巨大分裂。沙巴蒂
在對外聲稱自己就是彌撒亞之後，就用一條彎曲的
蛇，作為他自己的標誌（後來世界上有很多機構的標
誌上有蛇作為象徵，不知是否與此有關），因為沙巴
蒂認為掉到無底深淵的古蛇撒旦，一直試圖從地獄中
爬出來獲得自由，而當撒旦爬出地獄獲得自由時，就
會成為地球上的彌撒亞，也就是說沙巴蒂心中的救世
主彌撒亞，就是魔鬼撒旦。也因為如此，沙巴蒂對所
有的信徒說現在是彌撒亞時代，所有的摩西戒律和猶
太教教規都不用再遵守，他還發明了新的祈禱模式，
讓信徒在祈禱時默唸「祝福沙巴蒂，讓不允許的都允
許了」，沙巴蒂甚至鼓勵別人去勾引他的妻子通姦，
並幻想著會突如其來的擁有某種神秘力量，讓他一夜
之間統治全世界，所以他開始給自己的親友按地球地
圖劃分板塊封王封爵，並往土耳其方向想要實現自己
的美夢。在沙巴蒂到達土耳其之後，讓土耳其當局非
常不滿，不僅不相信沙巴蒂就是彌撒亞，還逮捕囚禁
了他，但在沙巴蒂被囚禁的幾個月當中，仍然有很多
人去朝拜沙巴蒂，結果監獄變成了沙巴蒂的宮殿，甚

　　至還傳出了很多放蕩的性醜聞，最後土耳其當局採取
行動，要求沙巴蒂用奇蹟來證明自己是彌撒亞，不然
就皈依伊斯蘭教（因為當時土耳其國王信奉伊斯蘭
教），否則就要處死他，結果沙巴蒂選擇了叛教而皈
依伊斯蘭教，使當時猶太社區對沙巴蒂的希望全部破
滅，但猶太人對於彌撒亞的期盼並未消滅，後來又出
現了第二個重要的假彌撒亞 - 雅可比‧法蘭克。

註 243：雅可比‧法蘭克（Jacob Frank, 1726-1791）出生於當
　　　　時波蘭（現為烏克蘭境內）的猶太人家庭，死於德國
　　　　法蘭克福市市郊，法蘭克是他後來取的名字，並非
　　　　原名。他和沙巴蒂很不一樣，從小不愛讀書，沒有受
　　　　到多少正規猶太教宗教學教育，他幼年時是個非常難
　　　　以管教、不守規矩的孩子，力氣很大，經常在猶太廟
　　　　裡搗亂，讓大人們非常頭痛。法蘭克在 12 歲時，領
　　　　導了一個由上百名孩子組成的幫派團夥，綁架旅行的
　　　　人，並向他們眼睛撒沙子、攔路搶劫，儼然像一個小
　　　　強盜頭子。法蘭克童年的第一個老師，就是沙巴蒂
　　　　信徒，所以法蘭克從小就嚮往著加入沙巴蒂信徒的行
　　　　列，他曾經問沙巴蒂主義的老師，既然沙巴蒂是彌撒
　　　　亞，為何會死亡？老師回答說沙巴蒂需要嘗試各種經
　　　　歷，甚至要品嚐死亡的苦果。但法蘭克又問為什麼沙
　　　　巴蒂不先品嚐權力的甜頭呢？從此可以看出法蘭克對
　　　　權力的慾望極強，這也是後來法蘭克彌撒亞運動的推
　　　　力。法蘭克在結婚後成為沙巴蒂信徒，也自稱出現了

神通，說自己有一次在幻境中看到了沙巴蒂，並聲稱
是沙巴蒂指引了一條通往地獄深淵的路，讓他成為彌
撒亞。沙巴蒂作為第一任假彌撒亞，是在精神不正常
時做出褻瀆神靈、亂倫亂性的舉動，所以沙巴蒂比較
像在精神不正常時被魔鬼附身，但法蘭克卻即使在清
醒時都是魔鬼的化身。法蘭克時代在很多方面都極度
敗壞宗教，摧毀信徒的道德，比沙巴蒂更加的邪惡與
恐怖，可以說是現代邪惡的始祖，對於後來幾百年的
人類社會造成重大影響，很多現代社會的陰暗面或多
或少都起源於法蘭克。第一個方面就是法蘭克對性的
墮落，他經常在黑暗當中組織信徒搞性狂歡的宗教儀
式，男女信徒在黑暗當中脫光衣服進行性狂歡，法蘭
克稱此為「通過裸體得到真理」，這是法蘭克主義宗
教儀式的一部份，他對信徒們說現在是彌撒亞時代，
以前不允許的，現在都允許了，並將所有的道德規範
都反過來，將好的說成是不好的，把不好的說成是好
的，還對信徒說「把你們所學的全部東西都扔掉，把
所有的法律都踩在腳下，只聽我的」。第二個方面是
法蘭克對權力的慾望極強，他說沙巴蒂作為彌撒亞什
麼都經歷了，就是沒有實現統一世界，嚐到權力的甜
頭，所以 1758 年法蘭克把散居的信徒召集在一起，
組成了一個公社式的社區，下令叫信徒們把所有的錢
產都上交，由財政人員統一管理，滿足大家的慾望，
不許任何人把財物視為自己的，所有財物都歸大家共

同分享，此時法蘭克主義的主要思想也開始成熟。除了開始共有財產，法蘭克還開始了用武力征服世界的計畫，他說信徒們原來都處在社會的最底層，但不久就會翻身成為社會的最高層，甚至可以成為王子、貴族，配著寶劍騎著馬在街上耀武揚威，而現在的王子、貴族將要成為賤民，他還暗示信徒即將來臨一場大戰爭，推翻所有的政府與宗教，信徒們只要拿起武器拯救世界，當世界浸泡在戰爭的血泊當中，信徒們就可以把原本屬於自己的東西給拿走，只要聽從他的命令，就可以獲得父輩們都想像不到的巨大財富。法蘭克在讓信徒準備戰爭的同時，也在鼓吹世界大革命、暴力奪取政權，他把信徒組織在秘密而又高度紀律性的軍事營地裡，將男女信徒分為類似軍隊的不同級別，展開軍事訓練及演習，將自己視為一支龐大軍隊的首領，要用這個軍隊去征服各國。在他的軍隊當中不許軍官們有任何宗教信仰，全部都要穿著紅色衣服，因為對沙巴蒂及法蘭克的信徒而言，紅色是復仇的顏色，代表著鮮血，所以法蘭克時代，顯然已經有了武裝鬥爭與暴力革命的思想，要用軍事征服以實現統一世界的使命，而這一切都是在法蘭克對權力的野心下所驅使。第三方面就是法蘭克帶領信徒們成為「雙面人」，讓信徒們滲透進其他的宗教，從內部破壞其他宗教，這對現今社會仍有著巨大影響，許多集權國家常使用這種手段破壞人民的宗教信仰。法蘭克

開創的邪惡先河還有很多，這裡只大致歸納了三點做
為代表，按照法蘭克自己的說法，就是要把世界全部
顛倒，把人類社會變成大墮落的時代，美其名曰用罪
惡贖罪，拯救散落在地獄裡的上帝光星，加速彌撒亞
的到來，但實際上是將人們帶入地獄，拋棄信仰和道
德，泯滅人性良知。回顧沙巴蒂和法蘭克作為假彌撒
亞掀起歷史上規模最大的彌撒亞運動，可以發現一個
共同點，那就是信奉魔鬼，他們相信魔鬼撒旦一旦爬
出地獄獲得自由，就會成為人間的彌撒亞。這就是為
什麼沙巴蒂與法蘭克的惡行，會對後世造成巨大而又
難以消除的影響之原因。但沙巴蒂和法蘭克主義之所
以能到今天還對世界有著如此巨大的影響，當然不是
僅僅有沙巴蒂或法蘭克這兩個人就足夠的，1770 年德
國法蘭克福市的沙巴蒂/法蘭克信徒，後來成為舉世
聞名的銀行家梅耶・阿姆謝爾・羅撕柴爾德（Mayer
Amschel Rothschild，1744-1812），他召集了 12 名信
奉沙巴蒂/法蘭克主義的銀行家們開會，大家同意組
織起來，集中資源形成強大的力量，以實現統治全球
的目的，且同時影響或掌控人類的財富，並說服當
時一名年輕的大學教授亞當・魏薩普（Johann Adam
Weishaupt，1748-1830），委託他籌劃、組織和成立
一個極其秘密的政治顛覆性組織，在全球推行法蘭克
主義，以最終實現沙巴蒂及法蘭克的彌撒亞使命，企
圖建立一個世界性政府。直至 1776 年 5 月 1 日，魏

　　　　薩普在德國南部的巴伐利亞成立了「完美會」，不久
　　　後改名為「光照幫」。這種說法被世界上很多政府或
　　　主流媒體稱為陰謀論，但事實的真相究竟如何，就留
　　　給大家自己判斷。

註 244：MSA 的這個名稱，為作者所改編，以避免無謂之爭
　　　議。

## 第三十七節　齊正祥與神的約定

走私所選擇的時間，絕對不會是大白天，這個道理大家都懂，因為目標太過明顯。大部分有計畫性的犯罪活動，也幾乎都會選在夜深人靜的時間進行，其中的道理也不言自明。

今天齊正祥的手下，並沒有被安排從事任何的走私任務，甚至也沒發生什麼特別的事情，但齊正祥直至深夜仍坐在辦公室裡，而且連時間也沒有特別去在意。他究竟是在等人？還是有什麼事情要去做？

賽吉·金恩不發一語的坐在沙發區，將手上那把鎗的零件全部拆解，仔細的用鎗油擦拭著每個零件，並且動作迅速的將每個零件組裝回去。這是一個鎗手經常會做的事，因為鎗枝的保養非常重要，也關係著用鎗者的自身安全（避免機件故障與卡彈）。

時間一分一秒的過去，齊正祥卻好像沒有要離開的意思，既然賽吉·金恩最主要的任務就是保護齊正祥，所以他什麼也沒問，只是靜靜的在保養著自己的手鎗。

但就一眨眼的時間，賽吉·金恩突然看到齊正祥的面前站著一個人，他直覺反應的拿起手鎗，指著那個突然出現的人。然而當他看清楚那個人之後，他卻迅速將握著鎗的手放下，因為眼前的人是一個老人，除了滿頭

白髮之外，就連長長的鬍鬚都雪白發亮。

　　「你是誰？從哪裡進來的？」賽吉‧金恩問說：「為什麼我都沒聽到你的腳步聲？」

　　「小黑，別這麼沒禮貌。」齊正祥早已站了起來，對著賽吉‧金恩說：「這位老人家不是人，是個老神仙，你當然聽不到他的腳步聲。」

　　「你就是鍾文昱所說的那個黑閻羅啊？」白髮老人緩緩的走到沙發旁坐下，笑著說：「都過來坐著吧！」

　　齊正祥拉著賽吉‧金恩坐了下來，然後對白髮老人說：「您叫我在這裡等，是有什麼事情要我做嗎？」

　　「我先去別的地方辦了一點事情，現在過來給那些壞人一點教訓。」白髮老人先回答齊正祥，又接著說：「你們知道張豪華被殺死的事情了嗎？」

　　「我們已經在電視新聞上看到了。」齊正祥惋惜著說：「他還這麼年輕，又這麼講義氣，實在是太令人難過了。」

　　「你是神仙？」賽吉‧金恩一臉不相信的樣子，轉頭問齊正祥說：「你跟這位老人家認識很久了嗎？」

　　「也不是很久。」白髮老人微笑著說：「在你和鍾文昱來找他之前，我就來找過他了。」

　　「你說你是神仙？」賽吉‧金恩還是不相信，問說：「怎麼證明？」

「小黑，不要無禮。」齊正祥緊張的說：「祂真是如假包換的神仙。」

　　「沒關係，反正我今天就是來打架的，他既然要我證明，我就證明給他看看囉！」白髮老人還是一臉笑容，站起來對賽吉・金恩說：「你站起來打我試試，看看能不能打到我？」

　　聽到白髮老人這麼說，賽吉・金恩馬上站了起來，擺出了格鬥的架勢，但看到眼前這位滿頭白髮的老人，他卻不忍心出拳。

　　「老人家，我的拳頭力量很大。」賽吉・金恩對白髮老人說：「你這個年紀要是被我打中一拳，那可不是開玩笑的。」

　　「別擔心。」白髮老人指著自己的胸口說：「讓你打你就打，你不打我怎麼證明呢？」

　　為了怕傷到老人家，賽吉・金恩僅是緩緩的將手伸了出去，但沒想到的是，他的拳頭竟然直接穿過白髮老人的身體，就好像是打在空氣裡一樣。看到這副景象，賽吉・金恩一臉難以置信的看著白髮老人，因為眼前明明是一個活生生的人，為什麼連碰都碰不到？

　　「怎麼樣？」白髮老人問說：「信了嗎？要不要多打幾拳試試？」

　　賽吉・金恩迅速收回了拳頭，尷尬的笑說：「不用了，

我打都打不到你，你不會是鬼吧？」

　　「沒禮貌。」白髮老人敲了一下賽吉・金恩的腦袋，扳起臉孔說：「我可以隨心所欲的控制，鬼做得到嗎？再胡說八道，小心我敲你腦袋。」

　　賽吉・金恩痛得一直用手揉腦袋，笑說：「我信啦！別打了。」

　　「老人家，您別跟他一般見識啦！」齊正祥趕緊打圓場說：「坐著說啦！」

　　「還坐啊？該走了。外面的人等了很久，我們該出去會會他們了。」白髮老人轉頭對賽吉・金恩說：「等一下要打架的事情，就交給我了，你在旁邊看著就可以了，千萬別過來搗亂，知道嗎？」

　　「喔！知道了。」賽吉・金恩唸叨著說：「我還真沒見神仙搶著要打架的。」

　　齊正祥在手下與賽吉・金恩的保護下，坐上了車離開這裡，往回家的方向駛去，但就在出門後沒多久，在一條杳無人煙的產業道路上，遇到一輛車的阻擋，只好將車子停了下來。

　　賽吉・金恩小心翼翼的下車查看，沒想到那輛車裡的兩名壯碩外籍男子馬上開門下車，用極快的速度衝向賽吉・金恩，賽吉・金恩下意識的想要拔鎗，但白髮老人已經擋在了面前。

　　那兩名異常壯碩的外籍男子看見白髮老人，馬上停下了腳步，難以置信的揉了揉自己的眼睛，因為這個白髮老人就好像是瞬間出現的一樣，令他們也嚇了一跳。

　　「你們應該會說中文吧？」白髮老人先開口問說：「是亞伯‧馬丁內斯叫你們來的吧？」

　　「你還是趕快讓開吧！」其中一個外籍男子對白髮老人說：「你一大把年紀了，現在可不是鬧著玩的。」

　　「今天下午去殺張豪華的……」白髮老人冷冷的問說：「應該就是你們兩個人吧？」

　　「看樣子你是真的想找死囉？」另一個外籍男子咆哮著說：「那可別怪我們欺負老人了。」

　　「欺負老人？不知天高地厚的小毛頭。」白髮老人笑著說：「雖然我不能改變結果，但給你們一點教訓，打斷你們的幾根骨頭，還是可以的。」

　　那兩個外籍男子見白髮老人說話如此狂妄，立刻直接衝上來對白髮老人發動攻擊，孰料白髮老人身形快如閃電，以奇幻的身法穿梭在兩人之間，並立刻擊中他們的氣海穴，讓他們痛得直往後退，甚至痛到直冒冷汗，把他們嚇得目瞪口呆。

　　「超級士兵？」白髮老人一臉不屑的說：「就這麼一點本事而已嗎？千萬不要跟我老人家客氣，拿出點真本事來。」

　　賽吉・金恩看到這個場面，這才知道白髮老人為什麼搶著打架，而且叫他不要搗亂，因為以這兩個人的力量與速度來看，他上場恐怕只有挨打的份。

　　那兩個外籍男子從腰際拔出短刀，再次衝過來想要置白髮老人於死地，但他們手上的刀，竟然直接穿過白髮老人的身體，而且並沒有造成任何傷害。

　　就在他們感到訝異的時候，白髮老人抓住了他們拿刀的手，硬生生的將他們手臂扭斷，並且又一掌將他們打飛出去，直接打斷了他們的幾根肋骨。

　　「很痛吧？你們殺別人的時候，知道人家有多痛嗎？」白髮老人站在原地，憤怒的說：「要不是我不能殺人，你們早就被我活活打死了。」

　　「你……」其中一個男子害怕的說：「你會法術？」

　　「法術？對付你們兩個小毛頭，我還用得著用法術？你們應該看出我不是人了吧？你們做了這麼多壞事，就沒想過會被神懲罰嗎？」白髮老人冷笑說：「你們回去告訴亞伯・馬丁內斯，不要以為我不知道他想做什麼，有我在這裡，還容不得你們放肆。」

　　「你放我們走？」另一個男子恐懼的問說：「你不殺我們嗎？」

　　「我不是說了嗎？我不能改變結果，而且我還要你們回去傳話，不然要殺你們不就像殺螻蟻一樣容易嗎？

你們也不用擔心回去之後，沒有人會相信你們，我在十幾年前曾經幻化成鍾文昱的樣子，李雲強親眼見過我的厲害。」白髮老人接著說：「給我告訴亞伯·馬丁內斯，他要是還不知悔改，我會直接讓他下無間地獄，嚐遍所有的痛苦。還有……要是他敢再傷害鍾文昱的親友，或鍾文昱身邊的任何一個人，我絕對不會再手軟。還不趕快給我滾？」

那兩個外籍男子用另一隻手撿起地上的短刀，趕快跑回了車上，狼狠的逃離了現場。

賽吉·金恩見他們走後，朝白髮老人走了過來，一副巴結的嘴臉說：「老人家，我真是有眼不識泰山，你可真厲害啊！」

「現在知道巴結我了啊？」白髮老人笑著往齊正祥的座車走去，回頭對賽吉·金恩說：「還傻在那裡做什麼？還不趕快過來給我開門？」

「還需要給你開門啊？你不是神嗎？」賽吉·金恩雖然嘴上是這麼嘀咕，但還是恭恭敬敬的來幫白髮老人打開車門。

離開打鬥的現場之後，齊正祥問白髮老人說：「老人家，這樣亞伯·馬丁內斯還敢來找我合作嗎？」

「他不敢的話，那就由你去找他。」白髮老人表情嚴肅的說：「這小子已經是個惡魔，不會這麼容易就悔

改的，要想讓這些人徹底伏法，還得靠你了。這也是我們早就約定好的，雖然你現在已經知錯也願意悔改了，但你之前做過這麼多壞事，接受懲罰也是很應該的吧？你願意用這種方式贖罪，我也感到很欣慰。」

「我這一輩子罪孽深重，您願意給我贖罪的機會，我已經感激不盡了。」齊正祥誠懇的說：「我也知道如果只是放下屠刀，是不可能將往日因果都一筆勾消的，即便要下地獄受罰，我也是心甘情願，但在我死之前，我一定幫您把亞伯・馬丁內斯這夥人送下地獄。」

「你能明白就最好了。」白髮老人又轉頭對賽吉・金恩說：「小黑仔，你也一樣，既然決定悔改，就好好幫著齊正祥把這件事情做好，知道嗎？」

「老神仙，你放心吧！」賽吉・金恩點頭說：「我這次來臺灣，就是打算拿我這條命還給鍾文昱的。」

白髮老人欣慰的點點頭，眨眼間就從齊正祥的車裡消失了，賽吉・金恩雖然已經知道白髮老人是神仙，但看到他突然消失，還是不免感到驚訝與神奇。

## 第三十八節　峰迴路轉

又是一夜未眠，田偉志昨天晚上從醫院回到刑警大隊之後，先查看了張豪華被殺害現場的監控錄影畫面，然後就反覆觀看著大量的道路監控錄影畫面。

本打算用以車追人的方式，找出凶手逃逸的路線，但那些人有著過人的反偵察能力，不但中途換了好幾次車輛，而且車輛上的車牌也都是幽靈車牌，並且在每次換車的過程中，所選擇的地點都是監控死角，根本無法確認出凶手逃逸的方向與路徑。

雖然這是田偉志早就已經預想到的結果，但他還是不斷的反覆觀看著，只希望能夠再仔細一點，不要放過任何的蛛絲馬跡，不光是因為死的是自己的朋友，這更是他身為刑警的使命與職責。

雖然田偉志從窗外的光線得知早已經天亮，但他卻沒有心情去瞭解現在是什麼時間，即便長時間看著電腦螢幕的眼睛已經疲憊不堪，但他還是打起精神繼續看著。因為每當他一想到在醫院看到的情景，他的眼睛就會忍不住流出淚水，就連辦公室門外傳來了敲門聲，他都沒有聽見。

「隊長。」一名隊員直接打開了門，在門外對田偉志說：「宋法醫來找你。」

　　「宋法醫？」田偉志伸了一個懶腰說：「趕快請他進來。」

　　宋逸成一隻手提著公事包，另一隻手則提了一大袋東西，從隊員的背後走了進來，對田偉志說：「還沒吃早飯吧？我帶了三明治和咖啡，要不要吃啊？」

　　「太陽打西邊出來了啊？」田偉志從椅子上站了起來，走到沙發旁坐了下來，笑著說：「你平時這麼小氣，今天怎麼想起來給我買早餐了呢？」

　　「這還不都怪你們大隊長啊！」宋逸成把三明治與咖啡從袋子裡拿了出來，分別放了一份在自己與田偉志的面前，抱怨著說：「一大早就催著我把驗屍報告送過來，我想你昨晚應該一整夜都在看監控錄像，所以買早餐的時候，就順便買了你的，你要是不吃的話，我就帶回去當中餐了。」

　　「吃，你都拿來了，我幹嘛不吃啊！」田偉志拿起三明治，狠狠的咬了一口，而且還喝了一口咖啡，然後裝模作樣的對宋逸成說：「我真是太感動了，這可是我這輩子第一次吃到宋法醫請的東西，真是太好吃了。」

　　「你這小子沒什麼特點，就是那張嘴特別厲害。」宋逸成接著問說：「你看了一整晚，有查到什麼有用的東西嗎？」

　　「沒有。」田偉志沮喪的說：「還是幽靈車牌，又

都選在監控死角換車，以車追人的方式根本行不通。」

　　「又是這樣啊？」宋逸成安慰田偉志說：「唉！盡力了就好，沒什麼好沮喪的，這夥人遲早還會出來，不可能永遠抓不到他們的。」

　　「問題是……如果不趕快抓到他們，他們就還會去傷害更多的人。」田偉志義憤填膺的說：「這些人根本就是魔鬼，要是能找到他們，我一個也不會放過。」

　　「你只是個刑警，還以為自己是藍波 (註245) 啊？」宋逸成搖頭說：「那些人都受過特種的軍事訓練，不是一般警察可以對付的，如果真能找到他們，還是讓尚隊長他們處理吧！我可不想你跟老吳一樣白白送命。」

　　「我知道啦！我就是說說嘛！到時候大隊長也不可能叫我去啊！」田偉志接著問說：「張豪華的驗屍報告，有什麼特別要注意的地方嗎？」

　　「他身上被刺了十二刀，每一刀都深入內臟，凶器是軍用匕首，刀刃的另外一面有鋸齒狀，所以造成撕裂性的傷口。」宋逸成面色凝重的說：「他主要的死因是失血性休克 (註246)，失血的速度太快，量又太大，所以即便輸血也沒有用，在到院前已經死亡，至於刀刃刺入所造成的肋骨骨折，並不是死因。」

　　「這兩個凶手真是太沒有人性了。」田偉志憤慨的說：「我看到他女友那副崩潰的樣子，還有小鍾自責的

樣子，我簡直難受到了極點。」

「唉！誰都不願意看到這種事情發生，你多去勸勸小鍾，叫他不要想太多了。」宋逸成說完這句話之後，似乎想起了什麼，馬上又對田偉志說：「你還記得施瑞芳跳樓的那個案子吧？」

「案子都還沒破，當然記得啊？」田偉志問說：「你怎麼會說到施瑞芳這件事呢？」

「因為她是跳樓死的，所以我當初在驗屍的時候，就只針對傷勢及血液檢驗做了分析與報告。」宋逸成回答說：「但由於當天我在她的陰道內發現，還有殘留的 Nystatin (註 247) 陰道塞劑，所以我也順便對她的陰道做了一些採樣與檢驗，發現她在鄰近死亡的時間前不久，曾經與男人有過性行為，陰道裡還有精液的殘留，這不知道對你偵辦這個案子有沒有幫助？」

「靠……你怎麼不早說啊？」田偉志拍了一下大腿說：「施瑞芳死的時候，她丈夫人還在上海，當天跟她發生性關係的鐵定不是她老公，我有查到施瑞芳當天下午曾經跟方若堂見過面，所以故意去試探過方若堂，方若堂也承認確實跟她有過不正常的關係，我那個時候就一直懷疑方若堂明知道施瑞芳長期在服用煩寧，所以故意拿唑吡坦給施瑞芳吃，這才造成施瑞芳跳樓的，而且方若堂也當我的面承認他有在服用唑吡坦，現在你又檢

驗出施瑞芳在死前不久曾與男人發生過性行為，是不是
只要比對一下 DNA，就可以知道她死前究竟跟誰發生過
性行為？」

　　「是可以啦！但即便找到在施瑞芳生前與她發生過
性行為的人，也不能證明那個人就是凶手啊？」宋逸成
提醒說：「而且施瑞芳的死因是跳樓，即便檢驗出她體
內同時存在煩寧與唑吡坦兩種藥物，警方也沒有理由強
迫別人提供 DNA 樣本吧？」

　　「這你就不用管了。」田偉志微笑著說：「這些關
聯我自然會去搞清楚，至於 DNA 樣本嘛……你還記得小
鍾在老吳的葬禮那天，請來幫忙我們警方的石頭嗎？」

　　「聽你說過。」宋逸成問說：「這件事跟這個人有
什麼關係？」

　　「我後來還有去找他請教一些有關電腦的問題。」
田偉志說：「我曾聽他說過，方若堂律師事務所裡的電
腦維護工作，也是他公司在處理的。只要他肯幫忙，說
不定就可以取得方若堂的 DNA 樣本，我只不過就拜託他
偷一點不值錢的東西，他應該不會拒絕我吧？」

　　「你可不要胡來啊！」宋逸成擔心的說：「你是不
是讓小鍾給帶壞了啊？盡想些不合規矩的方法。」

　　「能抓到老鼠的就是好貓，就算被處分我也甘願。」
田偉志大口的喝著咖啡，一臉奸笑的樣子。

　　宋逸成將吃完的東西放回袋子裡，交給田偉志去丟掉，然後拍了拍田偉志的肩膀，提著公事包就離開了田偉志的辦公室。

## 【本節註釋】

註 245：約翰・詹姆斯・藍波（John James Rambo）是電影《第一滴血系列》中虛構的角色，首次登場於大衛・莫瑞爾所寫的 1972 年小說《第一滴血》中，但在改編自該小說的越戰主題電影《第一滴血》於 1982 年上映後，才使該角色真正出名，並曾獲提名至美國電影學會的 AFI 百年百大英雄與反派名單，但並未上榜。藍波是名美國陸軍綠扁帽特種部隊的退役隊員，在首部電影及續集中均由席維斯・史特龍出演，而史特龍本人也因藍波一角的演出而得到注目與好評。後來「藍波」一詞也被廣泛的用來形容肌肉壯碩、戰技高超的無敵戰士。

註 246：失血性休克（hemorrhagic shock）是大量失血引起的休克，常見外傷引起的出血、消化性潰瘍出血、食道曲張靜脈破裂、婦產科疾病所引起的出血等。失血後是否會發生休克僅取決於失血量，還取決於失血的速度。休克往往是在快速、大量失血（超過總血量的 30-35％）而又得不到及時補充的情況下發生的。當血容量不足超越代償功能時，就會呈現休克綜合病徵，

其表現為心排出血量減少，周圍血管收縮，血壓下降。組織灌注減少，促使發生無氧代謝，導致血液乳酸含量增高和代謝性酸中毒。血流再分布使腦和心的血供能得到維持，血管進一步收縮會招致細胞損害，血管內皮細胞的損害致使體液和蛋白丟失，加重低血容量，最終將會發生多器官功能衰竭。

註 247：Nystatin 是一種陰道塞劑藥品（許可證字號為衛署藥製字第 014596 號），用於治療念珠菌所引起的陰道感染症，通常每天 1 至 2 錠，藥片先沾水後，置於陰道深部，大約需要連續兩週的治療（即使在月經期間也不應中斷）。

## 第三十九節　不合規定的蒐證

　　鍾文昱及田偉志口中的這個石頭，當年在軍中可是個響噹噹的人物，他不但對電腦設備非常專精，而且還是個專業的駭客，所以他從國家安全局退伍之後，就自己開了一家專門做電腦及網路設備維護的公司，如今已是擁有近百個員工的老闆。

　　石頭雖然只是他的外號，不過他真正的名字也差不多，因為他的真名叫做石謀，唸快一點也就變成石頭了，所以大家都只記得他的外號，幾乎沒幾個人會想起他的真名。

　　當天下午，石謀帶著兩名年輕的員工，來到方若堂的律師事務所樓下，到了接近大門口的時候，他突然停下了腳步，而且竟然轉頭往回走。

　　「老大，你要去哪裡啊？」其中一名員工叫住了他，問說：「客戶不是在催嗎？」

　　「我知道。」石謀一臉為難的表情說：「我是⋯⋯唉！說了你們也不懂，我心裡很掙扎啊！」

　　「就是去修電腦設備，掙扎個什麼啊？」那名員工不解的說：「再不去客戶要跳腳了。」

　　「我才要跳腳咧！」石謀不耐煩的說：「好啦、好啦！上去就上去啦！」

石謀一臉心不甘情不願的樣子，走進了大門，經過登記及換證的手續之後，便帶著兩名員工去坐電梯，前去方若堂的律師事務所。

　　在助理人員的帶領下，石謀和兩名員工分別被帶進了電腦機房與方若堂的辦公室，因為聽助理說方若堂在跟重要的客人開會，所以石謀假裝忙碌的在電腦機房與辦公室穿梭，指導他的員工如何處理問題，其實是在藉機觀察會議室裡的人。

　　石謀畢竟是個高科技人才，他當然不會用手機去拍照或錄影，因為這種方式太過引人注意。雖然他是被田偉志逼著幫忙的，但他還是戴著眼鏡型攝影機來到這裡，所以他眼睛所能看到的一切，都被眼鏡型攝影機給拍了下來。

　　拍攝完會議室裡的情形之後，石謀走進方若堂的辦公室，他先利用方若堂辦公桌上的電腦，輸入指令讓監控系統暫停了錄影，然後趁員工在檢視網路設備的時間裡，仔細的四處觀察，偷偷將方若堂掉落在地板上的頭髮撿進透明塑膠袋中，又在垃圾桶看見沾有血跡的衛生紙團，也趕緊撿了起來收進另一個透明塑膠袋裡。

　　做完這些事情之後，石謀坐到方若堂的辦公椅上，先把監控系統的錄影功能回復，然後開始做維修電腦的工作，但同時也將方若堂的電腦硬碟做了完整的備份，

為的就是希望能從方若堂的電腦裡，找到一些能作為犯罪證據的東西。

　　為了怕被辦公室裡的人員發現，石謀假裝打了一個電話，然後對員工說公司裡臨時有很重要的事情要處理，就先離開了方若堂的律師事務所。

　　在這段時間裡，田偉志一直坐在咖啡廳外的露天座位區等待著，他邊喝咖啡邊看著時間，雖然裝出一副很悠閒的樣子，但其實他的心裡十分緊張，直到看見石謀從路邊的計程車上下來，那顆懸著的心才落了地。

　　「我真是交到壞朋友了。」石謀在田偉志的對面坐了下來，抱怨著說：「一個做律師的朋友，叫我去幫忙追蹤匪徒就算了，結果一個做警察的朋友，還叫我去律師的辦公室偷東西，你們沒害死我不甘願啊？」

　　「小聲一點啦！你是想給全世界都聽見喔！」田偉志著急的問說：「怎麼樣？一切都還順利嗎？」

　　「你也不看看是誰出馬。」石謀從公事包裡拿出兩個裝有頭髮與沾血衛生紙的透明塑膠袋，得意的說：「這是方若堂掉落在地板上的頭髮，還有他早上被訂書針刺傷用來止血的衛生紙，要做 DNA 比對的話，有這兩樣東西已經足夠了。」

　　「你可真行啊！」田偉志高興的看了一下，趕緊收進自己的公事包裡，笑著說：「我就知道找你幫忙絕對

是沒問題的。」

「我要是被人家告，我一定把你供出來。」石謀瞪
了一下田偉志，然後脫下了眼鏡式的攝影機，拿出記憶
卡交給田偉志說：「我過去的時候，方若堂正在和幾個
人開會，其中有一個是外國人，我都拍下來了，你回去
自己看吧！我還把方若堂的電腦硬碟做了完整備份，等
我回去之後，會試著修復他刪除掉的檔案，看能否幫你
找到一些有用的東西。」

「石兄……」田偉志一臉巴結的看著石謀說：「我
真是愛死你了。」

「別、別……」石謀一副噁心的表情說：「你去愛
周醫生就可以了，我可沒有斷袖之癖啊！」

「那就是個形容嘛！」田偉志尷尬的笑著說：「這
件事你可不能對其他人說啊！包括你們鍾隊長喔！」

「去當小偷又不是什麼光彩的事，你還怕我到處去
宣傳啊？」石謀裝出一臉不爽的表情說：「我這麼辛苦，
咖啡就你一個人喝啊？」

「我這不是在等你來嘛！」田偉志站起來說：「我
這就幫你買，石大爺要喝什麼啊？」

「冰拿鐵，三分糖。」石謀笑著說：「快去買吧！
小田子。」

雖然他們見面總是互相酸言酸語，而且還很會要寶，

但這不就是友情堅定的代表嗎？

　　其實在石謀的心裡，也是希望能趕快替鍾文昱解決問題，才會答應田偉志這樣不合理又不合法的請求，雖然他與鍾文昱在退伍後有很長的一段時間沒有聯絡，但在軍中所建立下來的情誼，是一輩子都不會淡去的。

## 第四十節　太過自信

　　某家中小型規模的私人醫院，今天晚上突然無預警的關上了門，從大門外所貼出的告示來看，是因為設備臨時故障需要檢修，但實則是在手術室裡進行著秘密的自費手術。

　　這種事情其實在世界上許多國家都有，雖然臺灣的健保制度已經非常完善，但總還是有些不能見光的傷患需要進行手術。臺灣絕大部分的醫院或診所不會願意做這種事情，但也還是會有少數醫院例外（註248），而這種例外除了要支付高額的醫療費用，還要有關係不錯的人從中媒介。

　　今天這家醫院的手術室裡，就是在進行這樣的手術，兩名傷者所受的傷其實也不是非常嚴重，就是一條手臂被扭斷了骨頭，還斷了幾根肋骨。他們是在昨天晚上受傷的，但因為不敢到醫院進行治療，只能靠嗎啡撐了將近一天的時間。

　　這樣的手術，對於一個有經驗的外科醫生而言，難度並不是很大，但為這樣的病人進行治療，是必須要冒很大風險的，因為在現在的法令限制之下，即便進行手術的是完全合法的醫生，然而這樣的醫療行為或手術卻大有問題。

昨天晚上受傷的那兩個人，就是亞伯‧馬丁內斯的手下，而且今天下午在方若堂事務所裡出現的外國人，就是亞伯‧馬丁內斯。也就是說，就是透過方若堂的介紹之下，才讓那兩個人能在今天晚上進行手術。

不過雖然那兩個受傷的人，是亞伯‧馬丁內斯的手下，但他卻沒有到醫院去關心，只不過已經安排好人手，在手術後將那兩個人接回來。

亞伯‧馬丁內斯與李雲強那夥人所躲藏的地方十分隱密，而且四周也幾乎沒有什麼人活動，他們已經更換了好幾次藏匿地點，所選擇的都是這種地方。

「夠了。」亞伯‧馬丁內斯對李雲強咆哮著說：「你已經說了很多次了。」

「亞伯先生，我所說的……都是真的。」雖然受到亞伯‧馬丁內斯的喝止，但李雲強還是繼續說：「那都是我親眼所見的，所以這些年來我才會對鍾文昱這麼恐懼，現在看來應該就是那個神仙幻化成鍾文昱的樣子，把跟我一起去的人都打傷了。」

「那他怎麼不直接打死你啊？」亞伯‧馬丁內斯不屑的說：「我才不相信這個世界上真的有神。」

「現在那個神仙就真的出現了啊！」李雲強堅持的說：「不然這兩個人是被誰打成這樣的啊？」

「依我看啊！根本就是被黑閻羅打的。」亞伯‧馬

丁內斯仍然堅持自己的看法，接著說：「就是因為他們打不過黑閻羅，所以回來才編了這一套謊話來騙我。」

　「您也跟黑閻羅打過照面了。」李雲強提醒說：「您認為他有這樣的實力嗎？如果這兩個人連黑閻羅都打不過，有可能這麼輕易就可以殺死張豪華嗎？」

　「或許……他故意在我面前隱藏了真正的實力。」亞伯‧馬丁內斯懷疑著說：「而且你仔細想想，他和齊正祥是什麼樣的人啊？如果真的有神，會願意保護這樣的壞人嗎？」

　「雖然我不知道其中的緣由，但……」李雲強膽顫心驚的說：「我吃過那樣的虧，所以我並不懷疑他們兩個所說的話。」

　「你不會是因為怕了鍾文昱，才讓他們兩個編出這麼荒唐的謊話來騙我吧？」亞伯‧馬丁內斯冷笑著說：「反正上頭說周清合要約我見面，我帶著鄧廷忠去會會鍾文昱，不就知道了嗎？」

　「您真的要去與周清合見面嗎？」李雲強問說。

　「當然去啊！為什麼不去？」亞伯‧馬丁內斯自信的說：「那老頭子在美國確實有權有勢，但現在可是在臺灣，難道怕他吃了我嗎？」

　「那……我們的那批貨，還是要跟齊正祥合作嗎？」李雲強提出疑問說：「齊正祥應該也猜得到那兩個人是

我們派去的，這樣他還會願意跟我們合作嗎？」

「他知道又怎麼樣？」亞伯‧馬丁內斯表情嚴肅的說：「他在江湖上打滾了這麼久，為的是什麼？不就是錢嘛！甚至……就算他知道那兩個爆炸案，也是我逼迫他跟我合作的手段，那又如何？不是朋友就是敵人的道理，他不懂嗎？他想要生存下去，只能選擇跟我合作，不是嗎？」

「話是這麼說沒錯。」李雲強似乎有點擔憂，又說：「可是您難道不怕他從中搞鬼嗎？」

「搞什麼鬼？難道他會去跟警方合作？或是會去跟鍾文昱合作？」亞伯‧馬丁內斯笑著說：「我聽楊滄堯說，三十幾年前齊正祥殺了鍾文昱一家三口，鍾文昱會願意跟他合作嗎？而且他會不清楚自己是什麼貨色嗎？他會選擇跟警方合作嗎？」

「確實是不太可能。」李雲強點點頭，又問說：「那我們現在要做什麼？」

「等。」亞伯‧馬丁內斯嘴角上揚的說：「我相信過不了多久，齊正祥自己就會想清楚的，而且他一定會自己來找我的。」

看到亞伯‧馬丁內斯如此自信，李雲強也不好再說什麼，在向亞伯‧馬丁內斯點了點頭之後，就一言不發的坐在旁邊休息。

## 【本節註釋】

註248：在 2015 年以前，臺灣臺北市林森北路上曾有一家素有「黑道急救站」之稱的慶生醫院，不但深獲黑道兄弟們信任，連許多大哥在遭受砍傷、鎗傷或中毒，都指名要送到慶生醫院急救。以前民國 60 年代臺灣黑道鬥毆事件頻繁，尤其是臺北市中山區一帶因為特種行業林立，地盤之爭或是酒後爭執所引起的打打殺殺更是難免。當時旅美醫生蔡詠梅便瞄準這樣的商機，集資在臺北市中山區的巷弄裡設立了慶生醫院。慶生醫院非常重視「病患隱私」，而且裡面的醫師每個都醫術高超，身懷絕技，素有「橫進直出」之稱，因此很快就成為江湖上鼎鼎有名的刀、鎗傷權威，甚至有時連警察身受鎗傷也指名要到慶生醫院救治。不過這樣的傳奇醫院，卻因為創辦人蔡詠梅醫生的財務問題，在 2015 年一度停止營業，並在隔年降級為診所，後來又在蔡詠梅醫生的經營下，於舊址的二樓重新營業，並轉型提供家醫、美容等醫療服務。

# 第四十一節　心如明鏡何他求

## 陽明山國家公園擎天崗 （註249）

　　在平日與假日裡，擎天崗上都會有不少的遊客，尤其以假日為甚。不過遊客幾乎都是在白天裡出現，因為擎天崗在深夜裡是一片漆黑，曾經還傳出不少夜遊者所經歷的靈異事件，所以現在會在夜間前往擎天崗夜遊的人，可以說是少之又少。

　　但今天晚上，白髮老人卻出現在這裡，與他一起出現的，還有鍾崇德的鬼魂。

　　「不會吧？你真的去打人了喔？」鍾崇德驚訝的對白髮老人說：「那不是神不能去做的事情嗎？」

　　「我實在是看不下去了，心裡真的是氣不過啊！」白髮老人無奈的說：「不該打也打了，我才不在乎呢！」

　　「您不是跟我說過，這樣是要受天雷之刑的嗎？」鍾崇德於心不忍的說：「要不然這樣，您就把這件事情都推給我吧！畢竟我是小昱的親身父親，我會忍不住出手也在情理之中，昊天應該不會懷疑的。」

　　「然後呢？由你去幫我受天雷之刑嗎？」白髮老人搖頭說：「別說三道天雷之刑了，一道天雷就可以把你劈得魂飛魄散，而且這種事瞞得過昊天嗎？要真的瞞得過，他還是昊天嗎？」

「那怎麼辦啊？」鍾崇德緊張的說：「就算是神仙，也沒幾個承受得住三道天雷啊！」

「老頭子我就是個例外。」白髮老人嘴硬的說：「就算是百道天雷，我的眼睛也不會眨一下。」

「老神仙，您就別再逞強了。」鍾崇德勸他說：「我知道您是為了保護我兒子，才會去做這種事情的，我怎麼能讓您自己去承擔呢！」

就在他們還在為由誰去承擔爭論的時候，突然一個穿著銀白色古代將軍戰甲的人出現在他們背後，用極為渾厚的聲音說：「既然都爭著受罰，那便各受三道天雷如何？」

白髮老人聽到這個聲音，當然知道來者是誰，馬上轉頭對那個穿著戰甲的人說：「昊天，人是我打的，天規也是我自己犯的，你不可能不知道吧？」

「我怎會不知。」昊天搖頭說：「但我已一再叮囑，你又何苦如此？」

「我何苦如此？還不是因為你所謂的安排。」白髮老人生氣的說：「就算磨練，也不至於要將他陷入絕境吧？就算要考驗，也不該陷他於不義吧？你故意將他推向地獄，又要他靠著自己爬回人間，還不准我們出手幫他，就算真的是鐵石心腸，也不會完全沒有感覺吧？」

「在他三歲的時候，本來命數已盡，是我用天雷將

我部分魂魄注入他的體內，他所受的一切，跟我自己在歷劫有什麼區別？」昊天感嘆的說：「神者，示申也，以道示而引，教化人善以申天道。若僅持神能之力，隨欲以懲，豈非以神欲代道？道何以為正？何以為天地之憑準？天道不彰，人心鬼域，欲滅鬼域，還在人心（註250）。這些道理，你比我都還要清楚不是嗎？」

「我就知道你會拿我說過的道理來講我。」白髮老人嘆氣說：「反正我做都做了，該怎麼罰，我受就是了，我無話可說。」

「既然如此……」昊天將手舉高，表情嚴肅的說：「那遂你所願便是。」

「等一下，我還有話要說。」鍾崇德突然制止昊天，插嘴說：「雖然我只是個孤魂野鬼，與兩位神仙完全不能相比，但既然你們都說眾生平等，那總也該聽聽我所說的有沒有理，再做決定吧！」

「有道理啊！」白髮老人趕緊站到鍾崇德的身邊，對昊天說：「眾生平等嘛！聽聽他怎麼說啊！」

「好。」昊天其實知道白髮老人是想藉此耍賴，但總不能連聽都不聽就下定論，他點頭說：「我就聽你說說看，只要你說的有理，我自然接受，沒有神鬼之分。」

「那我們先說好啊！」鍾崇德故意強調說：「我們就事論事，就理說理，不能生氣和耍賴喔！」

「說吧！我聽著。」昊天笑著搖頭說：「我才不像這老頭子那麼會耍賴。」

「我們先說說這位老神仙，為什麼會來守護我的兒子吧！」鍾崇德認真的說：「我聽老神仙說，他一直守護在我兒子的身邊，是因為我兒子是天選者，對吧？請問一下，這個天選者是誰選的呢？又是誰讓老神仙來守護天選者的呢？」

「就是他啊！」白髮老人指著昊天說：「要是我選的，我就變成昊天了。」

昊天將兩手交叉在胸口，並沒有說話，其實就代表著默認了。

「剛剛是第一個問題，現在我問第二個問題啊！」鍾崇德可以感覺得出來，其實昊天是有意縱容，所以他繼續大膽的說：「自古以來的聖賢都說，倫常是做人最基本的本分，對吧？如果老子說的話有道理，做兒子的是不是應該聽啊？」

「這……扯遠了吧？」白髮老人一臉疑惑的問鍾崇德說：「我們現在說的事情，跟老子和兒子，還有倫常……有什麼關係啊？」

「鍾文昱是我的兒子，這大家都沒問題吧？」鍾崇德心裡在偷笑，卻裝作一本正經的說：「剛才昊天不是說，我兒子在三歲時命數已盡，是他用天雷將自己的部分魂

魄，注入我兒子的體內，那是不是代表……其實現在我的兒子，在某種程度上來說，就是昊天呢？」

「那是自然。」昊天回答了這個問題之後，似乎發現了不對勁，瞪了鍾崇德一眼說：「你是說……某種程度上來說，你應該是我老子囉？」

「我可沒這麼說。」鍾崇德笑著說：「這答案是你自己推演出來的。」

「哇！鍾崇德，我真沒想到你的膽子這麼大啊！」白髮老人一臉心虛的說：「你說的句句在理啊！但就怕有人想耍賴……」

「到底是誰在耍賴啊？」昊天將手放了下來，對鍾崇德說：「剛才你自己有說過，就算是老子，所說的也要有道理，但你還沒說出個道理，不是嗎？」

「這個道理嘛……道理就是……」鍾崇德想了一下說：「既然你選了天選者，來滅除人心之鬼域，那輔佐天選者之人，不但很重要，而且也功不可沒……自古君王也要賞罰分明，才能受到臣民的愛戴，而且就算做錯了事，總應該還能有個功過相抵的機會，你說對吧？天道慈悲，神自然也是慈悲，總不至於連古代聖明的君王，都比不過吧？」

「功過相抵？」昊天認真的想了一下，然後問白髮老人說：「那就要看你是要以前功抵後過，還是要以後

功抵前過啊？」

「這還有差喔？」白髮老人問說：「這兩個不是都一樣的嗎？」

「當然不一樣。」昊天一本正經的說：「在此之前，你對天地人間的功勞雖多，但那也是你身為神應該做的，若以前功抵後過，我可以少罰你一道天雷。」

「什麼？這麼小氣啊？」白髮老人問說：「那以後功抵前過又如何？」

「過已在前，後功未建。」昊天回答說：「若祈以未建之功，抵已犯之過，那就是法外開恩，得看有什麼理由得以例外，你得說個理由說服我。」

「還要理由？」白髮老人氣呼呼的說：「那我乾脆給你劈一劈得了。」

「老神仙，您平常挺聰明的，怎麼今天就犯傻了啊？」鍾崇德轉頭笑嘻嘻的對昊天說：「你會選擇小昱做天選者，並且派老神仙守護小昱，既然有你的理由，那你要的理由，不是早已經在你的心裡了嗎？」

「這麼簡單？」白髮老人驚訝的問著鍾崇德。

昊天笑著轉身，隨即就消失得無影無蹤，白髮老人一臉錯愕，一直追問鍾崇德到底為什麼？但鍾崇德只是笑，什麼也沒說。

此時，天上傳來昊天的聲音，說的是「心無所惑何

須解？心如明鏡何他求 (註251)？」

　　白髮老人聽完之後，笑了。

　　因為這句話，也是白髮老人曾經說給昊天聽的。


## 【本節註釋】

註249：擎天崗位居大屯火山群峰的中央位置，是早期竹篙山
　　　　熔岩向北噴溢所形成的熔岩階地，因地勢平緩開闊，
　　　　自清朝末期及日治時期以來便是牛隻放牧的重要場
　　　　域，範圍廣及擎天崗、磺嘴山及頂山一帶。長期以來
　　　　植被受到牛隻啃食與人為影響，便形成以類地毯草為
　　　　主的草原景觀，目前草原主要為類地毯草、假枱木及
　　　　芒草等所組成。過去寄養的水牛在該處自然繁衍了好
　　　　幾世代，已經變成一群無主的野化水牛。野化水牛具
　　　　有野性且防衛心強，當遊客過於靠近，甚至觸摸或
　　　　逗弄時，牠們覺得受到威脅或小牛可能有危險時，就
　　　　會有攻擊行為。又因為該處於2020年起天氣嚴寒，
　　　　加上牛隻長期營養不良等原因，造成野化水牛大量死
　　　　亡，於2021年1月6日經跨領域專家進行會議，會
　　　　議中專家及學者認為擎天崗現今之氣候已不適合水牛
　　　　棲息，建議移地安置。經陽管處研議後，決定將野化
　　　　水牛送往金山，於臺灣農民協會楊儒門等人發起的契
　　　　作農地休養。

註250：「神者，示申也，以道示而引，教化人善以申天道。

若僅持神能之力，隨欲以懲，豈非以神欲代道？道何以為正？何以為天地之憑準？天道不彰，人心鬼域，欲滅鬼域，還在人心。」

白話翻譯為：神這個字，是由「示」與「申」二字所組成的，神是以大道示人藉以引導，教化人心向善以伸張天道。若僅仗持神能的力量，以神自己的欲念就對人施以懲戒，豈不是等於用神的欲念來代替天道？這樣怎麼能說道就代表正義？道又怎麼能作為天地間依憑的準則呢？在天道不能彰顯的時候，人心就如同鬼域一樣，要滅除人心裡的鬼域，還是要靠人心向善。

註251：「心無所惑何須解？心如明鏡何他求？」

白話翻譯為：心裡明明沒有疑惑，為何須要到處求解呢？自己的心就如同一面明亮的鏡子，為何還須要向別處去求呢？

## 第四十二節　做人的底線

　　一家餐廳，從一大清早開始，就有不少人在裡面做各種安排與佈置，但這些人所做的事情，很顯然並不是開店的準備工作。因為一家餐廳進行開店的準備工作，是幾乎不需要用到建築設計圖的。

　　但是在這家餐廳裡，有一個人將建築設計圖攤開在一個大桌子上，並根據現場的位置與擺設，對其他人指手劃腳的下達命令，而這個人，就是尚義坤。

　　其實選上這家餐廳的人，就是尚義坤，因為這家餐廳周圍幾乎沒有很高的建築物，雖然餐廳裡有很大片的庭院，但這樣反而比較容易做安全上的管控，再加上他早已在附近的制高點都安排了狙擊手，也在餐廳內安排了許多特戰隊員，足以讓在這家餐廳裡面的人，受到完善的保護。當然，之所以能做這樣的安排，也必須得到國防部的同意與授權，尚義坤身為軍人，當然不可能憑自己的喜好恣意妄為。

　　尚義坤之所以安排了這麼高規格的防護措施，是因為周清合在他的建議下，選定了這裡作為與亞伯·馬丁內斯見面的地點，而且周清合預先支付了十倍的包場費用，同時也答應賠償一切的損失，所以餐廳老闆也只能同意了。

這些隊員在尚義坤的指揮下，進行了多次的測試與演練，並經過多次的細節修改，直到尚義坤確定了沒有問題之後，才打了電話給李陽貴。尚義坤之所以這麼戰戰兢兢的做準備工作，除了必需確保周清合等人的安全之外，同時也能預防亞伯・馬丁內斯胡作非為，因為尚義坤知道亞伯・馬丁內斯在得知見面地點之後，必然會預先派人到附近踩點與觀察，所以他所進行的這些準備工作，同時也是故意要讓對方預先看到的，至少還可以達到心理上的威攝作用。

　　約定好見面的時間是上午十點，但周清合一行人在九點半前已經來到現場，這是周清合的習慣與堅持，因為這樣才能從容不迫的做好應有的準備，可見一個人之所以能夠成功，絕對不是僅憑僥倖與運氣而已。

　　尚義坤拿出預先準備好的三件薄型防彈衣，要給周清合、李陽貴及鍾文昱穿上，但周清合在致謝後予以婉拒，因為周清合對於亞伯・馬丁內斯不可能在這裡動手這點非常篤定。

　　隨著約定好的時間愈來愈近，所有埋伏在各處的隊員，也都戰戰兢兢的屏息以待，因為對他們而言，每一個差錯與失誤，都是以人命作為代價，雖然他們總是表現出從容不迫的樣子，但心理上的壓力也是極大的。

　　還沒到十點，亞伯・馬丁內斯就帶著鄧廷忠來到餐

廳，在周清合所聘僱的安全人員引導下，穿過餐廳的室內來到庭院裡。

「周老，不至於吧？」亞伯・馬丁內斯向周清合與鍾文昱打了招呼，開口便說：「我這個晚輩來跟長輩敘個舊，有必要搞這麼大的陣仗嗎？我看除了這裡的人之外，那些建築物上也都藏了很多個狙擊手吧？」

「晚輩們是為了我的安全，你不要介意啊！」周清合笑著說：「坐吧！想喝點什麼嗎？」

「那我就不客氣囉！」亞伯・馬丁內斯坐在周清合的對面，轉頭對裝扮成服務生的人說：「給我一杯黑咖啡吧！謝謝！」

「你這趟來臺灣，怎麼不主動找我敘舊呢？」周清合看了看站在旁邊的鄧廷忠，淡淡的問說：「還要我找人約你，你才肯來見我啊？」

「哪敢啊！」亞伯・馬丁內斯陪著笑臉說：「我根本不知道周老您在臺灣啊！而且我這次來是有重要的生意要談，一時間沒有特別注意到這些，還請您不要跟我計較啊！」

「你肯給我面子來這裡，我已經很高興了。」周清合回答說：「最近你可是個大紅人啊！」

「哪裡、哪裡。」亞伯・馬丁內斯搖搖手說：「我這點小生意，周老是根本看不上的，要不然我哪還有得

混啊？」

　　假扮服務生的人端了咖啡過來，讓他們終止了談話，亞伯·馬丁內斯趁熱喝了一口，一直稱讚這裡的咖啡非常香醇。

　　「我看你原來的生意，也做得挺不錯的。」周清合開門見山的問說：「怎麼跑去加入 MSA 了呢？」

　　「做生物科技這行是很燒錢的，當初要不是靠周老給的那一百萬美金，我那家公司根本經營不了這麼久。」亞伯·馬丁內斯回答說：「後來是我在 MSA 裡面的朋友，幫我引薦了 MSA 裡的幾個有錢人，這才讓我有了現在的發展，他們要我加入 MSA，我也只能答應囉！」

　　「MSA 是做什麼的，大家都心知肚明。」周清合的臉色稍微嚴肅起來，接著說：「你一個好好的年輕人，跟他們混在一起做什麼？」

　　「其實那都是外界對 MSA 的誤解。」亞伯·馬丁內斯解釋說：「而且我只是做我自己的生意，對於他們所說的彌撒亞，我可是根本就不信的。」

　　「我雖然是在臺灣出生的，但我這輩子大部分的時間都在美國，我可不是那種道聽途說的人。」周清合繼續說：「而且 MSA 裡也有很多我認識的人，他們找我入會也有個幾十次了吧！我當然非常清楚那些人在搞些什麼名堂。」

「周老，您今天找我來，應該不只是要談 MSA 的事情吧？」亞伯‧馬丁內斯轉頭對鍾文昱說：「小鍾，我們也好久不見了，你怎麼都不講話呢？」

「我怕我一說話，講的全是你不愛聽的東西。」鍾文昱表情冷淡的說：「當年你帶人回去戰場上救我，我心裡還是很感激，但你手下的人，殺了我的妻子和朋友，我不可能當作什麼事都沒發生吧？」

「殺了你的妻子？」亞伯‧馬丁內斯轉頭看著鄧廷忠，面露凶光的問說：「是誰讓你們殺我朋友老婆的，給我說清楚。」

「沒有這回事。」鄧廷忠緊張的回答說：「亞伯先生，您可不要聽他亂說。」

鍾文昱一聽到鄧廷忠說話的聲音，馬上就認出他就是那段錄影中撞死陳詩芸的凶手，他指著鄧廷忠說：「就是你開車撞死我的妻子，對吧？你還把全部過程用行車紀錄器錄了下來，你的聲音我是不會認錯的。你帶著手套來這裡，是為了隱藏右手掌背後那個『Hellø』字樣的刺青吧？」

聽到鍾文昱這樣說，亞伯‧馬丁內斯似乎也非常的憤怒，如果那件事真的是亞伯‧馬丁內斯所指使，他應該不至於出現這樣的反應與表情。但如果他並不知情，又是怎麼一回事呢？

「我很瞭解小鍾這個人，沒有根據的話，他是不可能亂說的。」亞伯‧馬丁內斯對鄧廷忠喝叱著說：「給我誠實的把事情說清楚，是李雲強讓你們幹的？還是別人給錢讓你們做的？那個人是誰？」

「亞伯先生，真的沒有這回事。」鄧廷忠看見亞伯‧馬丁內斯凶狠的眼神，嚇得連忙否認說：「他可能自己做了什麼事，擋了別人的財路，別人才會殺他老婆的，這跟我們一點關係也沒有啊！」

周清合以為亞伯‧馬丁內斯在演戲，也有點動了怒，直接對亞伯‧馬丁內斯說：「大家既然都見了面，有什麼事情就爽快點說出來，如果我孫子擋了你的財路，是你叫人殺了我的孫媳婦，大可以挑明了講。」

「不是……周老，您真的誤會我了。」亞伯‧馬丁內斯解釋著說：「您應該很清楚，那個時候我根本不在臺灣，這件事情我也是聽小鍾說出來才知道的，那時候我跟小鍾之間根本沒有交集，我沒事叫人殺他老婆要做什麼？」

「好，我就暫時先相信這件事情與你無關。」周清合爽快的說：「但既然是你手下做出來的事情，你至少要給我孫子一個交代吧？江湖上的規矩，不都是禍不及妻兒的嗎？」

「就算您不開口，等我回去查清楚之後，我也一定

會給小鍾一個交代。」亞伯‧馬丁內斯冷冷的說：「如果我沒做到，我會自己提頭來見。」

「其實你自己應該也很清楚，我在約你見面之前，一定會請人蒐集相關的情報，所以你這些年到底做過什麼事情，我是一清二楚的。」周清合不客氣的說：「如果我沒猜錯的話，你這次來臺灣要走私的東西，應該就是炭疽桿菌 (註252) 孢子製成的粉末吧？」

「我們做生物科技的，常常都會對一些微生物或細菌等等之類的東西，進行研究與開發。」亞伯‧馬丁內斯的臉色有點難看，回答說：「有時候外界看起來可能是會造成傳染的病菌，我們也會用來作為製作疫苗的研究，這沒什麼好大驚小怪的吧？」

「是嗎？炭疽桿菌是一般的感染性病毒而已嗎？」周清合義正辭嚴的說：「這可不是一般的病毒啊！而是1979年斯維爾德洛夫斯克炭疽洩漏事件 (註253) 和2001年美國炭疽攻擊事件 (註254) 的主角啊！當全世界都以為炭疽桿菌是伊拉克或其他恐怖組織搞出來的時候，MSA卻看上了它，是想要讓炭疽病 (註255) 大流行，然後在2020年美國總統大選的時候混水摸魚嗎？還是真的相信把全人類都害死了，彌撒亞就會降臨人間拯救世界啊？」

「周老，你會不會想太多了啊？」亞伯‧馬丁內斯心虛的說：「我們都是做生意的人，怎麼會跟政治和宗

教扯上關係啊？再說了，誰選上美國總統，跟我有什麼
關係？生意還不是照做嘛！」

　　「生意是可以做，但禍國殃民的事情可不能幹啊！」
周清合用警告的語氣說：「如果你本本分分的做生意，
我根本不會去管你，但你如果為了錢，連害死人的事情
都做得出來，可別怪我這個糟老頭子多管閒事了。」

　　「周老，這麼多年來，我們可是都井水不犯河水
啊！」亞伯‧馬丁內斯勉強擠出笑臉說：「可不要為了
一點小誤會，就搞得針鋒相對的，這樣多不好啊！」

　　「我今天約你過來，就是想告訴你，有什麼事可以
衝著我來，要是你敢再傷害我孫子身邊的人，我就算傾
家蕩產，也會向你討回公道。」周清合一臉不怒而威的
樣子，接著說：「我言盡於此，希望你能聽進去，你可
以回去了。」

　　話都已經說到這個份上，亞伯‧馬丁內斯也沒什麼
可說的了，他緩緩的站起身來，並向周清合點了點頭，
便帶著鄧廷忠離開了。

## 【本節註釋】

註252：炭疽桿菌是一種棒狀的革蘭氏陽性菌，長約 1 至 6 微
　　　　米，這種細菌通常以內孢子之型態出現在土壤中，
　　　　並可藉此狀態存活數十年之久，一旦由牲畜攝入，孢

子便開始在動物體內大量複製，最後造成死亡，隨後於屍體中仍能繼續繁殖，而當細菌將宿主養分用盡，又將重回睡眠狀態的孢子。於西元 1870 年，德國醫師兼科學家羅伯‧柯霍（Heinrich Hermann Robert Koch）首先分離出造成炭疽病的細菌，當時科學界針對生命的來源，在「自然發生論」和「細胞理論」兩種學說之間爭論不休，而此項研究首度證明微生物具有造成疾病的能力，在一系列開創性的實驗中，揭開炭疽桿菌的生活史和傳染途徑，不僅增進醫學對炭疽的認識，更闡明微生物在疾病中所扮演的重要角色。柯霍後來更進一步研究其他疾病致病轉機，於 1905 年因研究結核桿菌獲得諾貝爾生物學或醫學獎，因此今日生物相關學科將羅伯‧柯霍視為細菌學之父。距離現今較近關於炭疽造成人身傷亡的報導，是 2016 年在西伯利亞靠近北極圈的亞瑪爾半島上，凍土融化造成被冰凍幾百年或上千年的炭疽孢子復活，感染了兩千多頭馴鹿及近百名居民，最終導致一名兒童死亡。由此可見大自然中的炭疽主要是以接觸的方式傳播，其次是腸胃道傳播，但最可怕的是武器化後的炭疽，武器化後炭疽孢子有一個異常強大的外殼，高溫高壓都無法將其消滅，而且炭疽孢子非常微小，1 克炭疽孢子中就含有 1 兆個炭疽孢子，如果經由呼吸道進入人體（肺炭疽），就會很快進入血液循環系統，同時產生超強毒性攻擊全身器官，一旦發病致死率甚

至可以達到 95%。

註 253：斯維爾德洛夫斯克炭疽洩漏事件，是 1979 年 4 月 2
　　　　日在莫斯科東部 1450 公里的斯維爾德洛夫斯克市（現
　　　　為葉卡捷琳堡）軍事設施中的炭疽桿菌孢子被意外釋
　　　　放的事故，這起事故有時也被稱為「生物武器的車諾
　　　　比事故」。隨後爆發的炭疽病導致約 100 人死亡（官
　　　　方宣稱之人數），但受害者的確切人數至今仍然不明，
　　　　這是因為當局為了防止生化武器開發的詳細資料洩漏
　　　　會違反國際規定，因此所有的紀錄都被銷毀了。在事
　　　　件發生後的 13 年期間，蘇聯政府一直掩蓋與否認疾
　　　　病爆發的原因，將死亡歸咎於食用來自該地區被炭疽
　　　　桿菌污染的肉類。蘇聯 KGB 刪除了所有受害者的醫
　　　　療紀錄，以免洩漏蘇聯嚴重違反「禁止生物武器公約」
　　　　的事實。直至 1992 年蘇聯倒台，俄羅斯第一任總統
　　　　葉爾欽才公開承認 1979 年出現的炭疽病毒，是蘇聯
　　　　在進行軍事研究時出現的失誤，但葉爾欽卻從未說明
　　　　是什麼樣的失誤所導致。其真正的原因是，1945 年蘇
　　　　聯軍隊佔領偽滿州地區（即中國東北一帶）時，他們
　　　　找到日本 731 部隊所建立的生化實驗室，在該實驗室
　　　　裡的遺留品當中，蘇聯人發現了一種可以作為生物武
　　　　器的材料 - 炭疽，於是蘇聯人不動聲色的把所有炭疽
　　　　樣本全部帶回研究，而斯維爾德洛夫斯克市 19 區這
　　　　個秘密的軍事基地，就是專門研究各類生化武器的，
　　　　所以 1979 年導致多人死亡的突發事件，就是來自於

生化武器研究室。

註 254：2001 年美國炭疽攻擊事件，是美國於 2001 年所發生為期數周的生物恐怖攻擊。從 2001 年 9 月 18 日開始有人將含有炭疽桿菌的信件寄給數個新聞媒體辦公室以及兩名民主黨參議員，這個事件導致 5 人死亡，17 人被感染，直到 2008 年最主要的嫌疑人才被公布。這個炭疽攻擊分為兩波進行，第一批含有炭疽桿菌的信件郵戳是 2001 年 9 月 18 日在新澤西州特倫頓蓋的，正好是 911 襲擊事件後一星期。這批共有 5 封信，寄給位於紐約的美國廣播公司、哥倫比亞廣播公司、全國廣播公司、紐約郵報，以及位於佛羅里達州博卡拉頓美國媒體公司旗下的國家尋問者，但只有寄給紐約郵報和全國廣播公司的信件被發現。第一名感染炭疽病逝世的是羅伯特·斯蒂文斯，他為美國媒體公司裡一份叫做《太陽報》的小型報刊工作。其他三封信件的存在是由美國廣播公司、哥倫比亞廣播公司和美國媒體公司有人受到感染而推測出來的。根據檢查紐約郵報信件裡炭疽桿菌的科學家所說，它們是以棕色顆粒的形式出現的。在三個星期後，另外兩封含炭疽桿菌的信件也從特倫頓發出，郵戳日期是 2001 年 10 月 9 日，這兩封信件寄給民主黨參議員（佛蒙特州的派屈克·萊希和南達科他州的湯姆·達施勒），當時達施勒是參議院多數黨領袖，萊希是參議院司法委員會主席。2001 年 10 月 15 日一名助手打開了寄給達施

勒的信件，造成政府郵政機構被關閉。2001 年 11 月
16 日在一個被扣押的郵袋裡發現寄給萊希而尚未打
開的信件，這封信由於郵政編碼被讀錯，被誤傳到了
維吉尼亞州政府機關郵政部，一名那裡的郵政職員戴
維‧霍斯吸入了炭疽病原。第二批信裡的炭疽病原，
比第一批的更危險，其中含有約一克高純度幾乎完全
由孢子組成的乾燥粉末。2002 年紐約州立大學的研究
教授和分子生物學家巴巴拉‧羅森堡（Barbara Hatch
Rosenberg），在接受澳大利亞廣播公司採訪時，稱這
些粉末為「武器化」或「武器級」的，但是 2006 年
華盛頓郵報卻報導說聯邦調查局不再把其中的炭疽病
原當作是被武器化的生化武器。在這個攻擊事件中，
至少有 22 人表現出炭疽病的現象，其中 11 人罹患尤
其危險的吸入型。有 5 人死亡，其中兩人感染途徑不
明，一名是在紐約工作住在布朗客斯的越南移民，另
一名是康乃狄克州著名法官的 94 歲遺孀。2008 年聯
邦調查局將懷疑集中到布魯斯‧愛德華茲‧艾文斯身
上，艾文斯曾經在馬里蘭州弗雷德里克戴翠克堡政府
生物防禦實驗室工作，他在得知自己將被逮捕之消息
後，於 2008 年 7 月 27 日服用大量對乙醯氨基酚（用
於治療疼痛與發燒之藥物）自殺。2008 年 8 月 6 日聯
邦調查局宣布艾文斯為唯一嫌犯，兩天後美國國會議
員開始調查聯邦調查局對於此案的相關調查工作，但
直至今日真相未明。

註255：炭疽病（anthrax）是由炭疽桿菌感染造成的疾病，感染途徑包括皮膚接觸、呼吸道、消化道以及注射等四種。通常在感染一天至兩個月後開始出現症狀。經由皮膚接觸的感染起初會出現小水泡，周圍腫脹成疱，隨後轉變為無痛的皮膚病，患部中央壞死，色似焦炭，故而得名。經由呼吸道感染的症狀為發燒、胸痛、呼吸難；經由消化道感染則會出現噁心、嘔吐、腹瀉或腹痛等症狀；經由注射感染會造成發燒及藥物注射部位的膿瘍。在發生案例中，皮膚感染佔95％以上，若未治療，皮膚炭疽死亡率為24％，腸道感染即使在有治療的情況下，致死率為25％至75％，而呼吸道感染的死亡率為50％至80％，武器化的炭疽甚至可以達到95％。

## 第四十三節　鄧廷忠逃脫

原本亞伯・馬丁內斯是帶著鄧廷忠一起出門的，但回來的時候，卻只有他一個人，從亞伯・馬丁內斯的表情上來看，他似乎非常的生氣，而且眼神中帶有殺氣，顯然是發生了一些事情。

李雲強從亞伯・馬丁內斯走進大門口開始，就一直跟在他的後面，直到進入了客廳，李雲強才開口問說：「亞伯先生，您怎麼一個人回來？鄧廷忠不是跟您一起去的嗎？他人呢？」

「我和他一起離開餐廳，在上車之前，他突然將我推開逃跑了。」亞伯・馬丁內斯氣憤的說：「當時那個餐廳裡裡外外都是喬裝的軍人，就連附近建築的樓頂都安排了十幾個狙擊手，我當然不會笨到在那裡跟他動手，所以只好先回來再說。」

「他推開您……逃跑了？」李雲強不解的問說：「他為什麼這麼做？」

「為什麼？」亞伯・馬丁內斯臉色一沉說：「為的是怕我回來之後，追問鍾文昱老婆的死因，怕我知道你們背著我做了什麼。」

李雲強聽到亞伯・馬丁內斯這樣說，馬上嚇得臉色鐵青，害怕的說：「這件事，請您聽我解釋一下。」

「好啊！」亞伯·馬丁內斯坐到沙發上，一臉不高興的說：「那你就好好的給我解釋一下。」

「我們當初殺那個女人的時候，並不知道她就是鍾文昱的妻子，是等看到新聞報導才知道的。」李雲強戰戰兢兢的解釋著說：「那件事……是方若堂付錢讓我們去做的，而方若堂是楊滄堯介紹的，當時是您叫我配合楊滄堯的。」

「就算是這樣，你們要殺一個人之前，總得搞清楚她的資料與背景吧？」亞伯·馬丁內斯瞪著李雲強說：「周清合是什麼樣的人，你不知道嗎？我們有必要去招惹實力這麼強大的人嗎？」

「我們當時根本不知道周清合是鍾文昱的乾爺爺啊！這件事您也是後來才告訴我的。」李雲強一臉委屈的說：「何況我們前天所殺的那個張豪華，也是鍾文昱的朋友啊！」

「朋友跟親人能是一樣的嗎？人這一輩子可以有很多的朋友，但親人卻只會有幾個人而已。」亞伯·馬丁內斯勃然大怒的說：「難怪我總覺得很奇怪，我所做的事跟鍾文昱一點關係也沒有，他為什麼會一直咬著你們這批人不放，原來是你們殺了他老婆，才會把事情搞成這個樣子，你現在還敢跟我狡辯？」

「您又不是不瞭解鍾文昱這個人。」李雲強繼續辯

解說：「就算我們沒有殺他老婆，以他的那種個性，還是一樣會成為我們最大的阻礙。」

「李雲強，我是非常瞭解鍾文昱，但我同時也非常瞭解你。」亞伯‧馬丁內斯懷疑的說：「在鍾文昱還是軍人的時候，對你進行過不少次的追捕，也殺死了不少你培養出來的人，但是鍾文昱後來出國留學，回國後又成為了檢察官，你根本就沒有機會找他復仇，所以你才會利用方若堂買凶殺人的這個機會，故意叫鄧廷忠去殺了他老婆的吧？以你做事這麼謹慎嚴謹的性格，我不相信你會在對目標完全不瞭解的情況下，就貿然的去對目標下手。」

「不是這樣的。」李雲強不服氣的說：「我承認我以前確實很想殺掉鍾文昱，我也告訴過您，有一次我利用鍾文昱受傷的機會，也帶了人要去殺他，但那次我們找到鍾文昱的時候，不但發現他身上根本沒有傷，而且他的速度與力量根本就不像是正常人，那次我是真的嚇到了。從那次以後，我根本就不敢去招惹他，我跟您說的都是實話，只是您不肯相信而已。」

「不管是真是假，我已經答應了周清合，要給他一個交代。」亞伯‧馬丁內斯不耐煩的說：「鍾文昱既然認出鄧廷忠就是殺他老婆的凶手，你就負責去把鄧廷忠給我抓回來，殺了他給鍾文昱一個交代，我不希望我們

要進行的大事，就被這麼點小事給搞砸了。」

　　「可是……」李雲強面有難色的說：「我怎麼會知道鄧廷忠跑去哪裡了啊？」

　　「他背叛了我，還能去哪裡？」亞伯・馬丁內斯提醒李雲強說：「他之所以逃走，就是怕我殺了他，為了保住自己的性命，他可能會想辦法偷渡離開這裡，也可能去找另外一個靠山，但我認為他找另一個靠山的可能性不大。」

　　「您的意思是說……」李雲強說：「他會想辦法偷渡離開這裡？」

　　「他不是檯面上的人，那張臉根本沒有幾個人認識。」亞伯・馬丁內斯說：「我會叫楊滄堯打一個電話給齊正祥，讓他幫我抓住鄧廷忠，後面你知道該怎麼做了吧？」

　　「知道了。」李雲強點點頭，接著又問說：「齊正祥到現在都還沒有對要不要跟我們合作表態，現在我們找他幫這個忙，會不會……？」

　　「你想太多了。」亞伯・馬丁內斯冷笑說：「其實這也是一個很好的機會，要是他願意幫我們這個忙，那合作的事就應該八九不離十了，我認為他一定會願意跟我合作的。」

　　「那當然是最好不過的。」李雲強擔心的說：「但

他若提起上次那兩個殺手的事，我們該怎麼說呢？」

「這你不用擔心。」亞伯‧馬丁內斯自信的說：「我開給他這麼高的價錢，試探一下他的斤兩，也是無可厚非的，不是嗎？如果他這麼沒用，憑什麼能值這麼高價錢呢？」

「說得也是。」李雲強似乎有點明白的說：「在江湖上大家要談合作，確實也會試試對方的斤兩。」

亞伯‧馬丁內斯揮了揮手，示意不想再說下去，李雲強點了點頭，轉身離開了客廳。

## 第四十四節　難得的笑聲

　　自從去跟亞伯‧馬丁內斯見面回來後，鍾文昱就一個人坐在庭院裡的藤椅上，雖然他臉上並沒有什麼特殊的表情，但看起來就是一副心事重重的樣子。

　　在這個庭院裡，有鍾文昱許多幼時的回憶，那時李陽貴雖然已經五十好幾，但身體還是非常硬朗，每天都利用傍晚的時間，對鍾文昱進行各種武術與體能的訓練。對於一個孩子來說，那些訓練可以說是相當的艱苦與殘忍，有時連李陽貴看了都會於心不忍，甚至還常偷偷落淚，但那時的鍾文昱從不言苦，或許是因為這樣，才造就了鍾文昱今日的與眾不同。

　　其實李陽貴當時的心裡也非常掙扎，他非常同情這個孩子悲慘的身世，是真心想要好好的疼愛這個孩子，但他心裡知道這個孩子將來勢必要面對一些常人所不會遇到的事，所以他才會將自己一生所學全部傾囊相授，就是希望這個孩子將來有保護自己的能力。

　　李陽貴之所以會有這樣的想法，主要還是來自於鍾文昱三歲時被雷擊中的那件事。

　　當天下午的天氣十分晴朗，李陽貴讓鍾文昱在庭院中玩耍，孰料天空突然迅速變暗，一道閃電突然從天而降，劈在鍾文昱身邊的大樹上，鍾文昱當時手摸著大樹，

在雷擊之後立刻倒地不起，李陽貴緊張的趕緊過去將鍾文昱抱進屋內，卻發現鍾文昱已經沒了呼吸與心跳，嚇得李陽貴趕緊對鍾文昱進行急救，並且馬上叫人開車把鍾文昱送去了醫院。

雖然及時急救與送醫保住了鍾文昱的性命，但鍾文昱卻昏迷了兩個星期左右，當時周清合動用關係並花錢請來名醫替鍾文昱診治，但始終沒有查出到底出了什麼問題，眼看著自己從小照顧的孩子昏迷不醒，讓李陽貴心裡自責不已，甚至在病房不斷跪求上天，希望能有奇蹟出現。

或許是李陽貴的真誠感動了上蒼，在兩個星期之後，病房裡突然出現了一個白髮老人，用手摸著鍾文昱的額頭，並笑嘻嘻的對李陽貴說這孩子沒事。李陽貴本來要上前阻止，卻看見鍾文昱慢慢睜開了眼睛，他趕緊跪下向白髮老人跪拜，從此與白髮老人結下了緣分。

當李陽貴站在屋簷下凝視著鍾文昱時，一幕幕的往事在腦海裡浮現，他便緩緩的走到鍾文昱的身邊，對鍾文昱說：「孫少爺，在你小的時候，我對你這麼嚴格與殘忍，那時你心裡一定很怨我吧？」

鍾文昱聽到李陽貴所說的話，轉頭對李陽貴說「若不是您教了我這麼多技能，恐怕我也活不到現在了。」

「當時又沒人讓你跑去做軍人。」李陽貴用抱怨的

口吻說：「當年你突然離家出走，還跑去當了軍人，我跑去部隊要讓你退訓回家，結果你怎麼樣都不肯，老爺可是把我給罵死了。」

「對不起，貴伯。」鍾文昱道歉說：「我年輕的時候不懂事，總以為自己是沒人要的孩子，還連累您被爺爺怪罪，都是我的錯。」

「算啦！都過去了。」李陽貴嘆氣說：「老爺一直把你當親孫子一樣看待，我也一直把你當作是自己的孩子，你哪裡是沒人要的孩子啊！」

「我知道。」鍾文昱紅著眼眶說：「其實我比任何人都幸福，是我自己當時太傻了。」

「你中午沒進來吃飯，可把詩語給急壞了。」李陽貴叮囑著說：「人這一輩子，要找到一個真心對你的伴侶非常不容易，你可要好好珍惜啊！我這個老頭就不跟你多說了，詩語給你留了飯菜，等一下她會過來找你，你臉上多一點笑容，對人家好一點，知道了嗎？」

說完這些話之後，李陽貴轉身向屋內走去，此時陳詩語正好端著餐盤走了出來，還衝著李陽貴傻笑，逗得李陽貴也笑了出來。

陳詩語走到鍾文昱的身邊，將餐盤放在桌上，微笑著對鍾文昱說：「大少爺，事情要想，飯也要吃啊！從回來以後就一個人坐在這裡，你肚子不會餓啊？」

「本來是不餓。」鍾文昱陪著笑臉說：「但看到妳端這麼一大盤飯菜過來，就覺得有點餓了。」

「跟小孩子一樣。」陳詩語嘟著嘴說：「快點，把這些全部都給我吃完。」

「這也太多了吧？」鍾文昱問說：「一定要全部吃完嗎？我會撐死耶！」

「少給我找藉口啊！」陳詩語用命令的口吻說：「快吃！再不吃都涼了。」

鍾文昱聽話的拿起筷子與湯匙，大口吃著盤子裡的食物，陳詩語在旁邊好像在監督小孩吃飯一樣，還拼命把菜夾進鍾文昱的碗裡。

等鍾文昱把所有的飯菜吃完之後，陳詩語還拿了一張濕紙巾，幫鍾文昱把嘴巴擦乾淨，這才笑著伸伸懶腰，一臉放心的樣子。

「對不起。」鍾文昱對陳詩語說：「讓妳擔心了。」

「我啊！是上輩子欠你的。」陳詩語微笑著說：「你每次只要一有心事，就會連飯都不吃，以後我會每天看著你，監督你一輩子。」

「不會吧？」鍾文昱笑著搖頭說：「我又不是小孩子。」

「怎麼？」陳詩語假裝扳起臉孔說：「你不願意啊？」

「願意、願意……」鍾文昱一臉巴結的說：「我求

之不得呢！」

「這還差不多。」陳詩語得意的笑著，搞笑說：「我爸媽說了，他們說我都被你占過便宜了，叫你等這陣子的事情過去之後，趕快把我給娶了，以免時間拖久了，你會不負責任。」

「他們真的這麼說？」鍾文昱假裝委屈的說：「我哪敢不負責任啊？」

「他們說啊！像你這種有錢人家的大少爺，最沒有良心了。」陳詩語故意逗著鍾文昱說：「剛開始就用花言巧語欺騙，後來就始亂終棄，真是太可怕了，像我這麼純真善良的小女生，最容易上當了。」

「這都是妳自己編的吧？」鍾文昱笑著說：「他們認識我很久了，絕對相信我是個忠厚老實的好男人。」

陳詩語看見鍾文昱自吹自擂的樣子，終於憋不住笑意，哈哈大笑了起來，站起來拿著餐盤就離開了。鍾文昱心裡當然知道，這是陳詩語故意逗他的，他搖頭笑了笑，心裡暖暖的。

## 第四十五節　不意外的比對結果

　　殯儀館總給人一種陰森恐怖的感覺，除非有不得已的理由，否則一般人都避之唯恐不及。不過對於從事刑警工作的田偉志來說，這個地方卻是他常常必須要來的地方，因為他所負責的工作大多與人命有關。

　　宋逸成看見田偉志走進了辦公室，當然知道他的來意，但因為宋逸成剛剛做完一具遺體的解剖，正在用電腦記錄著檢驗工作的報告，所以用手勢示意田偉志先坐著等他。

　　田偉志知道宋逸成的工作繁重，所以就靜靜的坐在一旁等待，經過了半個小時之後，田偉志實在是按耐不住了，開玩笑說：「仵作 (註256) 大哥，小民的身上都要長蜘蛛網了，你真要等到我被大蜘蛛吃了，才要理我嗎？」

　　「大蜘蛛？」宋逸成抬頭看了看四周，不解的問說：「我這裡打掃得很乾淨啊！哪裡來的大蜘蛛？」

　　「你還真是像小鍾講的一樣，一點幽默感都沒有。」田偉志笑著說：「我這是在形容好嗎？東西在一個地方放久了，不是都會長蜘蛛網嗎？蜘蛛網是蜘蛛吐的絲，所以就會有大蜘蛛啊！」

　　「你是東西啊？」宋逸成故意揶揄著說：「東西不會動，你會動啊！所以……你不是東西。」

「你行啊！現在都會拐著彎罵人了啊？」田偉志豎起大拇指說：「你老是說我被小鍾帶壞了，我看你才是得到他真傳的大師兄吧？」

「誰叫你要說我是仵作。」宋逸成對田偉志說：「雖然仵作跟現代法醫一樣，都是長期從事人命關天的工作，但中國古代封建思想極重，仵作的地位極為低下，在元朝王與所著《無冤錄》上卷格例《省府立到檢屍式內二項》中評論，仵作行人南方多係屠宰之家，不思人命至重，暗受凶首或事主情囑，捏合屍傷供報。還說仵作曉得官府心裡要報重的，敢不奉承？把紅的說成紫的，青的說成黑的等等之類的話，直到清朝雍正六年，雍正才下旨將仵作轉為衙門中正式的員額，仵作的地位才有所提升。你跟我開玩笑說說可以，但遇到其他法醫，可千萬不要叫人家仵作。」

「喔！我知道了。」田偉志尷尬的說：「我不像你跟小鍾這麼有學問，不知者無罪啊！」

「你來這裡，是要問 DNA 比對的結果吧？」宋逸成認真的說：「正式的檢驗報告沒這麼快，還要一點時間才會出來，等出來了我會通知你來拿。」

「我知道是要有作業的時間。」田偉志心急的說：「但總應該有比較快速或初步的檢驗方法吧？」

「就算我告訴你也沒用啊！」宋逸成說：「檢體是

你叫人去偷回來的，本身就已經不合法了，就算比對結果確實與方若堂的 DNA 完全相同，也無法作為證明他犯罪的證據啊！」

「這我當然知道。」田偉志解釋著說：「但我必須知道結果，才能知道我的推論正不正確，然後我才能想辦法去對付他啊！你又不是不知道，他是個大律師，可不是一般的罪犯耶！」

「別急，我知道我們的田警官嫉惡如仇，我又沒說不告訴你。」宋逸成拿出了一張單子，然後說：「初步認定的結果，施瑞芳陰道裡殘留的精液，應該就是方若堂所留下的。」

「那就對了。」田偉志興奮的說：「施瑞芳在下午兩點多的時候，有跟方若堂聯絡，方若堂自己也承認當天下午有跟施瑞芳到汽車旅館發生關係，我看過施瑞芳住處附近的道路監控錄影，也看過那個社區的監控錄影，確定施瑞芳是在晚上九點坐計程車回到住處的，所以我只要按照車牌號碼找到那輛計程車的司機，就可以知道他們去的是哪家汽車旅館，這樣就可以確定施瑞芳是在什麼時間離開汽車旅館的。如果可以證明當天下午到晚上，只有方若堂跟施瑞芳在一起，那就好辦了。」

「你的意思是說……」宋逸成推論著說：「如果可以證明當天下午到晚上，施瑞芳只有跟方若堂在一起，

方若堂就是拿唑吡坦給施瑞芳吃的最大嫌疑人，然後你就可以用他是嫌疑人的藉口，去調閱方若堂的健保紀錄，證明他確實有長期服用唑吡坦，也可以合法的對方若堂進行 DNA 採樣，對吧？可是即便如此，你要如何證明方若堂明知煩寧與唑吡坦不能一起服用，又如何證明他知道一起服用的結果呢？他畢竟不是學醫的，可以一推三不知啊！」

　　「你所說的問題，我都清楚。」田偉志點點頭說：「這點我會想辦法克服，但總比什麼線索都沒有要強得多了，謝謝你啊！老宋。」

　　「不用謝，我又沒幫上什麼忙。」宋逸成似乎又想到了什麼，提醒著說：「我記得小鍾說過，作律師的要接觸各種不同的客戶，也會承辦各式各樣的案子，所以對很多專業知識都有涉獵，你或許可以去找一下方若堂過去所承辦的案子，或是查一下與他常接觸的人中，是否有懂醫藥專業的人，或許就可以破解這個盲點。」

　　「對喔！」田偉志拍了一下大腿，笑著說：「老宋，我覺得你都可以轉行做刑警了，書讀多了果然不一樣，難怪你跟小鍾都這麼厲害。」

　　「少來啊！別給我戴高帽子。」宋逸成開玩笑的說：「我管的是屍體，你管的是活人，我們各司其職啊！」

　　田偉志與宋逸成相視而笑，再講了幾句無關緊要的玩笑話之後，田偉志就離開了宋逸成的辦公室。

## 【本節註釋】

註256：仵作是中國古代官府中專門檢驗屍體的男吏役，驗屍的女役則稱為穩婆。仵作二字都沒有殮葬的意思，但自唐朝起就廣為使用，清朝時改為檢驗吏。在戰國後期有「令使」一職，專門帶領隸臣從事屍體檢驗和活體檢驗。在漢代，法醫學檢驗已相當盛行，一個縣約設置仵作一至三名，每年可以得到三、四兩銀錢的「工食銀」。「仵作」一詞在隨唐時期已經出現，當時是指負責殯葬業的人，後來逐漸發展成組織，五代王仁裕所著《玉堂閒話》中記載，這類殮屍殯葬的民間行會成員就叫做「仵作行人」。宋代這種類似現代法醫專業的吏役，正式被稱為「仵作」或「行人」，又稱為「團頭」，同行還有「坐婆」、「穩婆」等，遇到婦女下體的檢驗時，必須由「坐婆」檢驗。南宋時期宋慈編撰的《洗冤集錄》頒行全國，成為宋朝以降歷代刑獄官辦案必備參考書籍。元明時期仵作成為正式檢驗鑑定吏役，而清代仵作事業最上軌道，《清朝文獻通考‧職役三》記載：「大州縣額設三名，中州縣二名，小州縣一名。仍各再募一、二名，令其跟隨學習，預備頂補。各給《洗冤錄》一本，選委明白刑書一名，為之逐細講解，務使曉暢熟習，當場無誤。將各州縣皂隸裁去數名，以其工食分給撥給，資其養贍。」。

## 第四十六節　鄧廷忠被抓

今日的午後，突然下起了一陣大雨，並且一直持續到了夜間。雨勢來得又快又急，伴隨著震耳欲聾的雷聲，很容易讓人感到心緒不寧。

通常這種雷陣雨（對流雨）<sub>（註257）</sub> 持續的時間不會太長，但今天就是個例外，並且由於大雨持續的時間較長，不少地方都有淹水的現象。

齊正祥在辦公室裡坐著，但臉上並沒有任何煩躁的表情，一副胸有成竹的樣子，像是在等待著什麼。

沒過多久之後，賽吉・金恩和三個彪形大漢押著一個人走了進來，那個被押著的人，雙手被反綁在背後，身上到處是傷，樣子顯得非常狼狽。不過賽吉・金恩和那三個彪形大漢，臉上和身上也有著不同程度的傷，顯然抓這人的時候，經過了一場惡戰。

「你們怎麼搞成這樣？」齊正祥關心的問著。

「這小子可不是一般人。」賽吉・金恩解釋說：「他的攻擊能力極強，力氣又大得驚人，要不是我們在武器上佔了便宜，還真難把他抓回來。」

「這個人……就是亞伯要的人？」齊正祥看了一下，問那個被綁著的人說：「你叫鄧廷忠是吧？你應該知道我是誰吧？」

鄧廷忠斜眼看著齊正祥，生氣的說：「齊正祥，你不是不願意跟亞伯合作嗎？我跟你無冤無仇的，你為什麼要抓我？」

　　「我有說過不願意合作嗎？我記得我說的是要考慮幾天。」齊正祥點了一根煙，抽了兩口之後說：「我是做走私生意的，有這麼賺錢的生意找上門，我怎麼會不願意呢？」

　　「你想怎麼樣？」鄧廷忠激動的挪動身體，卻又被旁邊的彪形大漢給制止。

　　「就像你說的，我跟你無冤無仇，所以我不會對你怎麼樣。」齊正祥冷冷的說：「不過我已經打了電話給亞伯，他正在趕過來的路上，至於他要對你怎麼樣，就不關我的事了。」

　　「亞伯只不過是在利用你而已。」鄧廷忠對齊正祥說：「等他的貨拿到了，你以為你拿得到錢嗎？就算你真的拿到錢，不怕他殺你滅口嗎？」

　　「想殺我的人多了。」齊正祥冷笑著說：「我在道上混了幾十年，如果殺我有這麼容易，我現在還能在這裡嗎？」

　　「你放我走，我把我所有的錢都給你。」鄧廷忠知道情勢不妙，語氣放軟的說著。

　　「你能給我多少錢？」齊正祥笑著問說：「幾千萬

還是幾億啊？我有這麼多的兄弟要養，你那點錢連塞牙縫都不夠。」

「要不然……」鄧廷忠哀求著說：「我去幫你殺了鍾文昱，只要你放了我，你要我做什麼都可以。」

「你們這麼多人要殺他，搞了這麼久也拿他沒辦法，現在就憑你一個人就能殺了他？你當我是傻子嗎？」齊正祥轉頭對賽吉‧金恩說：「把他先關起來，等亞伯過來再說吧！」

賽吉‧金恩和三個彪形大漢聽到齊正祥的命令後，把鄧廷忠拖了出去，因為知道這小子有點能耐，所以用鐵鍊將他綁在一個房間裡，還由那三個彪形大漢持鎗看守著。

過了半個多小時，亞伯‧馬丁內斯帶著李雲強和兩名手下來到了這裡，經過齊正祥手下的詳細搜身之後，把隨身的武器都留在大門口，然後被人引導著進入了辦公室。

「齊老大，你做事果然很有效率啊！」亞伯‧馬丁內斯一進門就惺惺作態的走向齊正祥，笑著問說：「你這麼快就幫我把叛徒給抓到啦？你的人沒有被那個小子給傷到吧？」

「託你的福，只受了點小傷。」齊正祥擠出笑臉回應說：「你的人這麼不靠譜，怎麼還搞背叛啊？」

　　「總是有一些不懂事的，這就不說了啊！」亞伯·馬丁內斯顯然不想說明原因，接著問說：「看來齊老大應該對我的提議有興趣了吧？」

　　「在道上混的，誰會對錢沒有興趣呢？」齊正祥回話說：「不過大家既然要合作，總是要拿出一點誠意吧？我的誠意你已經看到了，現在就要看你的誠意了。」

　　亞伯·馬丁內斯似乎早就猜到齊正祥會提出這樣的要求，轉頭對李雲強使了個眼色，李雲強走過來將一個大皮箱交給齊正祥身邊的人，那個人接過皮箱之後放在桌上，打開來檢查了一下，然後走到齊正祥身邊，附耳低聲的說了一句話。

　　「一千萬啊！亞伯先生可真是大方。」齊正祥抽了一口煙說：「這個定金我就先收下了，後面的事就聽你指示了。」

　　「你放心，貨很快就到。」亞伯·馬丁內斯奸笑著說：「你只要把人和船準備好，保證是一件輕鬆愉快的差事，到時候我會帶著現金來拿貨。」

　　「看來你也很懂我們這行的規矩嘛！」齊正祥冷笑著說：「不過是有一件事，我還是要說一下啊！大家原本並不熟悉，你要找人試試我的本事，倒也是無可厚非，但你出手也不用這麼狠吧？」

　　「你大人有大量，不會跟我這個不懂事的後生小輩

計較吧？」亞伯・馬丁內斯陪著笑臉說：「下面的人不懂事，誤會了我的意思，不過這也證明你的手下還真是不簡單，不是嗎？」

「我當然不會計較。」齊正祥扳起臉孔說：「但這種事，可不能再出現第二次，否則……」

「絕對不會，我保證。」亞伯・馬丁內斯回答說：「從現在開始，你我就是合作伙伴的關係，我不可能放著大錢不賺，而去做這些損人又不利己的事。」

「好！」齊正祥對賽吉・金恩說：「把人交給他們，幫我送他們出去吧！」

賽吉・金恩點了點頭，帶著他們走出辦公室，將鄧廷忠交給了他們。鄧廷忠在被拖走之前，不斷咆哮咒罵著齊正祥不得好死，但很快就被打暈了過去。

「不得好死？」齊正祥喃喃的自言自語說：「我做了這麼多的壞事，本來就該不得好死，但在我死之前，一定要除掉你們這群魔鬼，不能讓你們留在世上害人。」

這是齊正祥的決心，也是他的真心懺悔，從他答應白髮老人的那一天起，就已經不在乎自己的生死了。

## 【本節註釋】

註257：對流雨（又稱為熱雷雨、雷陣雨）是一種降水的形式，是因為天氣對流運動而引起的降水現象。對流雨主要發生於低緯度地區，特別是在赤道地區及南北兩半球迴歸線間的熱帶雨林氣候和熱帶莽原氣候，也會發生於熱帶地區和夏季的內陸地區，當某一地面強烈受熱，空氣受膨脹形成低氣壓，產生強烈的垂直空氣對流，上升的氣流是溫暖而潮濕的，有利於水氣凝結成水點，水點到達高空時因溫度降低而冷卻，匯聚成厚雲（積雨雲），由此形成的降雨稱為對流雨。這種降雨多在午後空氣對流最強烈的時候出現，通常下雨的時間不會持續太長，有時會有閃電打雷，所以又被稱為雷陣雨。山區因地形抬升阻擋積雲前進，易使積雲發展成積雨雲或濃積雲而形成雷陣雨，故山區較平地更容易發生雷陣雨。

# 第四十七節　凌虐致死的屍體

　　得知殺害自己親人的凶手被殺，對於還活在世上的死者親屬來說，究竟會是什麼樣的心情？是正義終於得以伸張的交代？還是心中怨恨痛苦的寬慰？在每一個人的心裡，都有各自的答案，但無論如何，已經發生的事實已無法改變，已經過世的人也無法復活，心裡的記憶與傷痛，或許會因為時間流逝與環境改變而漸漸淡化，然而並無法完全的抹滅。

　　天色未明的凌晨，還下著滂沱大雨，一輛皮卡 (註258) 出現在周清合住處的巷口，經過周清合住處時放慢了速度，有兩個戴著安全帽與口罩的人從開放式貨艙丟下一個大麻布袋，然後就加速逃離了現場。

　　雖然在雨聲的掩蓋下，這樣的動靜並不是很大，但周清合所聘僱的安全人員還是聽到了聲音，他們出門查看後發現門口被丟棄了一個大麻布袋，而且上面還有明顯的血跡，所以他們迅速加強了警戒，並立刻撥打電話報警。

　　派出所接到勤務中心的通報電話之後，馬上派了兩名警員過來，兩名警員查看了麻布袋上的血跡之後，馬上用無線電通報現場的情形，並且為了現場的跡證不被破壞，留下來看守著現場。

田偉志在接到通報之後，帶隊來到了現場，並在現場拉起封鎖線。鑑識人員穿戴好了裝備，將麻布袋的封口解開，赫然發現裡面竟是一個人的屍體，便馬上打了電話通知法醫前來。

　　沒過多久，宋逸成也匆匆來到現場，指揮著鑑識人員將屍體從麻布袋裡搬出來，由於大雨可能沖刷掉許多跡證，所以在宋逸成到來之前，鑑識人員已經搭好了簡易的遮雨棚架。

　　這個人的死狀極慘，不但四肢都呈現開放性骨折 (註259)，就連肋骨也有大面積的塌陷，頭上顱骨也顯然有遭到重擊的跡象，顯然生前遭到過極端殘忍的凌虐。

　　鍾文昱在一旁觀看，即便這屍體的臉已經被打得血肉模糊，但他右手掌背面那個「Hellø」字樣的刺青，讓鍾文昱馬上認出了這個屍體的身分。

　　鍾文昱對宋逸成與田偉志說：「這個人就是鄧廷忠，他是李雲強的手下，也是開車撞死詩芸的凶手。」

　　「那死得好啊！」田偉志說：「這不會就是亞伯‧馬丁內斯所說的交代吧？」

　　「田警官，不要在死者面前說這種話。」宋逸成好心提醒說：「你不怕他化成厲鬼，一直糾纏著你啊？」

　　「他殺了小鍾的老婆，本來就該死，我說錯了嗎？」田偉志不服氣的說：「我可是刑警耶！這種壞人早就該

下十八層地獄，我才不怕他。」

「畢竟是一條人命。」宋逸成嘆著氣說：「殺他的人，手段也太殘忍了，這明顯是凌虐致死，而且死亡的時間應該就是晚上九點到十二點之間，離現在的時間沒多久而已。」

「當初他用車子撞死小鍾的老婆，手段難道就不殘忍嗎？」田偉志替鍾文昱打抱不平的說：「這是他應得的報應，這麼死算便宜他了。」

「人命在這群人的眼裡，根本一點意義也沒有。」鍾文昱心裡難過的說：「這就算是交代了嗎？就算把他們所有的人都殺死，又能改變些什麼呢？亞伯‧馬丁內斯簡直就是個瘋子，他以為這樣做，我和爺爺就不會去管他所做的事了嗎？」

「這些人簡直就是無法無天。」田偉志憤慨的說：「尚隊長要是不趕快把這些人抓起來，還不知道到底要死多少人。」

「就快了。」鍾文昱一副胸有成竹的樣子說：「等到時機成熟之後，他們一個也逃不了。」

田偉志看見地檢署檢察官來到了現場，便匆匆忙忙的走了過去，向檢察官匯報著現場的情況。檢察官看完屍體的大致狀況之後，與宋逸成約定了相驗的時間，然後就離開了現場。

「小鍾，我心裡很明白，即使看到殺害自己親人的凶手被殺死，心裡的痛也無法抹滅。」宋逸成擔心的說：「但我們現在最擔心的，就是怕你在一時衝動之下做出傻事，你在做任何決定之前，要多想想自己身邊的人，千萬不要讓他們再為你難過，知道嗎？」

「我知道。」鍾文昱紅著眼眶說：「要不是我怕讓身邊的人為我難過，我早就……」

「你現在已經不是軍人了，那些事情留給尚隊長去做吧！」宋逸成提醒鍾文昱說：「這個事情發生在你家門口，警方勢必會要求你去配合調查，有些事情不要對警方說太多，不然會給你自己帶來不必要的麻煩。」

「了解。」鍾文昱點點頭說：「我有分寸的。」

宋逸成突然指者屍體的關節處說：「這個人的關節處看起來也有異變，跟上次吳隊長葬禮那天被擊斃的匪徒很像，他生前應該也有注射過生物血清，只不過異變的程度還沒這麼誇張而已。」

「又是超級士兵的血清？」鍾文昱思考著說：「炭疽桿菌、生物士兵……亞伯‧馬丁內斯究竟有什麼陰謀？」

「看來這具屍體，軍方一定也會派人來運走。」宋逸成臉色一沉說：「這些事情的背後，一定還隱藏著更大的陰謀。」

　　初步檢查完屍體之後，宋逸成交代警方將屍體送去相驗暨解剖中心，小心翼翼的將所有工具收好，然後就離開了現場。

　　就像宋逸成所說的一樣，因為屍體是在周清合住處門口發現的，所以幾個目擊的安保人員與鍾文昱，都被警方約好在天亮之後去協助調查和製作筆錄。

　　鍾文昱回到屋內之後，坐在沙發上像是在想著事情，再也無法入眠。

　　除了過去的痛苦往事，一幕幕在腦海中浮現之外，還擔憂著宋逸成所說的「更大的陰謀」？究竟是什麼呢？

## 【本節註釋】

註258：皮卡車（Pickup Truck），業界稱為輕便客貨兩用車，或是貨卡，通常指含有開放式載貨區的輕型卡車，一般皮卡的車身外形可以明顯分成引擎室、駕駛室和貨艙三段，也有部分車款引擎是在駕駛室下方而沒有引擎室。

註259：開放性骨折，也稱為複雜性骨折，是指骨折處的皮膚破裂，傷口由外在的表面，直達內在的骨裂，內外環境相通，有感染的可能，造成的情況如外來的創傷，或骨折發生時斷裂的骨末端貫穿皮膚。

## 第四十八節 顧全大局的等待

今天，在太陽破曉而出之時，雨停了。

或許是因為昨日剛下過長時間的雷雨，使得今天早晨的天空，看起來格外的晴朗。

田偉志在做好鍾文昱等人的筆錄之後，急急忙忙的拿著一份報告，來到大隊長辦公室的門口，大隊長像是早就知道田偉志會來似的，不但敞開著辦公室的門，而且招手叫田偉志直接進來。

「大隊長，這是施瑞芳跳樓案的調查報告。」田偉志恭敬的將報告放在桌上，然後說：「根據我查看社區與汽車旅館等地監控錄影畫面的結果，在施瑞芳死亡當天，只有方若堂跟她接觸過，而且方若堂自己承認當天有跟施瑞芳到汽車旅館發生關係，也承認他有提供唑吡坦給施瑞芳，所以方若堂是最有嫌疑的關係人……」

「你是想請方若堂律師過來詢問？」大隊長沒等田偉志把話說完，直接說：「這件事情恐怕得再等等。」

「再等等？」田偉志聽到大隊長這樣的回答，驚訝的問說：「證據已經相當齊全了，還要再等什麼？」

「我知道你費了很大的功夫，才找到這些證據，也知道你很想讓方若堂伏法。」大隊長說：「等一下你跟我參加一個會議，你就知道為什麼了。」

「會議？」田偉志問說：「是要跟誰開會啊？」

「等一下你就知道了。」大隊長收下了田偉志的報告，嚴肅的說：「等一下署長也要過來，你先回去自己的辦公室，時間到了我會通知你，不要亂跑啊！」

「喔！我知道了。」田偉志說完敬了個禮，離開了大隊長的辦公室，回到自己的座位上等著。

大約經過了半個小時，田偉志才收到大隊長的通知，他匆匆忙忙的跑到會議室，除了看到警政署長與國防部長之外，還看到宋逸成與尚義坤坐在辦公室裡。田偉志舉手向警政署長與國防部長行了禮，然後走進了會議室。

大隊長將會議室的門給關上，走到自己的位置旁邊坐了下來，對田偉志說：「你先聽聽尚隊長與宋法醫的報告，就會知道是怎麼回事了。」

「部長、署長，有關許丞光處長被毒殺的案子，我已經取得關鍵證據了。」尚義坤報告著說：「在許丞光處長死亡的當天早上，有一名替代役 (註260) 男外出買東西的時候，發現楊滄堯在一條山路的轉角處，將一個裝水的容器交給也在該處停車的許丞光，他當時順手用手機拍了下來，在許丞光死後他驚覺不對，又不敢向上級呈報，所以在我去國安局的時候交給了我。」

「那不就是楊滄堯殺死許丞光的鐵證了嗎？」田偉志心急的說：「那你為什麼不趕快把楊滄堯抓起來啊？」

大隊長對田偉志使了一個眼色，示意叫田偉志全部聽完再說，田偉志只能乖乖的閉上了嘴巴。

「早上我在檢查鄧廷忠的屍體時，發現他的自動皮帶頭有異狀，所以我用工具把皮帶頭拆開，發現皮帶頭裡藏有一張 Micro SD 卡。」宋逸成接著報告說：「我用電腦檢閱了記憶卡裡的內容，發現鄧廷忠曾跟著李雲強去見楊滄堯，也曾跟著李雲強去見方若堂，裡面還有鍾文昱妻子被撞死的經過，可以證明楊滄堯與方若堂都跟這個國際僱傭兵集團有接觸，甚至教唆他們殺人。」

「那真是太好了。」田偉志興奮的說：「這些我們找都找不到的證據，鄧廷忠倒是都替我們蒐集好了。」

「我今天約大家來開會的目的，就是要請大家配合一下尚隊長的行動。」國防部長表情嚴肅的說：「我們得到消息，亞伯·馬丁內斯這次來臺灣的目的，是為了幫伊斯蘭國頭目巴格達迪 (註261)，將炭疽桿菌孢子製成的粉末和生物士兵血清藏匿在臺灣，以準備作為東南亞某個國家軍事政變之用，由於海峽兩岸政局敏感，美國無法派兵來臺灣支援，只能靠我們自己抓捕亞伯·馬丁內斯，所以即便我們手上已經掌握楊滄堯與方若堂的犯罪證據，也不能在這個時候進行抓捕，否則會打草驚蛇，讓他們把炭疽桿菌孢子製成的粉末和生物士兵血清藏到別的地方，這是我們唯一的一次機會，不能有任何失

誤。」

「我的天哪！怎麼會跟 ISIS （註262）扯在一起了。」田偉志驚訝的說：「這個恐怖組織怎麼又會跟 MSA 的人扯上關係啊？」

「這些事情在美國被列為極機密，我也不太清楚。」國防部長說：「但他們既然想把東西運進臺灣，我們就必須在這裡就攔下來，否則後果不堪設想。」

「我當了這麼久的警察，還是第一次遇到這樣的事。」田偉志終於明白了利害關係，點點頭說：「部長既然交代了，我們配合就是。」

「不光是這樣，這件事情要嚴格保密。」國防部長交代說：「我們這幾個人知道就好了，不能向任何人提起這件事情。」

「部長所說的任何人……」田偉志問說：「有包含鍾文昱律師嗎？」

「他應該比我更早就知道了。」國防部長笑著說：「我得到的消息，還是他爺爺告訴我的，相關的聯絡，也是周老在負責的，不然我哪有辦法接觸到美國這麼高級別的官員。」

「不會讓你等太久的。」尚義坤對田偉志說：「我已經接到線報，他們應該在這幾天就會有所動作，我不會讓任何一個人逃掉的。」

田偉志當然相信尚義坤的實力，只不過他還是對鍾文昱的安全有所擔心。

## 【本節註釋】

註260：替代役（Substitute Military Service 或 Alternative civilian Service），是中華民國《兵役法》中所規定的服役方式之一，其服役期間於政府或公共機關（構）中服務，並以內政部役政署為主管機關。替代現役役男不具備現役軍人身分（無軍人身分證），不受軍事審判，不屬國防部管轄而屬於內政部管轄，但仍可享有部分軍人福利，例如軍警票、國軍英雄館住宿優惠等，而其退役後身分為替代役備役，需接受主管機關召集服勤。替代役構想源自於早就實行於歐洲國家的社會役，於2000年1月完成《替代役實施條例》立法及《兵役法》修正，並於同年8月3日正式徵集第001梯次替代役男。在此之前，國防部曾與內政部協調，擬定修憲為：「人民有依法律服兵役之義務；在國防軍事無妨礙時，得以其他方式服役」，但最終改為將替代役制度納入《兵役法》實施。自2018年起，1993年以前出生之役男全面轉服替代役。

註261：易卜拉欣‧阿瓦德‧易卜拉欣‧阿里‧穆罕默德‧巴德里‧薩瑪拉‧阿布‧貝克爾‧巴格達迪（1971年7月28日-2019年10月27日），又被稱作阿布‧

貝克爾・巴格達迪、易卜拉欣哈里發（哈里發意為哈
里發國與烏瑪的統治者，是伊斯蘭教宗教及世俗最高
統治者）或阿布・杜阿，他是伊斯蘭神學學者、極端
伊斯蘭恐怖主義組織「伊斯蘭國」（ISIS）的最高領
導人，並自封「伊斯蘭國」的哈里發，被歐美和中東
大部分國家列為頭號恐怖份子。伊斯蘭國在 2013 年
4 月 8 日通過巴格達迪起草的一份聲明宣布成立，他
成功組建了伊斯蘭國，為蓋達組織的分支，後已脫離
蓋達組織。2011 年 10 月 4 日美國政府將他列為全球
首級恐怖份子，並懸賞一千萬美元擊斃或抓捕，其懸
賞金僅次於蓋達組織首領艾曼・扎瓦希里（懸賞金為
二千五百萬美元）。2014 年 6 月 29 日「伊斯蘭國」
宣布建國，巴格達迪自封為哈里發，並改用本名易卜
拉欣，自稱為易卜拉欣哈里發，然而他的稱號不受大
部分穆斯林承認，塔利班亦不承認其哈里發的地位，
稱他為「偽哈里發」。2019 年 10 月 27 日美國福斯新
聞快訊報導，巴格達迪死於美方在敘利亞西北部城市
伊德利卜的行動中，隨後美國政府證實此訊息。伊斯
蘭國隨即也承認巴格達迪之死，並宣布新任哈里發由
阿布・易卜拉欣・哈希米・庫雷希接任。

註 262：ISIS（伊斯蘭國），是一個位於中東薩拉菲聖戰主義
　　　　組織所建立未被世界廣泛認可的政治實體。而 ISIS 一
　　　　詞，原來是指古埃及神話中的戰神。

## 第四十九節 尋求周清合幫助

國防部長在市刑大開完會之後，直接帶著尚義坤驅車前往周清合的住處。

一個國家的國防部長，手上必定掌握著整個國家的資源，他既然已經掌握了亞伯‧馬丁內斯的犯罪計畫，又為什麼如此著急的去找周清合呢？，

由於尚義坤在車上已經打過電話告知李陽貴，所以載著國防部長與尚義坤的車輛一來到門口，安保人員就馬上打開大門讓車輛直接進去，畢竟來者是臺灣的國防部長，所以當然不需要進行任何的檢查。

李陽貴接到門口安保人員的通知後，走到停車的位置去迎接國防部長與尚義坤，並引導著他們走向大廳。

鍾文昱看見國防部長走進大廳，馬上站起來禮貌的迎接著，周清合則是坐在沙發上沒有起身，只是笑著說：「部長，我年紀大腿腳不行了，別嫌我沒有禮貌啊！快請坐。」

「周老，您別客氣了。」國防部長坐下說：「我今天來是有事相求，哪有有事相求的客人，還要求主人禮貌的道理啊！」

「別這麼說，哪有什麼求不求的。」周清合笑著說：「只要我能幫得上忙，你儘管說。」

　　「雖然您幫我們得到了美國提供的情報，知道了亞伯・馬丁內斯來臺灣的目的，但我猜想他要齊正祥去取貨的地點，應該不會在臺灣的領海(註263)範圍內。」國防部長開門見山的說：「他們要是選擇在公海(註264)上取貨的話，我們對那個船舶是沒有管轄權(註265)的，而且臺灣在衛星技術這方面確實有些不足，我怕會無法掌握他們的行蹤。」

　　「當然不能直接在公海上進行抓捕，既然他們是想把這些東西先運來臺灣，我們等齊正祥把貨運進來之後再抓不就好了嗎？」周清合繼續說：「至於那些船舶在公海上的行蹤，我會用我們公司的衛星技術幫助你們，這點你不用擔心。」

　　「那就太好了，這樣在時間及位置的掌握上，就不會有問題了。」國防部長想了一下，又問說：「不過這個齊正祥一直是我們最頭疼的人物，他怎麼會願意跟我們合作？我實在有點想不通。」

　　「他就是三十五年前……把小昱一家三口殺死的凶手。」周清合解釋著說：「當年齊正祥是靠著許丞光的幫忙，才能坐上那個位置的，許丞光發現鍾崇德在調查的案子對他不利，所以就叫齊正祥去殺了鍾崇德一家。我和小昱去見齊正祥的時候，齊正祥把過去的事都交代得很清楚，而且還向小昱下跪，甚至還幫助小昱查出了

很多事，我覺得齊正祥應該是真心懺悔了，至於他為什麼會在這個時候懺悔，那就只有天知道了。」

「我擔心的是……」國防部長一副心有疑慮的樣子說：「他會不會是裝出來的啊？」

「那倒不會。」周清合回答說：「在許丞光還活著的時候，本來打算找人取代齊正祥的位置，命令楊滄堯動用那批僱傭兵去殺掉齊正祥，要不是小昱的朋友去救了他，他早就到閻王爺那裡去報到了。」

「鍾律師的那個朋友，不會就是黑閻羅賽吉‧金恩吧？」國防部長對鍾文昱說：「那個賽吉‧金恩……可是國際刑警組織通緝的頭號人物耶！」

「我知道，在我還是軍人的時候，我也去抓過他，但是後來被他逃掉了。」鍾文昱回答說：「他確實殺過很多人，但我詳細的調查過，他所殺的人都是罪該萬死之人，雖然殺人是不合法的，但他卻不像當年的威利‧杜魯門那樣濫殺無辜。」

「以你當年的身手和本事，怎麼可能有人能從你手底下逃走？」國防部長質疑說：「我看是你故意放他逃走的吧？不是我要說你啊！你就算再怎麼於心不忍，也不應該擅作主張放走他啊！」

「我……」鍾文昱一向不擅長說謊，支支吾吾的說：「他的本事可是有目共睹的……我當年還差點死在他手

上，真的不是故意放走他的。」

「行了，都過去十幾年的事情了，不會有人追究的。」國防部長搖搖頭說：「我之前還覺得很奇怪，他這麼一個國際級的頂尖殺手，怎麼會跑來臺灣幫助齊正祥？原來是來報答你當年的恩情啊！」

「部長！」尚義坤插嘴說：「賽吉‧金恩確實幫了我們很大的忙……」

「我當然清楚。」國防部長沒讓尚義坤把話說完，立即說：「但他所做的事情都是犯法的，這點你們應該都很清楚，等這件事情結束之後，勸他主動投案吧！」

「我會跟他說的。」鍾文昱點頭說：「我相信他一定也會願意這麼做的。」

「對了，周老。」國防部長轉頭問周清合說：「巴格達迪既然雇了船運送那些東西，不可能全部放在臺灣吧？美國那邊應該也會鎖定那艘船吧？」

「這件事情，蓬佩奧會去向川普報告。」周清合點頭說：「美國一直在監視著巴格達迪的行動，當然不可能讓那些恐怖份子為所欲為，我們只要把臺灣的部分處理好，後面的事就交給美國去傷腦筋了。」

「這倒是。」國防部長點點頭說：「我們做好自己的事就可以了。」

說完這些之後，國防部長起身與周清合握了手，然

後就帶著尚義坤離開了。鍾文昱和李陽貴禮貌的將他們送到座車旁，等他們上車之後，目送著他們離開。

## 【本節註釋】

註263：領海（又稱領水），是從沿岸國陸地領土及其內水以外，或群島國群島水域以外，向海洋延伸 3-12 海里的海域。但各國視實際狀況可能另有規定，一國主權及於領土、領海，及其上空和底土。領海設立的因素有三點，一是國家基於安全需要，須獨佔其海岸，並自離岸的近海保護其海岸；二是國家須於沿岸港灣外檢查並管制停泊和進出的船舶，以符合其商業、財政或政治之目的；三是國家必須擁有其沿岸海域內的資源，以維持其居民的生活需要。領海寬度曾是爭論的核心，於 16 世紀到 17 世紀的論點，都採模糊的概念，最初有人主張以視力所及為領海範圍，後來荷蘭國際法學者格老秀斯等學者則力主以當時「岸砲射程（cannon shot）」作為控制海域的範圍，地中海地區的國家也採用「岸砲射程」的主張，北歐的斯堪地那維亞各國則以沿岸固定「岸距（fixed distance）」作為領海的範圍。上述主張中，以「岸砲射程」得到普遍的贊同，由於 18 世紀大砲射程平均不超過 3 海里（5.6公里），一些國家便規定其領海寬度為 3 海里。此慣例於 1945 年被改為 12 海里（22公里），甚至還

　　　　　有少部分國家主張應為 200 海里（370 公里），最終
　　　　　由 1982 年聯合國《海洋法公約》確定為 12 海里。

註 264：公海，又稱為國際水域或國際公海，是指非屬於任何
　　　　　一個國家領海的海域，根據國際海洋公約及 1958 年
　　　　　的公海公約，公海既然不屬於任何國家，故任何國籍
　　　　　的船舶均有航行權，對於公海中非所屬國大陸架和專
　　　　　屬經濟區的漁業資源，也可以由任何國籍漁船加以捕
　　　　　撈。根據國際律公海公約第二條規定，公海對各國一
　　　　　律開放，任何國家不得有效主張公海任何部分屬於其
　　　　　主權範圍。而「公海自由」，對於沿海國及非沿海國
　　　　　而言，包括「航行自由」、「飛越自由」、「鋪設海
　　　　　底電纜與管線之自由」、「建造國際法所容許的人工
　　　　　島嶼和其他設施之自由」、「捕魚自由」及「科學研
　　　　　究自由」。不過該條有但書規定，各國行駛以上自由，
　　　　　及國際法一般原則所承認之其他自由，應適當顧及其
　　　　　他國家行使公海自由之利益。

註 265：每一個國家，不論其為沿海國或內陸國，均有在公海
　　　　　上行使懸掛其國旗的船舶，船舶懸掛某一個國家的國
　　　　　旗，即具有該國國籍，這個國家即為該船舶的船旗國，
　　　　　船舶在公海上只服從國際法和船旗國的法律。在公海
　　　　　上行駛的船舶必須且只許懸掛一個國家的國旗，船舶
　　　　　在一國登記及取得其國籍的條件，由該國的國內法規
　　　　　定，有些國家為了獲取大量船舶的登記費，對船舶的
　　　　　構造、裝備、適航條件、船員的勞動條件和訓練方面

要求很低，並把取得船舶國籍的條件放得很寬，藉以吸引別國船舶到該國登記。為了防止這種「方便船旗」的作法，《聯合國海洋法公約》要求「國家與船舶之間必須有真正聯繫」。船旗國對在公海上有權懸掛其旗幟航行的船舶有專屬管轄權，公海上的船舶受船旗國法律管轄並受其保護，軍艦在公海上享有不受船旗國以外任何其他國家管轄的完全豁免權，專門用於政府非商業性用途的船舶亦同。

# 第五十節　與賽吉·金恩會面

## 臺北市　某百貨公司

今天雖然不是假日，但這家百貨公司每天下午的人潮，卻絲毫不比假日遜色，這種景象在臺北市許多繁榮的地方，可以說比比皆是。

一個戴著帽子的黑人，從百貨公司的大門口走了進來，他走進了很多的專櫃，似乎對很多商品都非常有興趣，由於他會說中文，所以專櫃銷售人員都很熱情的向他推銷商品，但他在與專櫃銷售人員交談的時候，眼神還不斷注意著四周的環境，而且他的眼神十分銳利，銳利到有點令人恐懼。

這個黑人從一樓開始就到處閒晃，幾乎每個樓層都走了一遍，而且也買了一些東西，兩手提著好幾個袋子，看起來跟一般來逛街購物的人沒有任何差別。

不過他除了不斷注意四周的人群之外，還總是有意無意的偷看著手錶，等他買完東西之後，便在五樓走進了電梯，直接來到了地下三層的停車場。

這個黑人走出電梯之後，慢慢的在停車場裡兜了一圈，直到確定沒有可疑的人物之後，他走向了一個沒有熄火的車輛，當他走到那個車輛的旁邊時，裡面的人將車門打開，那個黑人便迅速坐了進去。

這個黑人就是賽吉・金恩，而坐在車裡等他的人，就是鍾文昱。

「不會吧？」賽吉・金恩問鍾文昱說：「你爺爺放心讓你一個人來啊？」

「你放心，旁邊的兩輛車裡都是我們的人。」鍾文昱回答說：「而且這輛車裡裝有遮蔽訊號的裝置，沒有人可以定位到我們，也無法竊聽我們的談話。」

「張豪華那件事情……我很抱歉。」賽吉・金恩面帶感傷的說：「都怪我那時候太心急要給你傳消息了，沒想到竟然害張豪華喪命……」

「你不用自責。」鍾文昱嘆氣說：「該自責的人是我，要不是我找他幫忙，他也不會死。」

「這群人渣……」賽吉・金恩憤慨的說：「我一定會讓他們付出代價的。」

「鄧廷忠是你們幫亞伯・馬丁內斯抓的吧？」鍾文昱問說：「那齊正祥應該已經跟亞伯・馬丁內斯談好合作的事了吧？」

「談好了，亞伯・馬丁內斯還先付了一千萬元的定金。」賽吉・金恩點頭說：「現在亞伯・馬丁內斯都是透過楊滄堯來跟齊正祥談細節，據我所知應該很快就會有所行動了。」

「他應該是想讓你們派船到公海上去接貨，再由你

們的船把東西運回來吧？」鍾文昱擔心著說：「但我現在比較擔心的是，他可能會在你們運送的過程中，派人去搶這批貨。」

「這點尚隊長也想到了。」賽吉‧金恩說：「尚隊長已經跟海巡署打過招呼了，到時候他會派隊員假裝漁民在海上作業，海巡署也會密切配合，亞伯‧馬丁內斯想在海上搶走這批貨，根本沒有機會。」

「那就好。」鍾文昱又問說：「到時候你是在船上，還是在齊正祥身邊？」

「我會在船上。」賽吉‧金恩回答說：「齊正祥知道這批貨是給亞伯‧馬丁內斯定罪的證據，絕對不能出任何的差錯，所以要我到船上幫忙尚隊長保護好這批貨，他會在岸上跟亞伯‧馬丁內斯周旋，等著尚隊長來抓人。」

「可是……」鍾文昱憂心的說：「如果你不在齊正祥的身邊，那他不就很危險嗎？」

「其實就算我在他身邊，我也保護不了他了。你應該知道亞伯‧馬丁內斯的手下，有不少人都是長期注射生物血清的，他們簡直都已經變成怪物了，連我也不是他們的對手。」賽吉‧金恩無奈的說：「你看不出來嗎？齊正祥這麼安排，就根本已經不去想自己會怎麼樣了，他應該是想用這種方式贖罪吧！」

　　「這又何必呢？」鍾文昱搖頭說：「雖然我不敢說我已經完全原諒了他，但至少……我心裡已經沒有這麼恨他了。」

　　「他要是聽到你所說的話，心裡應該會感到很欣慰吧！」賽吉‧金恩微笑著說：「他其實跟我一樣，一輩子做了這麼多壞事，能有個機會讓我們去贖罪，多好啊？」

　　「老黑，你知道當年我為什麼會放你走嗎？」鍾文昱對賽吉‧金恩說：「因為我在調查你的過程中，發現你所殺的人，都是十惡不赦的人渣，而且即使現場有人目擊，你也從來不肯殺任何一個無辜的人。我知道你良心未泯，只不過走錯了路，其實你並沒有欠我什麼。」

　　「其實我年輕的時候，還曾經是個很傑出的外科醫生呢！」賽吉‧金恩難過的說：「你知道我是怎麼踏上這條不歸路的嗎？是因為我有一天下班回家的時候，親眼目睹我妻子全身赤裸的被人殺死，那些凶手連她死了都還在污辱她的身體，我用手術刀把那些凶手全部殺死，然後我就變成通緝犯了，我為了生存才會去接單殺人。雖然我所殺的都不是好人，但我確實就是一個殺人犯，而且還是跟威利‧杜魯門齊名的頭號殺手，你說我這段人生到底是怎麼了？」

　　「別說了。」鍾文昱紅著眼眶說：「你給我活著回來，

我帶你去投案，到時候我替你辯護。」

「老弟，不用了。從我變成殺人凶手之後，就只有你把我當個人看，其實已經足夠了，我已經很滿足了。」賽吉‧金恩笑著說：「放心，我可是黑閻羅，沒那麼容易死的，我走了。」

賽吉‧金恩迅速的下了車，慢慢的走到樓梯間，消失在鍾文昱的眼前。

在回程的路上，鍾文昱想起賽吉‧金恩所說的話，心裡百感交集，一直嘆著氣。其實鍾文昱的心裡很清楚，這或許是最後一次與賽吉‧金恩見面了。

## 第五十一節　軍方實施抓捕

對於沒有在大海航行過的人而言，絕大多數會認為在大海中接收不到手機訊號及網路訊號，應該不太可能打電話或使用通訊軟體，但這樣的答案正確嗎？顯然是錯的。

其實在大海上航行的船舶，不但有導航的需要，也有使用電話聯絡的需要，甚至還需要將航行的監控紀錄傳送回船公司，所以除了衛星導航系統之外，還會有衛星網路系統，都是透過船上的衛星天線做接收與傳送。只不過每個船公司對衛星電話的使用時數，或網路使用的流量，都會進行管制，所以打個簡短的電話報平安，或是用通訊軟體以文字聯絡，基本上都不成問題，但若要瀏覽網頁或網上的影音平台，那就不太可能了。

這段日子以來，賽吉・金恩都一直跟在齊正祥身邊，經常可以接觸到船舶，以及船上的各種設備，雖然他並不具有專業證照的資格，但駕駛船舶與各種儀器的操作，對他來說已經根本不是什麼難事。

在賽吉・金恩駕船出發之前，已經收到了亞伯・馬丁內斯所提供的經緯度 (註266) 坐標，雖然他知道這次前去危機重重，但臉上還是帶著自信的微笑，駕駛著經過改造的漁船前往會合地點。

　　由於尚隊長早已經跟海巡署打過招呼，所以海巡署也故意派船演了一齣登船檢查的戲碼，不過既然只是為了掩人耳目的演戲，當然不會真的詳細檢查。在海巡署的人員離開之後，賽吉・金恩叫船上的手下拿出鎗械戒備，因為後面的航程還不知道會發生什麼（公海上其實沒有想像中那麼安全，偶爾會有海盜出沒）。

　　到了約定好的時間，一艘大型貨輪朝著指定的坐標方向駛來，而且在到達指定坐標之前放慢了速度，還將甲板上的照明燈具點亮。等到貨輪停下來之後，賽吉・金恩慢慢的駕船靠了過去，用手電筒打出約定好的信號，貨輪上的人才用繩索將救生艇放了下來，救生艇上還有三個手持自動步鎗的人，看起來相當謹慎。

　　漁船上的人拋出兩條繩索，讓救生艇上的人拉繩索讓兩船互相靠近，賽吉・金恩對救生艇上的人說出約定密語，救生艇上的人聽到密語之後將鎗口朝下，幫著賽吉・金恩把三箱東西搬到漁船上，然後用手電筒打了信號，讓船上的人把救生艇收回去。

　　在把貨品搬上漁船之後，賽吉・金恩馬上將漁船掉頭，遠離了那艘貨輪，因為兩艘船舶的噸位相差太大，所以必須在貨輪發動渦輪推進之前，漁船必須趕快遠離以免發生意外碰撞。

　　雖然到目前為止都還算順利，但賽吉・金恩卻絲毫

不敢掉以輕心，因為這趟航程最危險的時刻，是從現在才剛要開始。賽吉‧金恩用衛星電話聯絡了齊正祥，告知了貨品已經順利拿到的消息，齊正祥只交代了一句趕快回來，就掛斷了電話。

　　齊正祥之所以這麼快掛上電話，當然是因為此時亞伯‧馬丁內斯正坐在辦公室裡，亞伯‧馬丁內斯一聽到貨品已順利取得的消息，臉上露出了詭異的笑容。

　　「齊老大，你有沒有多派些人手啊？」亞伯‧馬丁內斯故意說：「公海上可沒這麼平靜，可別讓海盜把我的貨給搶走了。」

　　「你放心吧！我做這個生意可不是新手了，而且我還派了黑閻羅親自去帶貨，要是有人敢搶，那就是自找死路了。」齊正祥話鋒一轉又說：「只不過……就是三箱貨而已，你有必要帶這麼多人來拿貨嗎？」

　　「我就帶了五個人……」亞伯‧馬丁內斯聽到這句話有點心虛，但還是故作鎮定的說：「這樣算多嗎？」

　　「這一帶可都是我的地盤，有任何風吹草動的，我能不知道嗎？」齊正祥冷笑著說：「尤其我們是第一次合作，你派了多少人在外圍待著，我總不會一點都不知道吧？」

　　「哈哈……薑還是老的辣啊！」亞伯‧馬丁內斯假裝陪著笑臉說：「你也說了嘛！我們是第一次合作，我

小心一點，不過分吧？」

「不過分、不過分……小心點是對的。」齊正祥微笑著說：「就像我在海上也做了安排，這種生意我不可能只派一艘船出去，對吧？等一下你可不能只給我一艘船的錢喔！」

「不會……」亞伯・馬丁內斯皮笑肉不笑的說：「說好了是三艘船，我現金都帶來了，你不是也讓自己的手下檢查過了嗎？保證一分也不會少。」

「不過……我還真是好奇啊！」齊正祥故意說：「到底什麼貨有這麼高的利潤啊？以後你也分杯羹給我做做嘛！這樣我這些兄弟跟著我才有好日子過啊！」

「這我們可是事先說好的。」亞伯・馬丁內斯臉色有點難看的說：「你可別壞了規矩喔！」

「好、好……規矩我知道，我不問就是了。」齊正祥笑著故意說：「我打個電話問老黑，看他到哪裡了。」

齊正祥撥打了電話，但電話的那一端卻沒有人接聽電話，他心裡知道賽吉・金恩一定是在公海上遇到了攔截，但他相信軍方應該可以解決這個問題，所以他故意說了「速度加快，趕快回來」這句話，就掛斷了電話。

賽吉・金恩在還沒有進入臺灣領海之前，就遭到一艘沒有掛旗的小型船舶攻擊，由於他與其他船員正忙著跟對方交火，當然沒有辦法接聽齊正祥打來的電話。

　　雖然這一切早已在預料之中，但畢竟賽吉・金恩所駕駛的船還未進入臺灣領海，等到海巡署聽到鎗聲派船過來支援，仍然需要再等一段時間，所以賽吉・金恩只能和船員們開鎗還擊，並且全速朝著臺灣的領海範圍前進。

　　對方船上的鎗手，似乎是怕船上的貨物受到損壞，並沒有採用密集式的掃射，反而是將鎗枝調整成單發射擊的模式進行攻擊，由於對方的鎗法極為精準，漁船上的所有人都被子彈射傷，就連賽吉・金恩也未能倖免。

　　賽吉・金恩強忍著鎗傷的疼痛，趁著船體還沒有受到重大毀損的情形下，冒著再次被擊中的危險，走進駕駛艙緊握著船舵，拼命的加速往前行駛。

　　在接近領海的範圍時，兩輛軍用直昇機終於趕來支援，直昇機上的軍人立即以五〇機鎗砲進行密集射擊，對方見情勢不妙馬上調轉船頭想要逃走，卻被隨之而來的海巡署船艦攔了下來。在火力懸殊的情況之下，對方船上的鎗手也只能乖乖棄械投降，讓海巡署人員登上了他們的船。

　　控制住局面之後，尚義坤的隊員用鋼索從直昇機上垂降到漁船的甲板上，看見漁船上有四個人已經被擊斃，只剩下賽吉・金恩還在掌舵，但當那個軍人走進駕駛艙要詢問狀況時，賽吉・金恩已經撐不住的倒了下來。那

名軍人走近一看，發現賽吉・金恩的身上竟然已經中了三鎗，只能趕緊聯絡直昇機救援。

「不……不用了……」賽吉・金恩虛弱的對那名軍人說：「船上的貨交給……你們了，我的……責任已經……」

「你撐住。」那名軍人緊張的說：「我會讓直昇機送你去醫院。」

「來不及了……」賽吉・金恩滿口是血的說：「幫我告訴……鍾文昱，我……做到了……來世……再做兄弟……」

說完這句話之後，賽吉・金恩嚥下了最後一口氣，他臉上並沒有痛苦的表情，反而是帶著微笑。

此時衛星電話的鈴聲再次響起，那名軍人接聽了電話，把賽吉・金恩的死訊告訴了齊正祥，並交代齊正祥鎮定的應對。

聽到賽吉・金恩的死訊，齊正祥的心裡雖然非常難過，但他並沒有在表情上顯露出來，反而微笑著稱讚賽吉・金恩辦事穩妥，然後才掛上電話，並且對亞伯・馬丁內斯比出了一個 OK 的手勢。

亞伯・馬丁內斯看到齊正祥自信滿滿的樣子，當然已經猜到公海上搶貨的計畫已經失敗，他裝出笑臉說：「看來一切都很順利嘛！黑閻羅這次可真是給你立個了

大功啊！」

　　「倒也沒有這麼順利。」齊正祥裝出很得意的樣子
說：「我聽老黑說，剛才還出現了海盜想搶貨，不過都
已經被老黑給解決了，現在船已經進入臺灣的領海了，
應該不會再有什麼意外出現，我們現在只要安心的等他
把船開回來就可以了。」

　　「太好了。」亞伯・馬丁內斯故意問說：「那我們
是要去岸邊等他？還是在這裡等就好？」

　　「這麼多人去到岸邊，太容易引起警方的注意了。」
齊正祥回答說：「老黑把船開回來之後，自然會用車把
貨載回來這裡。」

　　齊正祥的話音剛落，外面突然傳來幾聲鎗響，雖然
這些鎗聲聽起來離這裡有點距離，但在這樣寂靜的夜裡，
任何風吹草動都會顯得格外的明顯，更何況是本不應該
出現的鎗聲。

　　亞伯・馬丁內斯與李雲強聽到了鎗聲，馬上就警覺
到是自己安排在外圍的人出了事，原本一直靜靜站在亞
伯・馬丁內斯身邊的李雲強，突然掏出手鎗指著齊正祥，
齊正祥的手下隨即也掏出手鎗瞄準著對方，情勢瞬間變
得緊張了起來。

　　「齊正祥，沒想到我還真是低估你了。」亞伯・馬
丁內斯臉色難看的說：「你竟然在外圍也安排了人？你

是想直接吞了我那批貨嗎？」

　　「你找我幫你去公海上拿貨，卻派人到公海上去搶貨，還在這裡的外圍安排了這麼多人，你竟然還有臉說我？」齊正祥一臉不在乎的說：「現在暗搶不成，就想要明搶了嗎？」

　　「你……」亞伯‧馬丁內斯臉色一沉的說：「想活命的話，就叫你手下把鎗丟過來。」

　　「所有人通通退出大門口去。」齊正祥鎮定的對手下說：「沒有我的命令不要輕舉妄動。」

　　那些手下當然知道齊正祥之所以這樣說，是為了保全他們的性命，因為大門口早就被軍隊給重重包圍了，而且他們心裡非常清楚，齊正祥是想犧牲自己來保全他們的性命，所以遲遲不肯退去。

　　「沒聽到我說的話嗎？」齊正祥故意咆哮著說：「你們是想害死我嗎？」

　　那些手下看見齊正祥堅決的神態，也只能慢慢的往大門口退去。李雲強利用這個機會跑到齊正祥的身邊，用手臂勒住齊正祥的脖子，並用鎗指著齊正祥的太陽穴。面對這樣的情況，齊正祥不但沒有任何緊張的表情，反而一臉微笑的看著亞伯‧馬丁內斯。

　　「你這個老狐狸，原來你早有準備啊？」亞伯‧馬丁內斯走到齊正祥面前，奸笑著說：「不過你的命現在

可是在我手上，你不至於為了錢連命都不要了吧？」

「為了錢？哈哈……」齊正祥大笑著說：「你叫你的手下走出去看看。」

聽到齊正祥這麼說，亞伯‧馬丁內斯使了個眼色叫其中一個手下出去查看，那名手下走出辦公室往門口一看，發現大門口早已被一群穿著黑色制服的人給包圍了起來，而且從這些人所拿的武器來看，可以明顯看出這批人並不是普通人。

那名手下看見如此的陣仗，驚慌失措的跑回辦公室，把自己所看到的情形說了出來，亞伯‧馬丁內斯聽了之後勃然大怒，用力抓著齊正祥的衣領問說：「你竟然叫了警察？你自己就是黑道，跟警察合作對你有什麼好處？」

「他們不是警察。」齊正祥冷笑著說：「他們是臺灣最精銳的涼山特勤隊，今天你們一個也跑不了，還是趕快棄械投降吧！」

「涼山……軍人？」亞伯‧馬丁內斯臉色大變，難以置信的說：「你竟然跟軍方合作？」

「亞伯先生，我們現在該怎麼辦？」李雲強露出恐懼的表情說：「我們可不是涼山部隊的對手啊！」

「怕什麼，齊正祥既然跟軍方合作，軍方總不至於連他的命都不顧吧？」亞伯‧馬丁內斯對李雲強怒吼，

轉頭對剛才出去的那名手下說：「你出去跟那些軍人說，如果不希望齊正祥被我一鎗打死的話，就給我們一輛車，讓我們好好的離開這裡，只要我們安全了，我就會放了齊正祥。」

「想用我作人質啊？」齊正祥笑著說：「那可能要讓你失望了。」

在說這句話的同時，齊正祥突然抓住李雲強持鎗的手，迅速壓著李雲強的手指扣下了扳機，子彈直接貫穿了齊正祥的頭顱，造成齊正祥當場死亡。

亞伯‧馬丁內斯和李雲強都沒有料到，齊正祥竟如此的視死如歸，一時之間也慌亂了起來。尚隊長在門口聽見了鎗聲，心裡大概也知道發生了什麼事，他立即對部下下令進行攻堅。

在強大的火力掩護下，隊員們很快就攻進了大門口，並朝著辦公室的方向前進，由於尚隊長交代過盡量留活口，所以隊員們都放低姿勢進行射擊，讓辦公室裡的人都只有腿部以下中彈，不過還是因為交火太過猛烈，無意中打死了兩個人。

面對軍方如此強大火力的攻堅，為了暫時保住自己的性命，亞伯‧馬丁內斯一夥人也只能無奈的棄械投降，舉起雙手走出了辦公室。

隊員們將他們的手反銬在背後，直接把他們拖了出

去，尚隊長慢慢走進辦公室，看見齊正祥的屍體，不禁嘆氣的搖搖頭，隨即帶著隊員趕往岸邊。

那艘載著貨物的漁船，很快被涼山部隊的隊員開回岸邊，尚隊長帶著隊員上去檢查，確認了箱子裡裝的確實是炭疽桿菌孢子製成的粉末與生物血清，便命令隊員將那三箱東西搬走。

尚義坤走進了駕駛艙，看見賽吉·金恩滿身是血的躺在那裡，便拿起手機打了電話給李陽貴，告知了行動的結果，以及賽吉·金恩和齊正祥的死訊。

行動已經結束了，天色也漸漸亮了，一切都恢復了平靜，剛才那場驚心動魄的鎗戰，就好像根本未曾發生過一樣。

尚義坤點了一根煙，抬頭仰望著天空，心裡有著無限的感慨。因為當他看到賽吉·金恩與齊正祥為了幫助國家抓捕罪犯，而心甘情願獻出自己的生命時，真的在他心裡造成很大的震撼。

一個是國際頂尖的金牌殺手，另一個則是叱吒風雲的黑社會老大，當他們決定用自己的生命去贖罪時，究竟是什麼樣的心情呢？

## 【本節註釋】

註266：經緯度是經度與緯度的合稱，經度與緯度組成一個坐標系統，又稱為地理坐標系統。經度是地球上一個地點離一根被稱為本初子午線南北方向走線以東或以西的度數。緯度是指某點與地球球心的連線和地球赤道面所形成的線面角，其數值在 0 至 90 度之間。地理坐標系統是一種利用三度空間的球面，來定義地球上的空間之球面坐標系統，能夠標示地球上的任何一個位置。經線與緯線一樣是人類為度量方便而假設出來的輔助線，定義為地球表面某點隨地球自轉所形成的軌跡，任何一根緯線都是圓形且相互平行的。

## 第五十二節　事務所裡的笑聲

翌日上午，各大媒體都在報導著方若堂律師與國安局楊滄堯上校被逮捕的消息，除了他們自己本身的罪行之外，就連臺北市政府所辦理內湖區土地徵收所引發的弊案，也全部都被揭露了出來，引起各界嚴厲的撻伐。

至於昨天晚上在基隆所發生的鎗戰，警方只是說明了死者的身分與人數，其他都三緘其口，更對於軍方的行動絕口不提，對於媒體所提出是否為黑幫火拼的猜測，警方僅給予尚待調查的回應，並沒有多說什麼。

不過對於鍾文昱及陳詩語的同事來說，今天可是個值得高興的日子，因為終於看到壞人被繩之於法，而且還看到鍾文昱及陳詩語來到了事務所。最重要的是，他們兩個是牽著手一起走進事務所的，這可讓事務所裡的所有人發出了尖叫聲。

「天啊！牽手喔！」廖千慧像個小女生一樣跑到陳詩語身邊，揶揄著說：「你們兩個終於不演啦？今天是來向我們宣布喜訊的嗎？」

「哪有啦！」陳詩語臉紅的說：「你們不要拿我開玩笑啦！」

「廖律師，妳都幾歲啦？怎麼像小女生一樣八卦呢？不就是牽個手嘛！」方盛華故意數落了一下廖千慧，但

隨即開玩笑的問鍾文昱說：「不會是奉子成婚吧？我就知道你們每天住在一起，一定會搞出人命的。」

「你們兩個不要為老不尊啊！」羅章柏笑著說：「辦公室裡還有很多未婚的小女生耶！可別把她們都給教壞了啊！」

「我可還在風華正茂之年耶！哪裡老啦？」廖千慧不服氣的說：「所長，整間辦公室裡就你最老，還敢說別人咧！」

廖千慧可是出了名的伶牙俐齒，羅章柏被說得一時語塞，不知道如何回嘴。

辦公室裡的同事起鬨著把陳詩語拉到一旁，嘰哩呱啦的開始問東問西，羅章柏摀著耳朵笑著搖頭，把鍾文昱叫進自己的辦公室，並且趕快把辦公室的門關上。

「你看你們兩個多受歡迎啊！」羅章柏假裝抱怨著說：「你們一回來，事務所裡全亂了套囉！」

「學長，大家都好久沒見了，你就讓她們開心一下吧！」鍾文昱在沙發上坐了下來，對羅章柏說：「不過我們還暫時不能回來上班，還得再向你請假一段時間。」

「請假？」羅章柏問說：「為什麼？」

「爺爺還有些事情要去美國處理。」鍾文昱回答說：「他老人家年紀這麼大了，我又這麼多年都沒在他老人家身邊，心裡總覺得有點過意不去，所以這次我想陪爺

爺一起去美國。」

　　「這也是應該的。」羅章柏點頭說：「有你和詩語陪在周老身邊，他老人家應該也會很開心的。」

　　「本來爺爺還怕你不肯放人。」鍾文昱高興的說：「我就說學長是最通情達理的嘛！」

　　「別高興得太早啊！」羅章柏指著桌上的卷宗說：「華成公司那個請求國家賠償的案子，過兩天就要開庭了，你總得告訴我後面該怎麼處理再走吧？」

　　「現在方若堂已經被抓了，有關這個土地徵收弊案的真相，應該也會很快水落石出了。」鍾文昱對羅章柏說：「或許可以按照民事訴訟法第 183 條 (註 267) 的規定，請法官裁定在刑事訴訟程序終結前，先停止本案的訴訟程序。」

　　「可是關於民事訴訟法第 183 條條文中的『訴訟中』，學者通說及實務見解都是採取最高法院 43 年台抗字第 95 號判例 (註 268) 及最高法院 79 年台抗字第 218 號判例 (註 269) 的看法。」羅章柏解釋著說：「好像必須是在訴訟繫屬後所發生的犯罪行為，才可以按照民事訴訟法第 183 條的規定辦理，我怕法官到時候會說，那些相關賄賂與受賄的犯罪行為，都是發生在本案繫屬於第一審之前，要是法官用這兩個判例來對付我，那我可真不知道要怎麼說了。」

　　「學長，你忘了今年（指民國 108 年）1 月 4 日修正的法院組織法第 57 條之 1 (註 270) 了嗎？最高法院 43 年台抗字第 95 號判例及最高法院 79 年台抗字第 218 號判例，都已經沒裁判全文可資查考，所以這兩個判例的效力，跟未經選編為判例之最高法院裁判相同，已經沒有拘束法院的效力了。現在比較新一代的民事訴訟法權威學者（例如姜世明教授），都是根據德國民事訴訟法第 149 條 (註 271) 的規定，以及德國實務及通說的見解來解釋，無論訴訟繫屬前或訴訟繫屬中有犯罪嫌疑牽涉其裁判者，均應包括在內。」鍾文昱提醒羅章柏說：「就算法官不願意採取比較法解釋 (註 272)，臺北市政府裡的承辦人員按照楊賢博及方若堂的指示，撕去原本存在於案件卷宗內的標籤，故意隱藏了建管處原本表示註記並非行政處分附款的意見，這也是在這個請求國家賠償的案件繫屬於第一審法院之後所發生的，當然符合民事訴訟法第 183 條所規定之要件。」

　　「對喔！」羅章柏佩服的說：「還是你的腦袋比較好，這樣我就比較不擔心了，只不過這個案子的時間就會拖得比較長了。」

　　「我相信華成公司的韓董會諒解的。」鍾文昱回答說：「你跟他說明清楚就可以了。」

　　「唉呀！我這個事務所要是沒了你，該怎麼辦啊？」

羅章柏故意問說：「你該不會跟周老去了美國之後，就不回來了吧？」

「不會啦！」鍾文昱微笑著說：「而且就算我不回來了，你還有這麼厲害的哼哈二將，怕什麼啦！」

「哼哈二將？你是說方盛華跟廖千慧啊？」羅章柏大笑說：「像……太像了，哈哈……」

這個事務所裡，已經好久沒有聽見這麼開朗的笑聲了，其實大家真的很為鍾文昱和陳詩語高興，因為總覺得他們兩個能夠走到一起，真的很不容易。

## 【本節註釋】

註267：民事訴訟法第183條規定：「訴訟中有犯罪嫌疑牽涉其裁判者，法院得在刑事訴訟終結前，以裁定停止訴訟程序」。

注268：「民事訴訟法第183條所謂訴訟中有犯罪嫌疑牽涉其裁判者，得命在刑事訴訟終結以前，中止訴訟程序，係指該犯罪嫌疑，確有影響於民事訴訟之裁判，非俟刑事訴訟解決，其民事訴訟即無由或難以判斷者而言，故法院依該條規定中止訴訟程序，須其訴訟有上開情形時，始得為之。」（最高法院43年台抗字第95號判例意旨參照）。

註269：「民事訴訟法第183條規定：『訴訟中有犯罪嫌疑牽涉其裁判者，法院得在刑事訴訟終結前以裁定停止訴

訟程序』。所謂訴訟中有犯罪嫌疑牽涉其裁判，係指在民事訴訟繫屬中，當事人或第三人涉有犯罪嫌疑，足以影響民事訴訟之裁判，非俟刑事訴訟解決，民事法院即無從或難於判斷者而言，例如當事人或第三人於民事訴訟繫屬中涉有偽造文書、證人偽證、鑑定人為不實之鑑定等罪嫌，始足當之。」（最高法院79年台抗字第218號判例意旨參照）。

註270：依司法院於民國108年1月4日修正、同年7月4日施行之《法院組織法》第57條之1規定：「最高法院於中華民國107年12月7日本法修正實施前依法選編之判例，若無裁判全文可資查考者，應停止適用。未經前項規定停止適用之判例，其效力與未經選編為判例之最高法院裁判相同」，最高法院43年台抗字第95號判例及最高法院79年台抗字第218號判例因已無裁判全文可資查考，故其效力與未經選編為判例之最高法院裁判相同。

註271：德國民事訴訟法第149條規定：「在爭訟過程中發生犯罪嫌疑而其調查對於裁判有影響者，法院得命於刑事訴訟程序終結前停止該審判程序。若停止逾年，法院經當事人聲請，應繼續該審判程序。但有重大理由應維持停止決定者，不在此限」。德國此條文立法目的，係因可利用較能取得訴訟資料之刑事訴訟程序所獲得之成果，有訴訟經濟及避免裁判矛盾之功能，尤其對於證據調查部分（例如鑑定程序等），可避免重

複之勞費支出。

註 272：比較法解釋係指透過外國立法例、判例及學說之比較
研究，從中發現不同之規範模式或共同之正義概念，
於法律具體化、類型化或填補漏洞時得作為參考之解
釋方法。

# 第五十三節　尾聲

## 2019 年（民國 108 年）10 月 27 日

　　美國福斯新聞（Fox News）快訊報導，巴格達迪死於美方在敘利亞西北部城市伊德利卡的行動中，此消息一出震驚了全世界。

　　隨後，美國總統川普召開記者會說明，巴格達迪在美國軍隊的行動中，引爆了他身上所穿的自殺炸彈背心，炸死了自己和三個孩子，其兩名妻子也在交火中身亡，並稱「這個嚴重威脅他人的暴徒，在極度恐懼、慌張中度過了生命最後一刻，他被美軍的行動嚇壞了」。

　　2019 年 10 月 31 日

　　伊斯蘭國發布錄音證實巴格達迪的死訊，宣布由新任哈里發阿布‧易卜拉欣‧哈希米‧庫雷希接任，並揚言要向美國及所有背叛者報復。

　　這個世界的罪惡與紛亂，好像始終持續著，正義也許會遲到，但絕對不會不到，因為正義始終都在，在每個善良的人心裡。

　　地獄由心造，亦為業所建，因果隨行至，相會一念間。

（全文終）

# 【本書註釋檢索】

208. 昊天— Page 101 註 208。

209.「大惡者應劫而生，大仁者應運而生，運生世治，劫生世危。天地之邪氣，惡者之所秉也，故擾亂天下，天地之正氣，仁者之所秉也，故修治天下。」— Page 101 註 209。

210. 警察人員之撫卹— Page 106 註 210。

211. 狙擊觀察員— Page 114 註 211。

212.「魔鬼的最大伎倆，就是說服你，它不存在。」— Page 114 註 212。

213. 議員索資之法源及相關問題— Page 124 註 213。

214. 甲基苯丙胺（N-methylamphetamine）— Page 129 註 214。

215. 超級士兵（Supersoldier）— Page 130 註 215。

216. 法醫研究所— Page 137 註 216。

217. ASSC（Airborne Special Service Companu）涼山特勤隊— Page 137 註 217。

218. MK Uitra 計畫— Page 143 註 218。

219. 臺灣省戒嚴令— Page 144 註 219。

220. 魑魅魍魎— Page 159 註 220。

221. 阿鼻地獄— Page 159 註 221。

222. 憲兵防爆小組（MP-EOD）— Page 164 註 222。

223. C4 炸藥（C-4 exlosive）— Page 165 註 223。

224. 我國司法官訓練機構— Page 175 註 224。

225. 刑事訴訟法第 93 條第 6 項— Page 183 註 225。

226. 刑事訴訟法第 93 條第 5 項— Page 184 註 226。

227. 刑事訴訟法第 88 條之 1 — Page 184 註 227。

228. 刑事訴訟法第 228 條第 4 項— Page 185 註 228。

229. 拘捕前置原則— Page 185 註 229。

230. 具保— Page 190 註 230。

231. 臺北市中山北路— Page 199 註 231。

232. 邁克‧蓬佩奧（Michael Richard Pompeo）— Page 200 註 232。

233. 唐納‧約翰‧川普（Donald John Trump）— Page 200 註 233。

234. 美國太空軍（United States Space Force）— Page 200 註 234。

235. 鈴蘭（convallaria majalis）— Page 211 註 235。

236. 司馬遷（太史公）— Page 212 註 236。

237. 「太上修德，其次修政，其次修救，其次修禳，正下無之。」— Page 212 註 237。

238. 三合會（Triad）— Page 219 註 238。

239. 生前處分— Page 230 註 239。

240. 共犯之自白— Page 231 註 240。

241. 關於聖經與猶太教中對於彌撒亞之介紹— Page 252

國家圖書館出版品預行編目（CIP）資料

國際走私謀殺案大追擊：魔鬼的伎倆 / 鍾傑著.
-- 初版. -- 桃園市：玄古學庫發展有限公司, 民110.10
面；　公分. -- (人與神之間的世界；5)
ISBN 978-986-98061-5-2(平裝)

863.57　　　　　　　　　　　110010694

人與神之間的世界　N05

# 國際走私謀殺案大追擊：魔鬼的伎倆

作　　者：鍾傑
出 版 者：玄古學庫發展有限公司
發 行 人：鍾傑
地　　址：桃園市平鎮區北華里振興路 92 號（1 樓）
電　　話：03-457-1029
傳　　真：03-458-1360
出　　版：中華民國 110 年 10 月
定　　價：新台幣 399 元
I S B N：978-986-98061-5-2（平裝）